Série Diários do Vampiro

O despertar
O confronto
A fúria
Reunião sombria
O retorno – Anoitecer
O retorno – Almas sombrias
O retorno – Meia-Noite
Caçadores – Espectro
Caçadores – Canção da lua
Caçadores – Destino

Série Mundo das Sombras

Vampiro Secreto
Filhas da escuridão
Submissão mortal

Série Círculo Secreto

A iniciação
A prisioneira
O poder

Série Círculo Secreto

Origens
Sede de sangue
Desejo
Estripador

L.J. SMITH

O RETORNO

Almas Sombrias

Tradução de
Ryta Vinagre

10ª edição

— Galera —
RIO DE JANEIRO
2024

CIP-BRASIL. CATALOGAÇÃO-NA-FONTE
SINDICATO NACIONAL DOS EDITORES DE LIVROS, RJ

S649a
10ª ed.
    Smith, L. J. (Lisa J.)
    Almas sombrias – O retorno / L. J. Smith; tradução Ryta Vinagre. – 10ª ed. – Rio de Janeiro: Galera Record, 2024.
    (Diários do vampiro; 6)

    Tradução de: The shadow souls
    Sequência de: O retorno
    ISBN 978-85-01-09136-9

    1. Sobrenatural – Ficção. 2. Relações humanas – Ficção. 3. Vampiros – Ficção. 4. Ficção americana. I. Vinagre, Ryta. II. Título. III. Série

11-1456
    CDD: 813
    CDU: 821.111(73)-3

Copyright © 2010 by L. J. Smith

Publicado mediante acordo com a Rights People, London.

Todos os direitos reservados.
Proibida a reprodução, no todo ou
em parte, através de quaisquer meios.
Os direitos morais do autor foram assegurados.

Composição de miolo: Abreu's System

Texto revisado pelo Acordo Ortográfico da Língua Portuguesa de 1990.

Direitos exclusivos de publicação em língua portuguesa
somente para o Brasil adquiridos pela
EDITORA RECORD LTDA.
Rua Argentina 171 – Rio de Janeiro, RJ – 20921-380 – Tel.: (21) 2585-2000
que se reserva a propriedade literária desta tradução

Impresso no Brasil

ISBN 978-85-01-09136-9

Seja um leitor preferencial Record.
Cadastre-se no site www.record.com.br e receba
informações sobre nossos lançamentos e nossas promoções.

Atendimento e venda direta ao leitor:
sac@record.com.br

A minha maravilhosa agente, Elizabeth Harding

1

— Querido Diário — sussurrou Elena —, isso não é frustrante? Deixei você na mala do Jaguar e são 2 horas da manhã. — Ela dava tapinhas na perna com o dedo por cima da camisola, como se tivesse uma caneta e fizesse um ponto. E sussurrou ainda mais baixo, pousando a testa na janela. — E estou *com medo* de sair... no escuro... e pegar de volta. Estou com medo! — Ela golpeou outra vez e, sentindo as lágrimas escorrerem pelo rosto, relutante, ligou o gravador do celular. Era um desperdício idiota de bateria, mas ela não podia esperar. *Precisava* disso.

— Então aqui estou eu — disse com brandura —, sentada no banco traseiro do carro. Este é meu registro no diário por hoje. Aliás, temos uma regra nessa viagem de carro... Eu durmo no banco traseiro do Jaguar e Matt e Damon ficam "ao relento". Neste momento está tão escuro lá fora que nem consigo ver onde Matt está... Mas eu andei meio louca... Chorando e me sentindo perdida... E com tanta saudade de Stefan...

"Precisamos nos livrar do Jaguar — é grande demais, vermelho demais, chamativo demais e inesquecível demais quando se está tentando *não* ser lembrado ao viajar até o lugar onde podemos libertar Stefan. Depois que o carro for vendido, o pingente de lápis-lazúli e diamante que Stefan me deu na véspera de seu desaparecimento será a coisa mais preciosa que me restará. Naquele dia, Stefan foi convencido a se afastar, pensando que podia se tornar um ser humano comum. E agora..."

"Como posso parar de pensar no que *eles* podem estar fazendo com ele neste exato segundo — quem quer que sejam 'eles'? Provavelmente os kitsune, os espíritos raposa do mal, na prisão chamada Shi no Shi."

Elena parou para enxugar o nariz na manga da camisola.

— *Como foi que me meti nessa situação?* — Ela balançou a cabeça, batendo no encosto do banco com o punho cerrado.

"Se eu conseguisse entender, talvez pensasse num Plano A. Sempre tenho um Plano A. E minhas amigas sempre têm Planos B e C para me ajudar. — Elena fechou os olhos, pensando em Bonnie e Meredith. — Mas agora tenho medo de nunca mais ver as duas. E estou com medo por toda a cidade de Fell's Church."

Por um momento ela ficou sentada com o punho cerrado junto ao joelho. Uma vozinha em sua cabeça lhe dizia: "Então pare de reclamar, Elena, e pense. *Pense*. Comece do início."

Do início? Que início? Stefan?

Não, ela já vivia em Fell's Church muito antes de Stefan chegar. Aos poucos, quase de um jeito sonhador, ela falou ao celular:

— Em primeiro lugar: quem sou eu? Sou Elena Gilbert e tenho 18 anos. — Ainda mais lentamente, continuou: — Eu... não *acho* que seja presunção minha dizer que sou bonita. Se não achasse isso, nunca me olharia no espelho nem receberia elogios. Não é algo de que deva me orgulhar... É só uma coisa que me foi passada geneticamente.

"Como eu sou? Meu cabelo é louro e cai em ondas pelos ombros, tenho olhos azuis, que algumas pessoas dizem ser como lápis-lazúli: de um azul-escuro salpicado de ouro." Ela riu, meio sufocada. "Talvez seja por isso que os vampiros gostam de mim."

Depois seus lábios se apertaram e, olhando a completa escuridão a sua volta, ela falou, séria.

— Muitos meninos me achavam a garota mais angelical do mundo. E eu brincava com eles. Eu simplesmente os usava...

pela popularidade, por diversão, ou para qualquer coisa. Estou sendo sincera, não é? Eu os considerava brinquedos ou troféus.

— Ela parou. — Mas havia outra coisa. Algo que eu sempre soube que um dia viria... Mas não sabia o que era. Era como se eu procurasse por uma coisa que nunca acharia nos meninos. Nenhum de meus esquemas ou brincadeiras com eles... tocaram o fundo de meu coração... Até que apareceu um menino muito especial. — Ela parou, engoliu em seco e disse novamente: — Um menino *muito* especial.

"Seu nome era Stefan.

"E *ele* por acaso não era o que parecia, um aluno normal — mas lindo — do último ano, com cabelo desgrenhado e olhos verdes como esmeraldas.

"Stefan Salvatore por acaso era um vampiro.

"Um vampiro de verdade."

Elena, sufocada, teve de parar para tomar ar, antes de pronunciar as palavras seguintes.

— E, Damon, o irmão dele, era igualmente lindo.

Ela mordeu os lábios e pareceu se passar muito tempo antes de acrescentar:

— Será que eu teria amado Stefan se soubesse desde o início que ele era um vampiro? Sim! Sim! *Sim!* Eu teria me apaixonado por ele independentemente de qualquer coisa! Mas isso mudou tudo... E mudou a mim. — Elena desenhava com o dedo em sua camisola. — Veja você, os vampiros demonstram amor trocando sangue. O problema era que... eu estava partilhando sangue com Damon também. Não por opção, mas porque ele me perseguia constantemente, dia e noite.

Ela soltou um suspiro.

— O que Damon *diz* é que ele quer me transformar em vampira e fazer de mim sua Princesa das Trevas. O que se traduz por: ele me quer só para ele. Mas eu não confiaria em Damon, a não ser que ele desse sua palavra, pois ele jamais deixa de cumprir com sua palavra; é uma ideia fixa que tem.

Elena podia sentir um estranho sorriso aparecendo nos lábios, mas agora falava calmamente, com fluência, o celular quase esquecido.

— Uma menina envolvida com dois vampiros... Bom, é claro que eu ia ter problemas, não é? Então talvez eu tenha merecido o que recebi.

"Eu morri.

"Não 'morri' simplesmente, como quando o coração para, os médicos te ressuscitam e você volta falando que quase entrou na Luz. Eu *estive* na Luz.

"Eu *morri*.

"E quando voltei... Que surpresa! Eu era vampira.

"Damon foi... gentil comigo, acho, quando despertei pela primeira vez como vampira. Talvez fosse esse o motivo de eu ainda ter... sentimentos por ele. Ele não se aproveitou de mim quando podia ter feito isso com facilidade.

"Mas eu só tive tempo de fazer algumas coisinhas em minha vida como vampira. Tive tempo de me lembrar de Stefan, de amá-lo mais do que tudo... Uma vez que eu sabia como tudo era difícil para ele naquela época. Tive de ver meu próprio funeral. Rá! Todo mundo devia ter uma oportunidade como essa. Aprendi a sempre, *sempre* usar o lápis-lazúli, assim eu não viraria pó, ou churrasco, como preferir. Tive de me despedir de minha irmã de 4 anos, Margaret, e visitar Bonnie e Meredith...

As lágrimas ainda escorriam despercebidas pelo rosto de Elena. Mas ela falava em voz baixa.

— E depois... Eu morri de novo.

"Morri como os vampiros morrem, quando eles não estão com o lápis-lazúli à luz do sol. Não virei pó; só tinha 17 anos. Mas o sol me envenenou mesmo assim. Partir foi quase... pacífico. Foi quando eu fiz Stefan prometer que sempre cuidaria de Damon. E acho que, mentalmente, Damon jurou cuidar de Stefan também. E foi assim que morri, com Stefan segurando-me em seus braços e Damon ao meu lado enquanto eu simplesmente era levada, como se estivesse dormindo.

"Depois disso, tive sonhos de que não me lembro e, de repente, um dia, todo mundo se surpreendeu porque eu estava falando com eles de novo por intermédio de Bonnie, que é muito sensitiva, coitadinha. Acho que me deram a tarefa de ser o espírito guardião de Fell's Church. A cidade corria perigo. Tiveram de lutar e, quando entenderam que perderam, de alguma maneira, eu voltei ao mundo dos vivos para ajudar. E... Bom, quando a guerra estava vencida, eu parti com aqueles poderes estranhos que não compreendia. Mas havia Stefan também! Estávamos juntos de novo!"

Elena se abraçou com força e assim ficou, como se estivesse abraçando Stefan, imaginando seus braços quentes. Ela fechou os olhos até que a respiração se aquietou.

— Quanto a meus poderes... Vejamos. Tem a telepatia. Posso me comunicar com outra pessoa, desde que ela seja telepata... E todos os vampiros são, mas em graus variados, a não ser que na hora estejam partilhando sangue com você. E tenho as minhas Asas.

"É verdade... Eu tenho Asas! E elas têm poderes que você nem acreditaria... O único problema é que não tenho a menor ideia de como usá-las. Existe uma que às vezes posso sentir, como *agora*, tentando sair de mim, tentando tomar meus lábios para dizer seu nome, tentando mover meu corpo para a postura correta. São as *Asas da Proteção*, e parecem algo que eu podia usar nessa viagem. Mas nem consigo me lembrar de como fiz as antigas Asas funcionarem... E muito menos descobrir como usar esta nova. Eu tento fazê-las funcionar até me sentir uma idiota... Mas nada acontece.

"Então sou humana de novo... Tão humana quanto Bonnie. E, ah, meu Deus, se eu pudesse *vê-la* agora, e Meredith! Mas o tempo todo fico dizendo a mim mesma que a cada minuto estou mais perto de encontrar Stefan. Isto é, se levar em conta que Damon está fazendo de tudo para despistar quem estiver nos seguindo.

"Por que alguém nos seguiria? Bom, veja você, quando voltei do além, houve uma grande explosão de Poder. E todos no mundo que conseguem enxergar esse Poder a viram.

"Agora, como explicar o Poder? É algo que todo mundo tem, mas que os humanos — a não ser os verdadeiros paranormais, como Bonnie — nem reconhecem. Os vampiros sem dúvida têm Poder, e o usam para influenciar humanos a gostar deles, ou a pensar que as coisas são diferentes da realidade... Ah, como Stefan influenciou a administração da escola a pensar que seu histórico estava em ordem quando ele foi 'transferido' para a Robert E. Lee High School. Ou eles usam o Poder para acabar com outros vampiros ou criaturas das trevas... Ou humanos.

"Mas eu estava falando da explosão de Poder que aconteceu quando *eu* desci dos céus. Foi tão grande que atraiu duas criaturas horríveis do outro lado do mundo, que queriam saber o que havia provocado a explosão — e se haveria alguma maneira de eles mesmos possuírem aquele Poder.

"Também não estou brincando quando digo que eles vieram do outro lado do mundo. Eles eram kitsune, espíritos raposa do mal, e vieram do Japão. São como nossos lobisomens ocidentais... só que muito mais poderosos. Tão poderosos que usaram *malach*, que na verdade são vegetais, mas parecem insetos e podem ser pequenos como uma cabeça de alfinete ou grandes o bastante para engolir um braço. Os malach conseguem se prender a seus nervos e tomam seu sistema nervoso até, por fim, dominá-lo completamente."

Agora Elena tremia, e sua voz era um sussurro.

— Foi o que aconteceu com Damon. Um malach entrou nele e o dominou, fazendo dele uma marionete de Shinichi. Esqueci de dizer que os kitsune se chamavam Shinichi e Misao. Misao é a menina. Eles têm cabelos pretos com pontas vermelhas, mas o de Misao é comprido. E se diziam irmãos... Mas com certeza não agiam como se fossem.

"Depois que Damon foi totalmente possuído, Shinichi obrigou... o corpo de Damon a fazer coisas horríveis. Ele o fez torturar Matt e eu sei que às vezes Matt ainda sente vontade de matar Damon por isso. Mas se ele visse o que eu vi... Um segundo corpo, úmido e fino, que tive de puxar da coluna de Damon com minhas unhas... O que fez Damon desmaiar de dor... Então Matt entenderia. Não posso culpar Damon pelo que Shinichi fez com ele. Não *posso*. Damon estava... Nem imagina como estava diferente. Ele estava arrasado. Ele *chorava*. Estava...

"Mas não quero ver Damon desse jeito de novo. Se eu um dia conseguir os poderes de minhas Asas de volta, Shinichi vai se ver comigo.

"Acho que esse foi justamente o nosso erro, sabe? Finalmente conseguimos derrotar Shinichi e Misao... *Mas não os matamos.* Fomos éticos demais, gentis demais ou coisa assim.

"Foi um grande erro.

"Porque Damon não era o único possuído pelo malach de Shinichi. Havia jovens meninas também, de 14, 15 anos, e até mais novas. E alguns meninos que começaram a agir como... loucos. Ferindo a si e a suas famílias. Quando soubemos da gravidade da situação já tínhamos feito um acordo com Shinichi.

"Talvez tenhamos sido *imorais* também, fazendo um pacto com o demônio. Mas eles sequestraram Stefan... e com a ajuda de Damon, que já estava possuído por eles. Depois que Damon foi libertado, tudo o que ele queria era que Shinichi e Misao nos dissessem onde estava Stefan, e depois saíssem de Fell's Church para sempre.

"Como parte do acordo, Damon deixou Shinichi entrar em sua mente.

"Assim como os vampiros são obcecados pelo Poder, os kitsune são obcecados pelas lembranças. E Shinichi queria as lembranças de Damon daqueles últimos dias... Quando Damon estava possuído e nos torturava... E quando minhas Asas fizeram Damon perceber que ele tinha feito aquilo tudo. Não acho que o próprio Damon quisesse essas lembranças, do que ele fez ou de como mudou quando teve de enfrentar seus atos. Então ele deixou que Shinichi ficasse com elas, e em troca Shinichi colocaria em sua mente a localização de Stefan.

"O problema é que confiamos na palavra de Shinichi quando ele disse que iria embora... Mas a palavra de Shinichi não vale nada.

"Além disso, desde então ele está usando o canal telepático que abriu entre a mente dele e a de Damon para tomar cada vez *mais* lembranças de Damon, sem que este perceba.

"Ontem à noite mesmo isso aconteceu. Fomos parados por um policial que queria saber o que três adolescentes estavam fazendo tão tarde da noite num carro luxuoso. Damon o influenciou a ir embora. Porém, poucas horas depois, Damon tinha se esquecido completamente do policial.

"Isso assustou Damon. E qualquer coisa que assuste Damon... mesmo que ele não admita que isso seja possível... me *mata* de pavor.

"E, você pode perguntar, o que os três adolescentes *estavam* fazendo no meio do nada, no condado de Union, no Tennessee, de acordo com a última placa que vi? Estávamos a caminho de um Portal que leva à Dimensão das Trevas... Onde Shinichi e Misao deixaram Stefan, na prisão chamada Shi no Shi. Shinichi apenas pôs a informação na mente de Damon, e não consigo fazer com que Damon diga muita coisa sobre o lugar. Mas Stefan está lá e vou dar um jeito de chegar até ele —, mesmo que isso me mate.

"Mesmo que eu precise aprender a matar.

"Não sou mais aquela garotinha doce da Virginia."

Elena parou e soltou o ar. Mas, abraçando as próprias pernas, continuou:

— E por que Matt está conosco? Bom, por causa de Caroline Forbes, minha amiga desde o jardim de infância. No ano passado... Quando Stefan veio para Fell's Church, ela e eu o queríamos. Mas ele não a quis. Então, Caroline se transformou na minha pior inimiga.

"Ela também foi a sortuda que recebeu a primeira visita de Shinichi às meninas de Fell's Church. Mas vamos ao que interessa: ela era namorada de Tyler Smallwood há um bom tempo antes de ser sua vítima. Pergunto quanto tempo eles ficaram juntos e onde Tyler está agora. Tudo o que sei é que Caroline acabou grudando em Shinichi porque "precisava de um marido". Foi como a própria Caroline explicou. Assim eu suponho... Bom, é o que Damon supõe. Que ela vai... ter filhotinhos. Um filhote de lobisomem, entende? Já que Tyler é um lobisomem.

"Damon diz que ter um bebê-lobisomem a transforma em um lobisomem mais rápido do que se você fosse mordida, e que, em algum momento da gravidez, você adquire o poder de ser completamente lobo ou completamente humana, mas, até lá, você é apenas uma mixórdia.

"O triste nisso é que Shinichi mal olhou para Caroline quando ela desabafou.

"Mas antes *disso* Caroline ficou desesperada o bastante para acusar Matt de... de atacá-la... num encontro que deu errado. Ela provavelmente sabia que Shinichi estava aprontando, pois ela alegou que seu 'encontro' com Matt aconteceu numa hora em que um dos malach devoradores de braços atacava Matt, deixando marcas no braço dele que pareciam arranhões feitos por unhas de mulher.

"Isso colocou a polícia atrás de Matt, esta é verdade. Então basicamente eu o *obriguei* a vir conosco. O pai de Caroline é um dos homens mais importantes de Fell's Church... E tem amigos na promotoria de Ridgemont, além de ser diretor de um dos clubes secretos só para homens nos quais trocam saudações e outras coisas que tornam seus membros 'proeminentes na comunidade', sabe como é.

"Se eu não tivesse convencido Matt a fugir em vez de enfrentar as acusações de Caroline, os Forbes teriam *linchado* Matt. E sinto a raiva como um fogo dentro de mim... Não só raiva e mágoa por Matt, mas raiva e a sensação de que Caroline tinha depreciado todas as meninas. Porque aquelas meninas não eram mentirosas patológicas e não inventariam algo assim sobre um menino. Ela envergonhou todas as meninas agindo como agiu."

Elena parou, olhando as mãos, e acrescentou:

— Às vezes, quando fico com raiva de Caroline, as xícaras tremem ou os lápis rolam da mesa. Damon diz que tudo isso é provocado por minha aura, minha força vital, e que tem sido diferente desde que voltei do além. Além de tudo, deixa incrivelmente forte qualquer um que beba meu sangue.

"Stefan era forte o bastante para que esses demônios raposa não o obrigassem a cair em sua armadilha, se Damon não o tivesse enganado no começo. Eles só podiam lidar com Stefan quando ele estivesse fraco e cercado de ferro. O ferro é um veneno para uma criatura sobrenatural, e os vampiros precisam se alimentar pelo menos uma vez por dia ou ficam fracos, e aposto... Não, eu *tenho certeza* de que usaram isso contra ele.

"É por isso que não suporto pensar em como Stefan está neste minuto. Mas não posso me permitir ter medo ou raiva, ou perderei o controle de minha aura. Damon me mostrou como mantê-la dentro de mim, como uma menina humana normal. Ainda é dourada e bonita, mas não um farol para criaturas como vampiros.

"Porque há uma coisa que meu sangue... talvez apenas a minha aura... pode fazer. Ela pode... Ah, bom, eu posso dizer o que quiser aqui, não é? Hoje em dia, minha aura pode fazer os vampiros me desejarem... como os humanos. Não só para morder, entendeu? Mas para beijar e todo o resto. E assim eles vêm naturalmente atrás de mim quando sentem a minha aura. Como se o mundo estivesse cheio de abelhas e eu fosse a única flor.

"Então tenho que treinar para manter minha aura oculta. Se ela aparecer só um pouquinho, consigo me passar por uma humana normal, e não alguém que morreu e voltou. Mas é difícil me lembrar de escondê-la sempre... E dói *muito* puxá-la para dentro de repente, quando me esqueço!

"E então eu sinto... Isso é completamente privado, não é? Vou te rogar uma praga, Damon, caso ouça e conte isso a alguém. Mas é quando eu desejo que Stefan me morda. Alivia a pressão e é bom. Ser mordida por um vampiro só dói se você tentar resistir, ou se o vampiro quiser machucar você. Caso contrário, a sensação é maravilhosa... E depois você toca a mente daquele vampiro e... *Ah, sinto tanta falta de Stefan!*"

Elena agora tremia. Por mais que tentasse aquietar sua imaginação, continuava pensando nas coisas que os carcereiros podiam estar fazendo a Stefan. De cara amarrada, ela se agarrou ao celular de novo, deixando que as lágrimas caíssem.

— Não *consigo nem pensar* no que eles podem estar fazendo com ele porque eu *realmente* começo a enlouquecer. Eu me tornei uma insana trêmula e inútil que só tem vontade de gritar e nunca mais parar. Tenho que lutar a cada segundo para não pensar nisso. Porque só uma Elena fria e calma com Planos A, B e C é capaz de ajudá-lo. Quando eu o tiver em segurança em meus braços, posso me permitir tremer e chorar... E gritar também.

Elena parou, rindo um pouco, a cabeça encostada no banco do carona, a voz rouca de tanto falar.

— Agora estou cansada, mas pelo menos tenho um Plano A. Preciso conseguir mais informações de Damon sobre o lugar aonde vamos, a Dimensão das Trevas, e qualquer coisa que ele saiba sobre as duas pistas que Misao me deu sobre a chave que destrancará a cela de Stefan.

"Eu acho... Acho que não falei sobre isso. A chave, a chave de raposa, que precisamos para tirar Stefan da cela, foi dividida em dois pedaços que estão escondidos em dois lugares diferentes. E quando Misao me provocava sobre o pouco que eu sabia sobre esses lugares, ela acabou me dando dicas de onde estavam. Ela nem sonhava que eu realmente *iria* à Dimensão das Trevas; só queria aparecer. Mas ainda me lembro das dicas, e são assim: a primeira metade está 'no instrumento de prata do rouxinol'. E a segunda metade está 'enterrada no salão de baile de Bloddwedd'.

"Preciso ver se Damon tem alguma ideia do que significava isso. Porque parece que depois que chegarmos à Dimensão das Trevas, teremos de nos infiltrar na casa de algumas pessoas, e em outros lugares. Para encontrar um salão de baile, é preciso ser convidada para um baile, não é? Isso parece 'mais fácil falar do que fazer', mas não importa o que exigir de mim, eu farei. É simples."

Elena levantou a cabeça decidida e ficou imóvel, depois disse num sussurro:

— Dá para acreditar nisso? Olhei para cima agora e pude ver os lampejos mais claros do amanhecer: verde-claro, laranja cremoso e o azul mais pálido... Falei o tempo todo no escuro. Agora está tão tranquilo. Justo agora o sol desponta...

"Mas o que é isso? Acabo de ouvir um ESTRONDO no teto do Jaguar. E foi bem alto."

Elena desligou o gravador do celular. Estava assustada, mas um barulho assim — e agora o som de arranhões no teto...

Ela precisava sair do carro o mais rápido possível.

2

lena saiu intempestivamente do Jaguar e se afastou um pouco do carro antes de se virar e ver o que tinha caído em cima dele.

O que tinha caído era Matt. Ele estava de costas, esforçando-se para se levantar.

— Matt... Ai, meu Deus! Você está bem? Se machucou? — perguntou Elena, ao mesmo tempo que Matt, num tom angustiado, gritava:

— Elena... Ah, meu Deus! O Jaguar está bem? Amassou?
— Matt, ficou *maluco*? Você bateu a cabeça?
— Tem algum arranhão? O teto solar ainda funciona?
— Nenhum arranhão. O teto solar está bem. — Elena não fazia ideia de se o teto solar funcionava, mas percebeu que Matt estava delirante, enlouquecido. Ele tentava descer sem sujar o Jaguar, mas parecia impossível, pois suas pernas e pés estavam cobertos de lama. Descer do carro sem usar os pés era complicado.

Enquanto isso, Elena olhava em volta. Ela mesma tinha caído do céu uma vez, mas estivera morta por seis meses e chegou nua, mas Matt não correspondia a essa descrição. Elena tinha uma explicação mais prosaica em mente.

E lá estava, recostado em uma árvore, olhando a cena com um sorriso leve e malicioso.

Damon.

Ele era compacto. Não era alto como Stefan, mas tinha uma indefinível aura de ameaça que compensava em muito a altura. Estava imaculadamente vestido, com sempre: jeans Armani pretos, camisa preta, jaqueta de couro preta e botas pretas, que combinavam com seu cabelo preto soprado pelo vento e os olhos negros.

Naquele momento, graças a ele, Elena tinha nítida consciência de que estava com uma camisola comprida e branca que tinha trazido na intenção de trocar de roupa por baixo dela, se fosse necessário, enquanto eles estivessem acampados. O problema era que ela, em geral, fazia isso ao amanhecer, e hoje ficara tão distraída com o diário que de repente percebeu que a camisola não era a roupa correta para uma briga com Damon de manhã cedo. Não era transparente, mais parecia flanela do que nylon, mas *era* rendada, especialmente perto do pescoço. Para um vampiro, renda em volta de um lindo pescoço — como Damon já dissera a ela — era como usar um manto vermelho diante de um touro enfurecido.

Elena cruzou os braços. Também tentou se certificar de que sua aura estivesse decorosamente recolhida.

— Você parece a Wendy — disse Damon, e seu sorriso era malicioso, faiscante, definitivamente de apreciação. Ele tombou a cabeça de lado de um jeito sedutor.

Elena se recusou a se deixar seduzir.

— Que Wendy? — disse ela, e nesse momento se lembrou do sobrenome da menina de *Peter Pan*, estremecendo por dentro. Elena sempre foi boa nesse tipo de brincadeirinha, mas Damon era melhor.

— Ora, Wendy... *Darling* — disse Damon, e sua voz era uma carícia.

Elena tremeu por dentro. Damon tinha prometido não influenciá-la para manipular sua mente. Mas às vezes parecia que ele chegava muito perto desse limite. Sim, era culpa de Damon, pensou Elena. Ela não tinha nenhum sentimento por ele que fosse... Bom, não havia nada além de amor fraterno. Mas Damon jamais desistia, independentemente de quantas vezes ela o rejeitasse.

Elena ouviu um barulho atrás dela que sem dúvida significava que Matt finalmente havia descido do teto do Jaguar. Ele comprou a briga de imediato:

— Não chame Elena de *darling*! — gritou ele, continuando ao se virar para Elena. — Wendy deve ser o nome da última namoradinha dele. E... E... E você sabe o que ele *fez*? Como ele me acordou agora de manhã? — Matt tremia de indignação.

— Ele levantou você e o atirou em cima do carro? — Elena arriscou. Falava com Matt por sobre o ombro, porque a brisa fraca da manhã insistia em moldar a camisola ao seu corpo. Não queria Damon às costas dela agora.

— Não! Quero dizer, sim! Não *e* sim! Mas... Ele nem se incomodou de usar as mãos! Só fez assim — Matt agitou o braço — e primeiro eu caí num buraco de lama, depois só o que consegui perceber foi que tinha sido jogado em cima do Jaguar. Eu podia ter quebrado o teto solar... Ou *me quebrado todo*! E agora estou todo sujo de lama — acrescentou Matt, examinando-se com repulsa, como se só agora tivesse percebido isso.

Damon resolveu falar.

— E *por que* eu faria isso? O que você estava fazendo quando impus alguma distância entre nós?

Matt corou até as raízes do cabelo louro. Seus olhos azuis normalmente tranquilos estavam em brasa.

— Eu estava segurando uma estaca — disse ele num tom desafiador.

— Uma estaca. Uma estaca como a que achou no acostamento? Esse tipo de *estaca*?

— Eu a peguei no acostamento, sim! — falou, ainda desafiador.

— Mas então algo estranho parece ter acontecido com ele. — Elena não viu de onde saiu, mas de repente Damon mostrou uma estaca bem comprida, que parecia muito resistente, com uma extremidade que tinha sido entalhada em uma ponta afiada. Sem dúvida era feita de madeira de lei: carvalho, ao que parecia.

Enquanto Damon examinava a "estaca" com um olhar de profundo embaraço, Elena se virou para um Matt que gaguejava.

— Matt! — disse ela num tom de reprovação. Isto sem dúvida era menos um ponto na guerra fria entre os dois meninos.

— Eu pensei — continuou Matt obstinadamente — que podia ser uma boa ideia. Já que estou dormindo ao ar livre à noite e... *Outro* vampiro pode aparecer.

Elena já se virara de novo e estava tentando fazer Damon se acalmar quando Matt recomeçou:

— Diga a ela como você realmente me acordou! — gritou ele. Depois, sem dar a Damon a oportunidade de se defender, continuou: — Eu tinha acabado de abrir os olhos quando ele largou *isso* em mim! — Matt se aproximou de Elena, mostrando alguma coisa. Elena, totalmente perdida, pegou o que Matt estava segurando. Parecia um toco de lápis, mas era de um marrom-avermelhado, escuro e desbotado.

— Ele jogou isso em mim e disse, "apaguei dois" — disse Matt.
— Ele matou duas pessoas... E estava se gabando disso!

Elena de repente não queria mais segurar o lápis.

— Damon! — gritou ela visualmente chateada, enquanto tentava deduzir alguma coisa da inexpressividade dele. — Damon... Você não... Não é verdade que...

— Não implore, Elena. A coisa que tivemos de fazer...

— Se alguém me deixar *falar* — disse Damon, agora parecendo exasperado —, posso mencionar que antes de poder explicar sobre o lápis, *alguém* tentou me enfiar uma estaca, mesmo antes de você sair de seu saco de dormir. E o que eu ia dizer era que eles não eram gente. Eram vampiros, assassinos, mercenários... Mas estavam possuídos pelo malach de Shinichi. *E* estavam nos seguindo. Foram longe, chegaram a Warren, no Kentucky, provavelmente nos acharam fazendo perguntas sobre o carro. Vamos ter que nos livrar dele.

— Não! — Matt gritou, na defensiva. — Esse carro... Esse carro significa algo para Stefan e Elena.

— Esse carro significa algo para *você* — corrigiu Damon. — E posso ressaltar que tive de deixar minha Ferrari num riacho para podermos *levar* você nessa pequena expedição.

Elena levantou a mão. Não queria ouvir mais nada. Tinha sentimentos pelo carro. Era grande e vermelho brilhante, chamativo e alegre — e expressava o que Stefan e ela sentiram no dia em que ele o comprou, para comemorar o início de sua nova vida juntos. Só de olhar para o carro Elena se lembrava desse dia, o peso do braço de Stefan em seu ombro e como ele a olhara, quando ela o fitou de baixo — os olhos verdes de Stefan cintilando de malícia e alegria de comprar uma coisa que ela realmente queria.

Apesar de seu constrangimento e de sua fúria, Elena descobriu que tremia de leve e que seus olhos estavam cheios de lágrimas.

— Está vendo — disse Matt, fuzilando Damon com os olhos —, agora você a fez chorar.

— *Eu*? Não fui eu que falei em meu querido irmão desaparecido — disse Damon, tentando parecer civilizado.

— *Parem com isso! Agora!* Os dois — gritou Elena, tentando recuperar a compostura. — E eu não quero este *lápis*, se não se importa — acrescentou ela, estendendo o braço com ele.

Quando Damon o pegou, Elena limpou as mãos na camisola, sentindo-se vagamente tonta. Ela tremeu, pensando nos vampiros que os seguiam.

E de repente, enquanto ela se virou, sentiu um braço forte e quente em volta dela e a voz de Damon por trás.

— O que ela precisa é de ar fresco, e vou dar isso a ela.

Abruptamente, Elena ficou leve e se viu nos braços de Damon, e eles subiam alto.

— Damon, pode por favor me soltar?

— Agora, querida? É uma boa distância.

Elena continuou a protestar, mas sabia que Damon a tinha em seu poder. E o ar frio da manhã realmente clareava sua mente, embora também a fizesse tremer.

Ela tentou reprimir o tremor, mas não conseguia. Damon a olhou de cima e, para surpresa de Elena, ele estava completamente sério e começava a tirar a jaqueta. Elena disse apressadamente:

— Não, não... É só guiar... quero dizer, voar, e me seguro em você.

— E ver as gaivotas voando baixo — disse Damon, solene, mas com um sorrisinho torto. Elena teve de virar a cara porque corria o risco de rir.

— E então, quando foi que aprendeu que podia jogar as pessoas em cima de carros? — perguntou ela.

— Ah, recentemente. Foi como voar: um desafio. E você sabe que adoro desafios.

Ele a olhava com malícia, aqueles olhos negros com cílios tão longos que eram um desperdício num homem. Elena se sentiu leve como um botão de dente-de-leão, mas também meio tonta, quase embriagada.

Elena agora estava muito mais aquecida, porque — percebeu ela — Damon a envolvera em sua aura, que era quente. Não só na temperatura, mas quente de um apreço impetuoso e quase inebriado, enquanto ele olhava para ela, para seus olhos, seu rosto e o cabelo que flutuava sem peso numa nuvem dourada sobre os ombros. Elena não pôde deixar de corar e quase ouviu os pensamentos *dele*, de que aquele rubor combinava com o róseo de sua pele clara.

E assim como o rubor foi uma reação física involuntária a seu calor e apreço, Elena sentiu uma reação emocional involuntária — de gratidão pelo que ele fez, de reconhecimento pela afeição que ele sentia e de admiração involuntária pelo próprio Damon. Ele salvara sua vida esta noite, se ela sabia alguma coisa sobre vampiros possuídos pelo malach de Shinichi, vampiros que, antes de mais nada, eram assassinos. Elena nem imaginava o que essas criaturas fariam com ela, nem queria saber. Só podia ficar feliz por Damon ter sido inteligente e, sim, impiedoso o bastante para cuidar deles antes que a encontrassem.

E ela teria de ser cega e uma completa idiota para não admitir que Damon era lindo. Depois de ter morrido duas vezes, este fato não a afetava como faria com a maioria das outras meninas, mas ainda era um fato, estivesse Damon pensativo ou abrindo um daqueles raros sorrisos genuínos que ele parecia reservar só para Elena.

Mas Damon também era um vampiro e, portanto, podia ler sua mente, especialmente com Elena tão perto dele, com suas auras se entrelaçando. E Damon gostava do apreço de Elena, e isto se transformou num pequeno ciclo repleto de reciprocidade. Antes que Elena pudesse se concentrar, estava se desmanchando, seu corpo leve sentindo-se mais pesado enquanto se moldava aos braços de Damon.

E o outro problema era que Damon não a estava influenciando; ele foi atingido pelo ciclo, como Elena — e ainda mais fortemente do que ela, porque ele não tinha uma barreira contra isso. Elena sim, mas estavam se ajustando, se dissolvendo. Ela não conseguia pensar direito. Damon a olhava com admiração e uma expressão que ela já vira — mas não conseguia lembrar onde.

Elena perdeu a capacidade de raciocinar. Estava simplesmente perdida no brilho quente daquela estima, sendo abraçada e amada com uma intensidade que a abalava até os ossos.

E quando Elena cedeu, foi por completo. Quase inconscientemente, ela arqueou a cabeça para trás, expondo o pescoço, fechando os olhos.

Com delicadeza, Damon colocou a cabeça de Elena numa posição diferente, amparando-a com uma das mãos, e a beijou.

3

O tempo parou. Elena descobriu que instintivamente procurava a mente daquele que a beijava com tanta ternura. Ela jamais valorizara tanto um beijo, até morrer, tornar-se espírito e ser devolvida à Terra com uma aura capaz de revelar o significado oculto dos pensamentos dos outros, de suas palavras e até sua mente e suas almas. Era como se tivesse adquirido um novo e deslumbrante sentido. Quando duas auras se mesclavam tão profundamente, as almas se desnudavam uma para a outra.

Semiconsciente, Elena deixou que sua aura se expandisse e acabou encontrando outra mente. Para sua surpresa, a mente se retraiu. Isso não estava certo. Ela conseguiu pegá-la antes que se escondesse atrás de uma pedra grande e sólida, como um rochedo. De fora do rochedo — que a fazia se lembrar da foto de um meteorito que vira, com uma superfície esburacada e calcinada — só ficaram funções mentais rudimentares e um menino pequeno, com os pulsos e tornozelos acorrentados à pedra.

Elena ficou chocada, mas sabia que aquilo que estava vendo era apenas uma metáfora, que não devia julgar precipitadamente seu significado. As imagens diante dela eram apenas símbolos da alma desnuda de Damon, mas sua mente era perfeitamente capaz de compreender e interpretar, se olhasse da perspectiva correta.

Por instinto, porém, ela sabia que o que via era importante. Já experimentava o prazer de tirar o fôlego e a doçura inebriante de unir sua alma à de outro. E agora, seu amor e sua preocupação a levaram a tentar se comunicar.

— Está com frio? — perguntou ela à criança, cujas correntes eram longas, permitindo que ele abraçasse com força as pernas puxadas para cima. Estava vestido em trapos pretos.

Ele assentiu em silêncio. Seus imensos olhos negros pareciam dominar todo o rosto.

— De onde você veio? — perguntou Elena em dúvida, pensando em maneiras de aquecer a criança. — Não foi de dentro *disso*? — Ela indicou o rochedo gigante.

A criança assentiu de novo.

— É mais quente ali, mas ele não me deixa voltar.

— Ele? — Elena sempre estava atenta a sinais de Shinichi, aquele espírito raposa maligno. — Quem é "ele", querido? — Ela já se ajoelhara e pegara o menino nos braços, e ele estava frio, gelado, e o ferro congelava.

— Damon — cochichou o menininho esfarrapado. Pela primeira vez os olhos do menino deixaram o rosto de Elena para vasculhar atentamente os arredores.

— *Damon* fez isso? — A voz de Elena começou alta e terminou com a suavidade do sussurro do menino, enquanto ele lhe voltava os olhos suplicantes e batia desesperadamente nos lábios dela, como um gatinho com patas de veludo.

Eram apenas símbolos, lembrou Elena a si mesma. É a mente de Damon — a alma dele — que você está olhando.

Mas é isso mesmo?, perguntou de repente uma parte analítica de Elena. Não houve um tempo, quando você fez isso com outra pessoa, e viu um mundo dentro dele, paisagens inteiras, cheias de amor e beleza ao luar, tudo simbolizando o funcionamento normal e saudável de uma mente normal e extraordinária. Agora Elena não conseguia se lembrar do nome da pessoa, mas lembrava-se da beleza. Ela sabia que sua própria mente usaria símbolos assim para se apresentar a outra pessoa.

Não, ela teve a súbita certeza: *não* estava vendo a alma de Damon. A alma de Damon estava em algum lugar dentro daquela imensa e pesada pedra. Vivia espremida dentro daquela coisa horrenda, e ele *queria* que fosse assim. Só o que restava do lado de fora era uma lembrança antiga de sua infância, um menino que foi privado do resto de sua alma.

— Se foi Damon que pôs você aqui, então quem é você? — perguntou Elena lentamente, testando sua teoria, enquanto olhava com atenção os olhos negros da criança, seu cabelo preto e as feições que ela certamente *reconheceria*, apesar de tão jovens.

— Eu sou... Damon — sussurrou o menininho, com os lábios pálidos.

Talvez até esta revelação fosse dolorosa, pensou Elena. Ela não queria magoar esse símbolo da infância de Damon. Queria que ele sentisse a doçura e o conforto que ela sentia. Se a mente de Damon fosse uma casa, por exemplo, ela ia querer arrumar cada cômodo e enchê-los de flores e estrelas. Se fosse uma paisagem, ela teria colocado o halo em torno da lua cheia, ou um arco-íris em meio às nuvens. Mas em vez disso, apresentava-se como uma criança faminta e presa a uma pedra que ninguém podia destruir, e ela queria reconfortar e tranquilizar a criança.

Ela aninhou o garotinho, afagando com força seus braços e pernas e acolhendo-o em seu corpo espiritual.

No início ele estava tenso em seus braços. Mas aos poucos, uma vez que nada de terrível aconteceu por estarem abraçados, ele relaxou e ela sentiu o corpo pequeno se aquecer, tornando-se sonolento e pesado em seus braços. Ela se sentiu esmagadoramente protetora com relação à pequena criatura.

Em alguns minutos, a criança em seus braços estava dormindo e Elena pensou ter visto o esboço de um sorriso em seus lábios. Ela ninou seu corpinho, balançando-o com delicadeza, sorrindo consigo mesma. Pensava em alguém que a segurava assim quando ela chorava. Alguém que estava... Não esquecido, jamais... Mas fazia sua garganta doer de tristeza. Alguém tão importante — era desesperadamente importante que ela se lembrasse dele agora, *agora* — e que ela... Ela precisava... *Encontrar*...

De repente a noite pacífica da mente de Damon se dividiu — pelo som, pela luz, por energias que até Elena, novata em termos de Poder, sabia que tinham sido despertadas pela lembrança de um único nome.

Stefan.

Ah, Deus, ela se *esquecera* dele — por alguns minutos, deixou-se levar a algo que queria que ela esquecesse. A angústia de todas aquelas horas solitárias da madrugada, desabafando seu pesar e medo no diário — e depois a paz e o conforto que Damon lhe oferecera —, fizeram-na *esquecer Stefan*; esquecer o que ele podia estar sofrendo neste exato momento.

— Não... Não! — Elena lutava sozinha no escuro. — Solte... Tenho que encontrar... Nem acredito que esqueci...

— Elena. — A voz de Damon era calma e gentil; ou pelo menos não traía suas emoções. — Se continuar se sacudindo desse jeito, vai cair, e estamos a uma boa distância do chão.

Elena abriu os olhos, todas as lembranças de pedras e criancinhas se desfazendo, espalhando-se como sementes de dentes-de-leão. Ela lançou um olhar acusador para Damon.

— Você... Você...

— Isso — disse Damon com tranquilidade. — Ponha a culpa em mim. Por que não? Mas eu *não* influenciei você e *não* a mordi. Apenas a beijei. Seus Poderes fizeram o resto; eles podem ser incontroláveis, mas ao mesmo tempo são extremamente convincentes. Para falar a verdade, *eu* nunca deixei que alguém fosse tão fundo...

Sua voz era leve, mas Elena vislumbrou rapidamente uma criança chorando e se perguntou se ele realmente era tão indiferente quanto demonstrava.

Mas essa era a especialidade dele, não era?, pensou Elena, de repente amargurada. Ele expõe sonhos, fantasias, prazeres que ficam na mente de seus... doadores. Elena sabia que as meninas e as jovens mulheres que Damon... caçou... o adoravam. A única queixa que faziam era que ele não as visitava com regularidade.

— Eu entendo — disse-lhe Elena, enquanto se aproximaram do chão. — Mas isso não pode acontecer de novo. Só existe uma pessoa que posso beijar, e é Stefan.

Damon abriu a boca, mas justo neste momento ouviu uma voz tão furiosa quanto a de Elena, e que não se importava com as consequências. Elena se lembrou do outro que tinha esquecido.

— DAMON, SEU CRETINO, PONHA ELENA NO CHÃO! Matt.

Elena e Damon desceram numa espiral, parando com elegância bem ao lado do Jaguar. Matt de imediato correu até Elena e a arrancou dos braços de Damon, examinando-a como se ela tivesse sofrido um acidente, com uma atenção particular ao pescoço. Mais uma vez Elena ficou desagradavelmente ciente de estar usando uma camisola branca de renda na presença de dois homens.

— Eu estou bem, é sério — disse ela a Matt. — Só um pouquinho tonta. Vou melhorar em alguns minutos.

Matt soltou um suspiro de alívio. Ele podia não ser mais apaixonado por ela como antigamente, mas Elena sabia que ele gostava profundamente dela e que sempre iria gostar. Matt gostava dela como a namorada do amigo Stefan, e também por tudo o que ela era. Ela sabia que ele jamais se esqueceria de quando ficaram juntos.

Mais do que isso, ele acreditava nela. Então agora, quando ela lhe garantiu que estava bem, Matt acreditou. Ele até estava disposto a olhar para Damon de um jeito que não fosse inteiramente hostil.

Os dois meninos foram para a porta do motorista do Jaguar.

— *Ah*, não — disse Matt. — Você dirigiu ontem... E olhe o que aconteceu! Você mesmo disse que havia vampiros atrás da gente!

— Está dizendo que foi culpa minha? Os vampiros estão seguindo esse carro de bombeiro e a culpa é minha?

Matt simplesmente decidiu ser teimoso: seu queixo trincou, a pele bronzeada corou.

— Estou dizendo que devemos nos revezar. Você já teve a sua vez.

— Não me lembro de falar nada sobre "revezamentos". — Damon conseguiu dar à palavra uma inflexão que a fazia parecer algo ilícito. — E quando entro num carro, é para *dirigir*.

Elena pigarreou. Nenhum dos dois notou sua presença.

— Não vou entrar no carro se você vai dirigir! — disse Matt, furioso.

— Eu *não* vou entrar no carro se *você* vai dirigir! — disse Damon laconicamente.

Elena pigarreou mais alto e Matt finalmente se lembrou de sua existência.

— Bom, não podemos esperar que Elena nos leve para onde estivermos indo — disse ele, antes que ela pudesse sugerir essa possibilidade. — A não ser que cheguemos hoje — acrescentou ele, olhando incisivamente para Damon.

Damon balançou a cabeça.

— Não. Estou seguindo em círculos. E quanto menos gente souber para onde vamos, mais seguros estaremos. Quem não sabe não pode contar.

Para Elena, parecia que alguém tinha tocado sua nuca de leve com um cubo de gelo. O modo como Damon falou...

— Mas eles vão saber aonde vamos, não vão? — perguntou ela, voltando aos aspectos práticos. — Eles sabem que queremos salvar Stefan e sabem onde ele está.

— Ah, sim. Eles vão saber que estamos tentando chegar à Dimensão das Trevas. Mas por qual portal? E quando? Se conseguirmos despistá-los, só teremos de nos preocupar com Stefan e os guardas da prisão.

Matt olhou em volta.

— Quantos portais são?

— Milhares. Sempre que linhas de força se cruzam, existe a possibilidade de um portal. Mas como os europeus expulsaram os nativos americanos de suas casas, a maioria dos portais não é usada nem guardada como nos velhos tempos. — Damon deu de ombros.

Mas Elena estava formigando de excitação e ansiedade.

— Por que não procuramos o portal mais próximo então?

— E descer direto para a prisão subterrânea? Olhe, você não entende. Primeiro, precisa de *mim* para chegar a um portal... E mesmo assim não vai ser agradável.

— Não vai ser agradável para quem? Para nós ou para você? — perguntou Matt, mal-humorado.

Damon o olhou longamente, mas seu olhar não expressava nada.

— Se você tentasse sozinho, seria breve e terminantemente desagradável para você. Comigo, provavelmente será desagradável, porém bem mais simples. E quanto a viajar por alguns dias até lá... Bom, no final você não verá por si mesmo — disse Damon, com um sorriso misterioso. — E levaria muito, mas muito mais tempo do que se fosse por um portal principal.

— Por quê? — Matt, sempre pronto a fazer perguntas cujas respostas Elena não queria ouvir, quis saber.

— Porque ou você vai encontrar uma selva, onde sanguessugas de 1,5m caem das árvores e, acredite, elas são a menor de suas preocupações, ou uma terra erma, onde qualquer inimigo pode te ver... E *todo mundo* é seu inimigo.

Houve uma pausa e Elena avaliou criteriosamente a situação. Damon parecia falar sério. Claramente, ele não queria fazer isso — e não havia muita coisa que incomodasse Damon. Ele *gostava* de lutar. Além disso, se fosse apenas perda de tempo...

— Tudo bem — disse Elena devagar. — Vamos seguir o seu plano.

Rapidamente, os dois meninos chegaram à maçaneta da porta do motorista ao mesmo tempo.

— *Escutem* — disse Elena sem olhar para nenhum dos dois. — *Eu* vou dirigir o *meu* Jaguar até a próxima cidade. Mas primeiro vou entrar nele e trocar de roupa, talvez dormir um pouco.

Matt precisa de um riacho ou coisa assim onde possa se limpar. E depois vou à cidade mais próxima, não importa qual seja, para comer alguma coisa. Depois disso...

— ... a briga pode continuar — concluiu Damon por ela. — Faça isso, querida. Eu a encontrarei em qualquer espelunca sebenta que tiver escolhido.

Elena assentiu.

— Tem certeza de que vai conseguir nos encontrar? Eu *estou* me *esforçando* para tentar reprimir minha aura, de verdade.

— Olhe, um Jaguar vermelho-bombeiro, em qualquer cidadezinha que você achar nessa estrada, vai ser notável como um óvni — disse Damon.

— Por que ele não vem com... — A voz de Matt falhou. De algum modo, embora esta fosse sua maior queixa contra Damon, Matt conseguia se esquecer de que Damon era um vampiro.

— Então você vai chegar lá antes de nós, vai abordar uma jovem que está indo a pé para algum curso de verão — disse Matt, os olhos azuis escurecendo. — E vai cair em cima dela e levá-la para onde ninguém possa ouvir seus gritos, depois vai puxar a cabeça dela para trás e cravar seus *dentes* no *pescoço* da menina.

Houve uma pausa. Damon falou num tom um tanto ofendido:
— Não vou.

— Mas é o que... gente como você... faz. Você fez isso *comigo*.

Elena viu a necessidade de uma intervenção realmente drástica: a verdade.

— Matt, Matt, não foi Damon que fez isso. Foi Shinichi. Você *sabe* disso. — Ela pegou Matt gentilmente pelo braço e o virou até que ele estivesse de frente para ela.

Por um bom tempo, Matt não a olhou. Alguns instantes depois, Elena começou a temer que ele estivesse além de seu alcance. Mas, por fim, Matt levantou a cabeça para que ela pudesse olhar em seus olhos.

— Muito bem — disse ele com brandura. — Aceito isso. Mas você sabe que ele vai beber sangue humano.

— De uma doadora voluntária! — Damon, que tinha a audição muito boa, gritou.

Matt explodiu novamente.

— Porque você *as obriga* a se oferecer! Você as hipnotiza...

— Não, não é verdade.

— ... ou as influencia, o que seja. Como você gostaria que...

Às costas de Matt, Elena agora fazia gestos furiosos para Damon, como se estivesse enxotando um bando de galinhas. Quando viu, Damon apenas ergueu uma sobrancelha, mas logo deu de ombros com elegância e obedeceu, assumindo a forma de um corvo e rapidamente transformando-se num ponto no sol nascente.

— Você acha — disse Elena em voz baixa — que pode ficar sem sua estaca? Ela vai acabar deixando Damon completamente paranoico.

Matt olhou para todos os lados, menos para ela, e finalmente assentiu.

— Vou largá-la quando descer o morro para me lavar — disse ele, olhando de forma rabugenta para as pernas enlameadas. — De qualquer modo — acrescentou —, entre no carro e procure dormir um pouco. Parece que precisa de um pouco de descanso.

— Acorde-me daqui a algumas horas — pediu Elena, sem saber que dali a algumas horas ia se arrepender amargamente de acordar.

4

— Você está tremendo. Deixe-me fazer isso sozinha — disse Meredith, colocando a mão no ombro de Bonnie, enquanto as duas paravam juntas em frente à casa de Caroline.

Bonnie começou a se curvar à pressão, mas se deteve. Era humilhante tremer tanto assim numa manhã de verão na Virginia. Era também humilhante ser tratada como uma criança. Mas Meredith, que era só seis meses mais velha, parecia mais adulta do que o de costume. O cabelo escuro estava puxado para trás, fazendo seus olhos parecerem muito grandes, e o rosto moreno de maçãs bem desenhadas se destacava.

Ela podia ser praticamente minha babá, pensou Bonnie com desânimo. Meredith também usava saltos altos, em vez das habituais sapatilhas. Bonnie se sentia menor e mais nova do que nunca comparada à amiga. Passou a mão nos cachos louro-arruivados, tentando afofá-los para ganhar uns preciosos centímetros.

— Não estou com medo. Estou *com fr-rio* — disse Bonnie com toda a dignidade que conseguiu reunir.

— Eu sei. Está sentindo alguma coisa vindo de lá, não é? — Meredith assentiu para a casa diante delas.

Bonnie olhou a casa de esguelha e voltou sua atenção para Meredith. De repente, a maturidade de Meredith era mais reconfortante do que irritante. Mas antes que olhasse novamente a casa de Caroline, ela soltou:

— Por que os saltos agulha?

— Ah — disse Meredith, baixando os olhos. — Só tentando ser prática. Se desta vez alguma coisa tentar agarrar meu tornozelo, vai levar *isso*. — Ela bateu o pé e ouviu-se um estalo na calçada.

Bonnie quase sorriu.

— Trouxe seu soco-inglês também?

— Não precisarei dele; vou bater em Caroline de novo com minhas próprias mãos, se ela tentar alguma coisa. Mas pare de mudar de assunto. Posso fazer isso sozinha.

Bonnie finalmente colocou a mãozinha na mão magra e de dedos longos de Meredith e a apertou.

— Eu sei que pode. Mas sou eu que *devo* fazer. Foi a mim que convidaram.

— Sim — disse Meredith, curvando de leve os lábios elegantes.

— Ela sempre soube em que calo pisar. Bom, o que quer que tenha acontecido, Caroline foi quem provocou. Primeiro vamos tentar ajudá-la, pelo bem dela e pelo nosso. Depois vamos tentar fazer com que ela *consiga* ajuda. Depois disso...

— Depois disso — disse Bonnie com tristeza —, não há com saber. — Ela olhou de novo para a casa de Caroline. Parecia... torta... de alguma maneira, como se ela a estivesse vendo por um espelho que distorcia a imagem. Além disso, tinha uma aura ruim: um preto raiado de um verde-acinzentado feio. Bonnie nunca vira uma casa com tanta energia.

E essa energia era fria, como o bafo de um frigorífico. Bonnie sentia que aquilo podia sugar sua própria força vital e a transformar em gelo, se tivesse uma chance.

Ela deixou que Meredith tocasse a campainha. As duas ouviram um eco distante, e quando a Sra. Forbes atendeu, sua voz também parecia ecoar um pouco. O interior da casa ainda tinha aquele jeito de espelho de parque de diversões, pensou Bonnie, e a sensação era ainda mais estranha. Se fechasse os olhos, era capaz de ver a si mesma em um lugar muito maior, onde o piso tinha uma forte inclinação.

— Vocês vieram ver Caroline — disse a Sra. Forbes. Sua aparência chocou Bonnie. A mãe de Caroline parecia uma velha, seu cabelo era grisalho e o rosto estava branco e encovado. — Ela está no quarto. Vou mostrar a vocês onde fica — disse a mãe de Caroline.

— Mas Sra. Forbes, sabemos onde... — Meredith se interrompeu quando Bonnie pôs a mão em seu braço. A mulher desbotada e murcha seguia na frente. Quase não tinha aura nenhuma, percebeu Bonnie, realmente impressionada. Ela conhecia Caroline e os pais dela havia tanto tempo — como a relação deles podia ter chegado a esse ponto?

Não vou xingar Caroline, independentemente do que ela fizer, jurou Bonnie em silêncio. Independentemente de qualquer coisa. Mesmo que... Sim, mesmo depois do que ela fez com Matt. Vou tentar me lembrar de algo bom sobre ela.

Mas não era fácil raciocinar nesta casa, e mais difícil ainda era pensar em alguma coisa boa. Bonnie sabia que a escada subia; via cada degrau acima dela. Mas todos os outros sentidos lhe diziam que ela estava *descendo*. Era uma sensação apavorante, que a deixava tonta; uma descida íngreme vendo seus pés executando o movimento contrário.

Também sentia um cheiro estranho e pungente de ovos estragados. Era um fedor nauseante e podre cujo *gosto* se sentia no ar.

A porta do quarto de Caroline estava fechada e, diante dela, no chão, havia um prato de comida com um garfo e uma faca. A Sra. Forbes apressou-se à frente de Bonnie e Meredith e rapidamente pegou o prato, abriu a porta de frente para o quarto de Caroline e colocou-o ali, fechando a porta.

Mas pouco antes de o prato desaparecer, Bonnie pensou ter visto algum movimento no monte de comida na porcelana fina.

— Ela mal fala comigo — disse a Sra. Forbes no mesmo tom vazio que usara antes. — Mas disse que estava esperando por vocês.

Ela passou apressada pelas meninas, deixando-as sozinhas no corredor. O cheiro de ovos podres — não, de *enxofre*, percebeu Bonnie — era muito forte.

Enxofre — ela reconheceu o cheiro por causa da aula de química do ano anterior. Mas como esse cheiro horrível entrou na elegante casa da Sra. Forbes? Bonnie se virou para perguntar a Meredith, mas a amiga já balançava a cabeça. Bonnie conhecia aquela expressão.

Não diga *nada*.

Bonnie engoliu em seco, enxugou os olhos marejados e observou Meredith girar a maçaneta da porta do quarto de Caroline.

O quarto estava às escuras. Havia luz suficiente no corredor para mostrar que as cortinas de Caroline haviam sido reforçadas com colchas escuras, fixadas com pregos. Ninguém estava no quarto, nem na cama.

— Entrem! E fechem a porta *rápido*!

Era a voz de Caroline, com sua impertinência característica. Uma onda de alívio tomou conta de Bonnie. A voz não era um grave masculino que abalava o quarto, nem um uivo; era Caroline-de-mau-humor.

Bonnie penetrou na escuridão diante de si.

5

Elena sentou no banco traseiro do Jaguar e vestiu uma blusa de veludo turquesa e uma calça jeans por baixo da camisola, para o caso de algum policial abordá-los no caminho — ou mesmo alguém tentando ajudar os donos de um carro aparentemente quebrado em uma estrada deserta. Depois ela se deitou.

Mas, embora agora estivesse aquecida e confortável, o sono não vinha.

O que eu quero? O que realmente quero agora?, perguntou-se. E a resposta lhe veio imediatamente.

Quero ver Stefan. Quero sentir os braços *dele* em mim. Quero só olhar para o rosto dele — para seus olhos verdes que me encaram de um jeito tão especial. Quero que ele me perdoe e me diga que sabe que vou amá-lo sempre.

E eu quero... Elena se sentiu corar enquanto o calor tomava seu corpo... Quero que *Stefan* me beije. Quero os beijos de Stefan... Quentes, doces e reconfortantes...

Elena estava pensando nisso quando, pela segunda ou terceira vez, fechou os olhos e mudou de posição, as lágrimas novamente encheram seus olhos. Se ao menos conseguisse chorar, chorar de verdade, por Stefan. Mas algo a impedia. Achava difícil derramar uma lágrima que fosse.

Meu Deus, ela estava exausta...

Elena tentou. Manteve os olhos fechados e virou-se de um lado para o outro, tentando não pensar em Stefan só por alguns minutos. Ela *precisava* dormir. Desesperada, ela se levantou bruscamente para achar uma posição melhor — quando tudo mudou de repente.

Elena estava confortável. Confortável demais. Não conseguia sentir o banco. Ergueu-se e ficou paralisada, sentada no ar. Quase bateu a cabeça no teto do Jaguar.

Eu perdi a gravidade de novo!, pensou ela, apavorada. Mas não — isto era diferente do que tinha lhe acontecido quando ela voltou do além e flutuou como um balão. Ela não conseguia explicar por quê, mas tinha certeza.

Elena tinha medo de se mexer. Não sabia a causa de sua aflição, mas não se atreveu a se mexer.

E então ela viu.

Viu *a si mesma*, com a cabeça para trás e os olhos fechados deitada no banco traseiro do carro. Podia distinguir cada detalhezinho, das rugas em sua camiseta de veludo à trança que fizera no cabelo dourado e claro, que, por falta de um laço, já se desfazia. Ela parecia estar dormindo serenamente.

Então era assim que tudo terminava. É o que vão dizer, que Elena Gilbert, num dia de verão, morreu tranquilamente, dormindo. Nem mesmo descobriram a causa da morte...

Porque nunca entenderiam o desgosto como causa de morte, pensou Elena, e num gesto ainda mais melodramático do que o de costume, tentou se atirar ao próprio corpo com um braço cobrindo o rosto.

Não deu certo. Assim que estendeu a mão para se atirar, ela se viu fora do Jaguar.

Passou direto pelo teto do carro sem sentir nada. Deve ser isso que acontece quando se é um fantasma, pensou Elena. Mas isso não era nada parecido com a última vez, quando eu vi o túnel e fui para a Luz.

Talvez eu não seja um fantasma.

De repente Elena sentiu uma onda de alegria. Eu sei o que é isso, pensou ela, triunfante. Esta é uma experiência fora do corpo!

Ela olhou para o seu corpo adormecido de novo, examinando com cuidado. Sim! Sim! Havia um cordão ligando o corpo adormecido — seu verdadeiro corpo — a seu ser espiritual. Ela estava amarrada! Aonde quer que fosse, podia achar o caminho de volta.

Só havia dois destinos possíveis. Um era voltar a Fell's Church. Ela sabia se orientar pelo sol, e tinha certeza de que alguém com uma EFC (como Bonnie, que antigamente passou por uma onda espiritualista e tinha lido um monte de livros sobre o assunto, chamava as experiências fora do corpo) seria capaz de reconhecer o cruzamento de todas aquelas linhas de força.

O outro destino, é claro, era Stefan.

Damon podia pensar que ela não sabia aonde ir, e era verdade que Elena só podia sentir vagamente, pelo sol nascente, que Stefan estava do outro lado — a oeste dela. Mas ela sempre soube que as almas de verdadeiros amantes eram ligadas de alguma maneira... Por um fio prateado, de um coração a outro, ou um cordão vermelho, de um dedo mínimo a outro.

Para seu deleite, ela o achou quase de imediato.

Um cordão fino da cor do luar, que parecia estar bem esticado entre o coração da Elena adormecida e... Sim. Quando tocou o cordão, ela podia sentir a vibração de Stefan com tanta clareza que teve certeza de que aquilo a levaria a ele.

Elena nunca teve dúvida de qual direção tomar. Já estivera em Fell's Church. Bonnie era uma paranormal de poderes impressionantes, como a antiga senhoria de Stefan, a Sra. Theophilia Flowers. Elas estavam lá, junto com Meredith e seu brilhante intelecto, para proteger a cidade.

E elas entenderiam tudo, disse Elena a si mesma com certo desespero. Ela podia nunca mais ter uma oportunidade dessas.

Sem hesitar por mais um segundo que fosse, Elena se virou na direção de Stefan e se deixou ir.

Logo se viu disparando pelo ar, rápido demais para perceber o que a cercava. Tudo por que passava era um borrão, diferindo apenas na cor e na textura, enquanto Elena percebia, com um bolo na garganta, que estava *atravessando* os objetos.

E assim, em alguns segundos, ela se viu olhando uma cena de partir o coração: Stefan em um catre gasto e quebrado, com o rosto acinzentado e magro. Stefan em uma cela horrenda, infestada de piolhos, com as *malditas* grades de ferro das quais nenhum vampiro podia escapar.

Elena se virou por um momento para que ele não visse sua angústia e suas lágrimas quando acordasse. Ela estava se recompondo quando a voz de Stefan a sobressaltou. Ele já despertara.

— Você não desiste, não é mesmo? — disse ele, a voz densa de sarcasmo. — Acho que devia ganhar pontos por isso. Mas você sempre faz *alguma coisa* errada. Da última vez eram as orelhinhas pontudas. Desta vez são as roupas. Elena não usaria uma camiseta amassada desse jeito e não estaria com os pés descalços e sujos, nem que a vida dela dependesse disso. Vá embora. — Dando de ombros por baixo do cobertor puído, ele virou a cara.

Elena olhou. Estava aflita demais para pensar no que falava: as palavras saíam dela como uma explosão:

— Ah, Stefan! Eu só estava tentando dormir com minhas próprias roupas para o caso de um policial aparecer enquanto eu estava no banco traseiro do Jaguar. O Jaguar que *você* comprou para mim. Mas eu não achei que você ia se importar! Minhas roupas estão amassadas porque estou vivendo de minha bolsa de viagem, e meus pés ficaram sujos quando Damon... Bom... Deixe pra lá. Eu tenho uma camisola, mas não estava com ela quando saí do meu corpo e acho que quando você sai, ainda fica com as mesmas roupas que estão *em* seu corpo...

Depois, alarmada, ela lançou as mãos para cima enquanto Stefan girava. Mas — maravilha das maravilhas — agora havia algum sangue em seu rosto. Além disso, ele não olhava mais para ela com desdém.

Ele a olhava fixamente, os olhos verdes faiscando de ameaça.

— Seus pés ficaram sujos... Quando Damon fez *o quê?* — perguntou ele, enunciando com cuidado.

— Isso não importa...

— Mas é claro que *importa*... — Stefan se interrompeu. — Elena? — sussurrou ele, olhando-a como se ela tivesse acabado de aparecer.

— Stefan! — Ela não pôde deixar de estender os braços para ele. Não conseguia controlar nada. — Stefan, não sei como, mas *estou aqui*. Sou eu! Não sou um sonho, nem um fantasma. Eu estava pensando em você e adormeci... *E estou aqui!* — Ela tentou tocar nele com as mãos espectrais. — Acredita em mim?

— Acredito... Porque eu estava pensando em *você*. De algum modo... De algum modo isso trouxe você aqui. Foi o amor. Tudo *porque nós nos amamos!* — E ele pronunciou essas palavras como se fossem uma revelação.

Elena fechou os olhos. Se pudesse estar ali, com seu corpo, mostraria a Stefan o quanto o amava. Desse jeito, eles tinham de usar palavras estranhas — clichês que por acaso eram a mais pura verdade.

— Sempre a amarei, Elena — disse Stefan, sussurrando novamente. — Mas não quero você perto de Damon. Ele vai achar um jeito de machucá-la...

— Não posso evitar —interrompeu Elena.

— Precisa evitar!

— ... porque ele é minha única esperança, Stefan! Ele não vai me machucar. Ele até já matou para me proteger. Ah, Deus, aconteceu tanta coisa! Estávamos indo para... — Elena hesitou, os olhos disparando preocupados pelo ambiente.

Os olhos de Stefan se arregalaram por um instante. Mas, quando falou, sua fisionomia era impassível.

— Para um lugar onde você ficará segura.

— Sim — disse ela, igualmente séria, sabendo que as lágrimas de fantasma agora escorriam pelo rosto incorpóreo. — E... Ah, Stefan, há tanta coisa que você não sabe. Caroline acusou Matt de atacá-la durante um encontro só porque ela está grávida. Mas não foi Matt!

— Mas é claro que não! — disse Stefan, indignado, e teria dito mais, mas Elena estava a mil.

— E acho que seu... o filhote é na verdade de Tyler Smallwood, pelo momento em que aconteceu, e porque Caroline está mudando. Damon disse que...

— Um bebê-lobisomem obrigatoriamente transforma a mãe num lobisomem...

— Isso! Mas a parte lobisomem vai ter de lutar com o malach que já está dentro dela. Bonnie e Meredith me contaram coisas sobre Caroline... Que ela estava rastejando pelo chão feito um lagarto... e isso me apavorou. Mas tive de deixá-las cuidando desse assunto para eu poder... chegar a um lugar seguro.

— Lobisomens e homens raposa — disse Stefan, balançando a cabeça. — É claro, os kitsune, as raposas, são muito mais poderosos do ponto de vista da magia, mas os lobisomens tendem a matar antes de qualquer coisa, até de pensar. — Ele bateu no joelho com o punho. — Eu queria *estar lá*!

Elena explodiu com um misto de pasmo e desespero.

— E em vez disso *eu* estou... com você! Nunca pensei que pudesse fazer isso. Mas não consegui lhe trazer nada desse jeito, nem mesmo a mim. Meu sangue. — Ela fez um gesto impotente e viu o orgulho nos olhos de Stefan.

Ele ainda tinha o vinho Clarion Loess Black Magic que ela contrabandeara para ele! Ela sabia! Era o único líquido capaz de ajudar — um pouco — a manter um vampiro vivo quando não há sangue disponível.

O "vinho" Black Magic — não alcoólico e jamais feito por humanos — era a única bebida, além do sangue, que realmente agradava aos vampiros. Damon contara a Elena que era feito magicamente de uvas especiais cultivadas no solo de margens de geleiras, *loess*, e que eram sempre mantidos na completa escuridão. Era o que lhe conferia o sabor aveludado, explicou.

— Não importa — disse Stefan, parecendo confiante para qualquer um que estivesse espionando. — Como isso aconteceu exatamente? — perguntou ele afinal. — Essa coisa fora do corpo? Por que não vem aqui e me conta? — Ele se deitou de costas no catre, voltando os olhos tristonhos para ela. — Desculpe não ter uma cama melhor para lhe oferecer. — Por um instante, a humilhação era evidente em seu rosto. Durante todo esse tempo ele conseguira escondê-la de Elena: a vergonha que sentia por aparecer diante dela desse jeito — numa cela suja, usando trapos como roupa e infestado de Deus sabe lá o quê. Ele, Stefan Salvatore, que antigamente era... era...

O coração de Elena partiu de vez. Ela sabia porque podia senti-lo espatifar como vidro, cada caco afiado espetando seu coração dentro do peito. Ela também sabia que estava partindo porque ela estava chorando. Lágrimas espirituais imensas caíam no rosto de Stefan como sangue, transparentes no ar, mas assumindo um tom vermelho-escuro ao tocarem o rosto de Stefan.

Sangue? É claro que não era sangue, pensou Elena. Ela nem mesmo trouxe nada de útil para ele. Agora Elena realmente soluçava; seus ombros tremiam enquanto as lágrimas continuavam a cair em Stefan, que agora tinha uma das mãos erguidas como que para pegar uma...

— Elena... — Havia espanto em sua voz.

— O q... o quê? — disse ela numa voz chorosa.

— Suas lágrimas. Suas lágrimas fazem com que eu me sinta...
— Ele olhava para ela, assustado.

Elena não conseguia parar de chorar, embora soubesse que tinha consolado o coração orgulhoso de Stefan — e feito mais alguma coisa.

— E-eu não e-entendo.

Ele pegou uma das lágrimas e a beijou. Depois olhou para ela. Seus olhos brilhavam.

— É difícil falar sobre isso, meu amorzinho...

Então por que usar palavras?, pensou ela, ainda chorando, mas descendo ao nível dele para choramingar perto de seu pescoço.

É só que... Eles não são tão liberais com os refrescos por aqui, disse-lhe ele. *Como você imaginou. Se você não tivesse... me ajudado... eu agora estaria morto. Eles não entendem por que não estou. Então eles... Bom, eles derramam antes de me entregar, às vezes, entendeu...*

Elena levantou a cabeça e desta vez lágrimas de pura raiva caíram no rosto dele. *Onde eles estão? Eu vou matá-los. Não me diga que não posso, porque* vou achar um jeito. *Vou achar um jeito de matá-los mesmo neste estado...*

Ele balançou a cabeça para ela. *Meu anjo, meu anjo, não entende? Você não precisa matá-los. Graças a suas lágrimas, as lágrimas fantasma de uma donzela pura...*

Ela balançou a cabeça para ele. *Stefan, se há alguém que sabe que não sou uma donzela pura, é você...*

... de uma donzela pura, continuou Stefan, sem se deixar perturbar pela interrupção, *pode curar todos os males. E eu estava doente esta noite, Elena, embora tentasse esconder isso. Mas agora estou curado! Novo em folha! Eles nunca vão entender como isso aconteceu.*

Tem certeza?

Olhe para mim!

Elena o olhou. O rosto de Stefan, que estivera cinzento e abatido, agora estava diferente. Ele em geral era pálido, mas agora suas feições refinadas estavam coradas — como se ele tivesse ficado diante de uma fogueira e a luz ainda se refletisse nas linhas puras e elegantes do rosto que Elena amava.

Eu... fiz isso? Ela se lembrou das primeiras gotas de lágrimas, que pareciam sangue caindo no rosto dele. Não como sangue, percebeu ela, mas como cor natural, penetrando nele, renovando-o.

Elena não pôde deixar de esconder o rosto de novo no pescoço dele ao pensar: *Estou tão feliz. Ah, estou muito feliz. Mas queria que pudéssemos nos tocar. Queria sentir seus braços em volta de mim.*

— Pelo menos posso olhar para você — sussurrou Stefan, e Elena sabia que Stefan poder olhar para ela era como água no deserto para ele. — E se *pudéssemos* nos tocar, eu passaria o braço aqui, em sua cintura, e a beijaria aqui e aqui...

Eles conversaram por um tempo — trocando juras de amor, levados pela visão e pelo som um do outro. E depois, com suavidade mas de um jeito firme, Stefan pediu para Elena lhe contar tudo sobre Damon — tudo, desde o começo. Agora Elena estava controlada o bastante para falar sobre o incidente com Matt sem que Damon parecesse o vilão da história.

— E Stefan, Damon está realmente nos protegendo da melhor maneira que pode. — Ela contou sobre os dois vampiros possuídos que os seguiram e o que Damon fez com eles.

Stefan se limitou a dar de ombros e com ironia disse:

— Damon usa lápis para apagar pessoas. — E acrescentou: — E como suas roupas ficaram sujas?

— Porque saí do carro correndo quando ouvi um estrondo... Era Matt caindo no teto do carro — disse ela. — Mas para ser honesta, ele tinha tentado enfiar uma estaca em Damon, mas eu o fiz se livrar dela. — Ela acrescentou, no mais leve dos sussurros: — Stefan, *por favor*, não se preocupe se Damon e eu tivermos de ficar... juntos por muito tempo. Isso não muda nada entre nós.

— Eu sei.

E o incrível era que ele agora sabia. Elena foi banhada pelo brilho profundo da confiança de Stefan.

Depois disso eles se "abraçaram", Elena aconchegando seu corpo sem peso acima da curva do braço de Stefan... E foi o êxtase.

De repente o mundo — todo o universo — estremeceu ao som de uma pancada. Elena teve um sobressalto. Aquilo não combinava com este momento, com o amor, a confiança e a doçura de dividir cada parte de sua *essência* com Stefan.

E houve outra pancada — um estrondo monstruoso que apavorou Elena. Ela se agarrava inutilmente a Stefan, que a olhava preocupado. Ele não ouviu o barulho que a ensurdecia, percebeu Elena.

E então uma coisa ainda pior aconteceu. Ela foi arrancada dos braços corpóreos de Stefan e disparou de costas, atravessando objetos, voltando cada vez mais rápido até que, com um solavanco, pousou em seu corpo.

Apesar de toda a sua relutância, ela encaixou perfeitamente no corpo sólido que até agora tinha sido o único que conhecera. Pousou nele e se fundiu, e logo estava sentada para descobrir que os barulhos eram de Matt batendo na janela.

— Você está dormindo há duas horas — disse ele enquanto ela abria a porta. — Mas imaginei que precisava disso. Você está bem?

— Ah, Matt — disse Elena. Por um momento parecia impossível evitar o choro, mas ela se lembrou do sorriso de Stefan.

Elena piscou, obrigando-se a lidar com a nova situação. Não ficou com Stefan por muito tempo. Mas as lembranças de seu curto e doce momento juntos estavam envoltas em narcisos e lavanda, e nada podia tirar isso dela.

* * *

Damon estava irritado. Enquanto voava alto com suas asas longas e pretas de corvo, a paisagem abaixo se desenrolava como um magnífico tapete, o romper do dia fazendo com que a relva e as colinas ondulantes brilhassem como esmeralda.

Damon ignorou a paisagem. Já a vira muitas vezes. O que procurava era *una donna splendida*.

Mas ele estava pensando em Mutt e aquela estaca... Damon não conseguia entender por que Elena queria levar um foragido da justiça. Elena... Damon tentou conjurar por ela a irritação que sentia por Mutt, mas não conseguiu.

Ele desceu voando em círculos para a cidade abaixo, restringindo-se ao bairro residencial, procurando por auras. Queria uma aura forte e bonita. E já estava na América havia tempo suficiente para saber que a essa hora da manhã era possível encontrar três tipos de pessoas acordadas na rua. Os primeiros eram estudantes, mas era verão, então havia poucos nas ruas. Apesar da desconfiança de Mutt, Damon mal cravava as presas em alunas. Os que corriam de manhã eram o segundo tipo. E o terceiro, que lindo pensamento, como aquela ali... *Aquela* ali embaixo... Eram as jardineiras.

A jovem com a tesoura de poda na mão levantou a cabeça quando Damon virava a esquina e se aproximava de sua casa, deliberadamente apressando-se, depois reduzindo o ritmo. Seus passos deixavam claro que ele estava deliciado por ver o banquete floral diante da encantadora casa vitoriana. Por um momento a mulher pareceu assustada, quase temerosa. E era normal. Damon usava botas, jeans, uma camiseta e uma jaqueta de couro, tudo preto, além dos Ray-Bans. Mas ele sorriu e, naquele momento, começou a primeira infiltração delicada na mente de *la bella donna*.

Antes disso, uma coisa ficou clara. Ela gostava de rosas.

— Rosas em plena floração — disse ele, admirado, balançando a cabeça, ao olhar os arbustos cobertos de botões de um rosa vivo.

— E aquelas Prima Donna trepando na treliça... Ah, mas suas Serenos! — Ele tocou de leve uma rosa aberta, as pétalas cor de luar assumindo um rosa muito claro nas bordas.

A jovem — Krysta — não pôde deixar de sorrir. Damon sentiu a informação fluir facilmente da mente dela para a dele. Tinha apenas 22 anos, não era casada, ainda morava com a família. Tinha precisamente o tipo de aura que ele procurava e somente um pai adormecido em casa.

— Você não parece do tipo que entende de rosas — disse Krysta com franqueza, abrindo um sorriso constrangido. — Desculpe. Achei todas elas na Exposição de Rosas de Creekville.

— Minha mãe é uma jardineira ávida — mentiu Damon com naturalidade, sem deixar nenhum vestígio de dúvida. — Acho que herdei essa paixão dela. No momento, infelizmente não fico num lugar por tempo suficiente para cultivá-las, mas ainda posso sonhar. Quer saber qual é meu grande sonho?

A essa altura Krysta sentia-se como se estivesse flutuando em uma nuvem com um delicioso aroma de rosas. Damon percebeu cada nuance delicada com ela, gostando de ver seu rubor, o leve tremor que abalava seu corpo.

— Sim — disse Krysta. — Adoraria saber qual é o seu sonho.

Damon se inclinou para a frente, baixando a voz.

— Quero cultivar uma verdadeira rosa negra.

Krysta pareceu sobressaltada e algo passou tão rapidamente por sua mente que Damon não conseguiu identificar. E ela disse numa voz igualmente baixa:

— Então há uma coisa que quero lhe mostrar. Se... Se tiver tempo para vir comigo.

O quintal era ainda mais esplêndido do que o jardim, e havia uma rede que balançava delicadamente, observou Damon com aprovação. Afinal, ele logo precisaria de um lugar para colocar Krysta... Enquanto ela dormisse.

Mas nos fundos do caramanchão havia algo que fez seus passos se apressarem involuntariamente.

— Rosas Black Magic! — exclamou ele, olhando os botões cor de vinho escuro, quase borgonha.

— Sim — disse Krysta com brandura. — Black Magic. O mais perto que alguém já chegou de uma rosa negra. Consigo três florações por ano — sussurrou ela, trêmula, sem questionar quem realmente poderia ser aquele jovem, dominada pelos sentimentos que quase levaram Damon com ela.

— São magníficas — disse ele. — O vermelho mais escuro que já vi. O mais perto do preto já cultivado.

Krysta ainda tremia de prazer.

— Pode pegar uma, se quiser. Vou levá-las à exposição de Creekville na semana que vem, mas posso lhe dar um botão. Talvez possa sentir seu cheiro.

— Eu... gostaria muito — disse Damon.

— Pode dar a sua namorada.

— Não tenho namorada — disse Damon, satisfeito por voltar a mentir. As mãos de Krysta tremeram um pouco enquanto ela cortava o caule mais longo e mais reto para ele.

Damon estendeu a mão para pegar o botão e seus dedos se tocaram.

Damon sorriu para ela.

Quando os joelhos de Krysta ficaram moles de prazer, Damon a pegou com facilidade e terminou o trabalho.

Meredith estava bem atrás de Bonnie quando as duas entraram no quarto de Caroline.

— Eu disse para fechar a porcaria da porta! — disse Caroline ou melhor, rosnou.

Era natural procurar de onde vinha a voz. Pouco antes de Meredith fechar a porta e bloquear a única nesga de luz, Bonnie viu a mesa do quarto de Caroline. A cadeira que antigamente ficava na frente não estava mais lá.

Caroline estava embaixo da mesa.

Podia ser um bom esconderijo para uma menina de 10 anos, mas, com 18, Caroline se enroscava numa posição impossível para caber ali. Estava sentada numa pilha do que parecia ser trapos de roupas. Suas *melhores* roupas, pensou Bonnie de repente, enquanto uma faísca de lamê dourado luzia e sumia com o fechar da porta.

Então só estavam as três no escuro. Nenhuma iluminação vinha de cima ou por baixo da porta do corredor.

Porque o corredor estava em outro mundo, pensou Bonnie, tresloucada.

— Por que não acende a luz, Caroline? — perguntou Meredith em voz baixa. Sua voz era equilibrada e reconfortante. — Você nos pediu para virmos aqui vê-la... Mas não conseguimos enxergá-la.

— Eu disse para virem conversar comigo — corrigiu Caroline na mesma hora, exatamente como fazia nos velhos tempos. Isso também deveria ser reconfortante. Só que... Só que agora que Bonnie podia ouvir a voz reverberando sob a mesa, ela sabia que tinha um novo caráter. Não era exatamente rouca, mas...

Você não quer pensar nisso. Não na escuridão deste quarto, a mente de Bonnie lhe disse.

Não rouca, mas *rosnada*, pensou Bonnie, incapaz de se controlar. Quase se podia dizer que Caroline grunhia suas respostas.

Uns leves ruídos disseram a Bonnie que a menina embaixo da mesa estava se mexendo. A respiração de Bonnie acelerou.

— Mas *nós* queremos *ver* você — disse Meredith, baixinho.
— E você sabe que Bonnie tem medo de escuro. Posso acender o abajur então?

Bonnie sentia que estava tremendo. Isso não era bom. Não era uma boa ideia mostrar a Caroline que tinha medo dela. Mas a escuridão total a estava fazendo tremer. Ela podia sentir que este quarto tinha ângulos estranhos — ou talvez fosse apenas sua imaginação. Ela também podia ouvir coisas que a deixavam apavorada — como os estalos altos e duplos atrás dela. O que era aquilo?

— Tá legaaaaaal! Acenda o que está do lado da cama. — Caroline sem dúvida rosnava. E avançava para elas; Bonnie podia ouvir o farfalhar e a respiração se aproximando.

Não deixe que ela me pegue no escuro!

Era uma ideia irracional de quem estava em pânico, mas Bonnie não conseguia parar de pensar nisso, como não podia deixar de cambalear às cegas de lado para...

Uma coisa alta... e morna.

Não era Meredith. Nunca, desde que Bonnie a conhecia, Meredith cheirava a suor rançoso e ovos podres. Mas a coisa quente pegou as mãos erguidas de Bonnie, e ela ouviu os estranhos estalos baixinhos quando as mãos se fecharam.

As mãos não eram mornas; eram quentes e secas. E as pontas futucaram de um jeito estranho a pele de Bonnie.

Mas quando a luz na mesa de cabeceira se acendeu, elas se foram. O abajur que Meredith encontrara lançava uma luz rubi muito, muito fraca — e era fácil entender o motivo. Um *négligé* e um penhoar cor de rubi tinham sido amarrados na cúpula.

— Isso pode incendiar o quarto — disse Meredith, mas mesmo sua voz equilibrada parecia vacilar.

Caroline se postou diante delas na luz vermelha. Parecia mais alta do que nunca para Bonnie, alta e musculosa, a não ser pelo leve volume na barriga. Estava vestida como de costume, com jeans e uma camiseta apertada. Mantinha as mãos escondidas jovialmente às costas e abria seu velho sorriso insolente e dissimulado.

Quero ir para casa, pensou Bonnie.

— E então? — disse Meredith.

Caroline continuava sorrindo.

— Então o quê?

Meredith perdeu a paciência.

— O que você quer?

Caroline se limitou sustentar um olhar malicioso.

— Já visitou sua amiga Isobel hoje? Teve uma conversinha com ela?

Bonnie teve o forte impulso de fechar aos tapas aquele sorriso presunçoso de Caroline. Mas não fez isso. Era só um truque da luz — ela sabia que tinha de ser —, mas parecia haver um ponto vermelho brilhando no meio de cada um dos olhos de Caroline.

— Sim, fomos ao hospital ver Isobel — disse Meredith sem expressão. Depois, com uma raiva inconfundível na voz: — E você sabe muito bem que ela ainda não pode falar. Mas — com um pequeno ataque triunfante — os médicos disseram que ela vai conseguir. Sua língua vai ficar boa, Caroline. Ela pode ficar com cicatrizes em todos os lugares em que se furou, mas vai voltar a falar muito bem.

O sorriso de Caroline sumiu, fazendo seu rosto adquirir um aspecto selvagem e cheio de uma fúria sem sentido. Com o quê?, perguntou-se Bonnie.

— Sair um pouco desta casa vai te fazer bem — disse Meredith à menina de cabelos acobreados. — Ninguém pode morar no escuro...

— Não vou morar aqui para sempre — disse Caroline incisivamente. — Só até o nascimento dos gêmeos. — Ela fincou pé, as mãos ainda atrás do corpo, e arqueou as costas para que a barriga se projetasse mais do que nunca.

— Os... gêmeos? — Bonnie estava assustada ao falar.

— Matt Junior e Mattie. São os nomes que escolhi.

O sorriso exultante e os olhos atrevidos de Caroline eram demais para Bonnie.

— Não pode fazer isso! — Ela se ouviu gritar.

— Ou talvez eu batize a menina de Honey. Matthew e Honey, em homenagem ao pai, Matthew Honeycutt.

— Não pode *fazer* isso — gritou Bonnie, mais alto. — Especialmente porque Matt não está aqui para se defender...

— Sim, ele fugiu de repente, não foi? A polícia está se perguntando por que ele precisou fugir. É claro — Caroline baixou a voz a um sussurro expressivo — que ele não foi sozinho. Elena está com ele. O que será que os dois fazem nas horas vagas? — Ela riu, um riso alto e tolo.

— Elena não é a única pessoa com Matt — disse Meredith, e agora sua voz era baixa e desafiadora. — Tem outra pessoa também. Lembra do pacto que assinou? De não contar a ninguém sobre Elena nem chamar atenção para ela?

Caroline piscou devagar, como um lagarto.

— Isso foi há muito tempo. Numa vida diferente para mim.

— Caroline, você não vai ter uma *vida* se romper seu juramento! Damon vai *matar* você. Ou... Você já...? — Meredith parou.

Caroline ainda ria de um jeito infantil, como se fosse uma garotinha e alguém tivesse acabado de lhe contar uma piada obscena.

Bonnie podia sentir o suor brotar em seu corpo todo. Os pelos finos se eriçaram nos braços.

— O que você está ouvindo, Caroline? — Meredith molhou os lábios. Bonnie podia ver que ela tentava sustentar o olhar de Caroline, mas a menina de cabelos acobreados se virou. — É... Shinichi? — Meredith avançou de repente e pegou Caroline pelos braços. — Antes você o via e ouvia quando se olhava no espelho. Você o escuta o tempo todo agora, Caroline?

Bonnie queria ajudar Meredith. De verdade. Mas não conseguia se mexer, nem falar, por nada nesse mundo.

Havia... uns fios grisalhos... no cabelo de Caroline. Cabelos grisalhos, pensou Bonnie. Eles brilhavam um pouco, eram muito mais claros do que o castanho-arruivado flamejante de que Caroline tanto se orgulhava. E havia... outros fios de cabelo que não brilhavam nada. Bonnie tinha visto essa coloração tigrada em cães; sabia que alguns lobos deviam ser assim. Mas era bem diferente ver isso no cabelo de uma amiga sua. Especialmente quando pareciam arrepiar e tremer, eriçando-se como a pelagem de um cachorro...

Ela está louca, percebeu Bonnie.

Caroline levantou a cabeça, não para Meredith, mas para os olhos de Bonnie. Bonnie se encolheu. Caroline a encarava como se pensasse se Bonnie seria o jantar, ou apenas lixo.

Meredith avançou para se postar ao lado de Bonnie. Seus punhos estavam cerrados.

— Não me encarrrre — disse Caroline abruptamente, e se virou. Sim, sem dúvida era um rosnado.

— Você realmente queria que nós a víssemos, não é? — disse Meredith com suavidade. — Você está... se exibindo para a gente. Mas acho que talvez seja seu jeito de pedir ajuda...

— Não mesmo!

— Caroline! — disse Bonnie de repente, surpresa com a onda de compaixão que a tomou. — Por favor, *pense*. Lembra quando você disse que precisava de um marido? Eu... — Ela se interrompeu e engoliu em seco. Quem ia se casar com esse monstro, que algumas semanas antes parecia uma adolescente normal?

— Na hora eu entendi você — terminou Bonnie, pouco convincente. — Mas sinceramente, não é legal falar que Matt a atacou! Ninguém... — Ela não conseguiu dizer o óbvio.

Ninguém vai acreditar numa coisa feito você.

— Ah, eu arrranjei tudo dirrreitinho — grunhiu Caroline, depois riu. — Você ia ficar surprrresa.

Em seu olho mental, Bonnie viu o velho brilho insolente do olhar esmeralda de Caroline, sua expressão atrevida e misteriosa e o brilho de seu cabelo arruivado.

— Por que você armou para o Matt? — perguntou Meredith.
— Como sabia que ele tinha sido atacado por um malach naquela noite? Shinichi o mandou atrás dele por *sua* causa?

— Ou foi Misao? — disse Bonnie, lembrando-se de que foi a menina dos gêmeos kitsune, os espíritos raposa, quem mais falara de Caroline.

— Eu tive um encontro com Matt naquela noite. — De repente a voz de Caroline era cantarolada, como se recitasse uma poesia, e mal. — Não me importei de beijá-lo... Ele é tão gracinha. Acho que foi quando eu deixei um chupão no pescoço dele. Acho que eu posso ter mordido um pouco a boca dele.

Bonnie abriu a boca, sentiu a mão repressiva de Meredith em seu ombro e ficou calada.

— Mas depois ele simplesmente enlouqueceu — cantarolou Caroline. — Ele me atacou! Eu o arranhei com as unhas, pelo braço todo. Mas Matt era forte demais. Forte demais. E agora...

E agora você vai ter filhotes, Bonnie quis dizer, mas Meredith apertou seu ombro e ela se reprimiu novamente. Além disso, Bonnie pensou com uma pontada súbita de alarme, os bebês podem parecer humanos e podem ser gêmeos, como a própria Caroline disse. E o que eles fariam?

Bonnie sabia como funcionava a mente de um adulto. Mesmo que Caroline não pudesse tingir o cabelo de castanho-arruivado, eles diriam, olhe o que o estresse fez com ela: está ficando grisalha cedo demais!

E mesmo que os adultos percebessem a aparência bizarra de Caroline e seu comportamento estranho, como Bonnie e Meredith acabaram de ver, eles pensariam que era consequência do choque que ela sofreu. Ah, coitada da Caroline, ela mudou muito depois daquele dia. Ela tem tanto medo de Matt que se esconde debaixo da mesa. Ela não toma banho; talvez isso seja comum depois de tudo o que ela passou.

Além disso, ninguém sabia quanto tempo levaria para *esses* bebês-lobisomens nascerem. Talvez o malach dentro de Caroline pudesse controlar isso, fazer com que parecesse uma gravidez normal.

E de repente Bonnie foi arrancada de seus pensamentos para prestar atenção nas palavras de Caroline, que tinha parado de rosnar. Parecia quase a antiga Caroline, ofendida e desagradável, ao dizer:

— Não entendo por que vocês acreditam nele e não em mim.

— Porque — disse Meredith categoricamente — nós *conhecemos* vocês dois. Nós saberíamos se Matt tivesse marcado um encontro com você... E isso não aconteceu. E ele não é o tipo de cara que simplesmente aparece na sua porta, especialmente quando se considera o que ele sente por você.

— Mas você já disse que esse monstro que o atacou...

— Malach, Caroline. Aprenda a palavra. Tem um dentro de você!

Caroline sorriu com malícia e acenou, desprezando a ideia.

— Você disse que essas coisas podem te possuir e te obrigar a fazer coisas estranhas, não é?

Silêncio. Se tivéssemos dito isso, nunca diríamos na *sua* frente, pensou Bonnie.

— Bom, e se eu admitisse que Matt e eu *não tivemos* um encontro? E se eu dissesse que encontrei com ele sem querer dirigindo pelo bairro a uns 10 quilômetros por hora parecendo perdido? A manga da camisa dele estava destruída e o braço todo machucado. Então eu o levei para a *minha casa* e tentei fazer um curativo no braço dele... Mas de repente ele ficou louco. E eu tentei arranhá-lo, mas a atadura atrapalhou e eu a arranquei. Ainda a tenho, toda coberta de sangue. Se eu dissesse isso a vocês, o que diriam?

Eu diria que você está nos testando antes de falar com o xerife Mossberg, pensou Bonnie, mais calma. E diria que você estava certa, consegue parecer bem normal quando faz um esforço. Se você simplesmente parasse com esses risinhos infantis e se livrasse desse visual, seria ainda mais convincente.

Mas Meredith falava:

— Caroline... Eles podem fazer um teste de DNA.

— Mas eu sei disso! — Caroline parecia tão indignada que, por um momento, se esqueceu de demonstrar astúcia.

Meredith a fitava.

— Isso quer dizer que eles podem saber se o sangue na atadura que você tem é realmente de Matt — disse ela. — E se isso confirma sua história.

— Mas é claro que confirma. A atadura está ensopada. — Abruptamente, Caroline andou até a cômoda, abriu a gaveta e pegou um pedaço do que podia ter sido uma atadura. Agora era de um vermelho vivo na luz fraca.

Olhando o tecido rígido na luz rubi, Bonnie entendeu duas coisas. Aquilo não era nada parecido com o cataplasma que a Sra. Flowers colocou no braço de Matt na manhã seguinte ao ataque. E estava ensopada de sangue de verdade, até as pontas endurecidas do tecido.

O mundo pareceu rodar. Porque embora Bonnie acreditasse em Matt, essa nova história a assustou. Essa nova história podia *colar* — desde que ninguém conseguisse achar Matt e fazer um teste com o sangue dele.

Até Matt admitiu que alguns minutos naquela noite não contavam... Um período do qual ele não se lembrava.

Mas isso não significava que Caroline estivesse dizendo a verdade! Por que ela começaria por uma mentira e só a mudaria quando os fatos a contradissessem?

Os olhos de Caroline estavam da cor dos de um felino. Gatos costumam brincar com camundongos só para se divertir. Só para vê-los fugir.

Matt tinha fugido...

Bonnie balançou a cabeça. De repente não suportava mais essa casa. De algum modo tinha se acomodado a sua mente, fazendo-a aceitar todos os ângulos estranhos das paredes distorcidas. Ela até se acostumara com o cheiro horrível e a luz vermelha. Mas agora, com Caroline segurando uma atadura ensopada de sangue e dizendo que todo aquele sangue era de Matt...

— Vou para casa — anunciou Bonnie de repente. — E Matt não fez isso, e... E eu nunca mais vou voltar aqui! — Acompanhada pelos risos de Caroline, ela girou o corpo, tentando não olhar o ninho que Caroline havia feito embaixo da mesa no canto. Havia garrafas vazias e pratos com restos de comida empilhados ali com as roupas. Qualquer coisa podia estar embaixo deles — até um malach.

Mas enquanto Bonnie se mexia, o quarto pareceu se mover com ela, acelerando seu giro, até que ela rodou duas vezes antes de estender um pé para se deter.

— Espere, Bonnie... Espere, *Caroline* — disse Meredith, parecendo quase fora de si. Caroline dobrava o corpo como uma contorcionista, voltando para debaixo da mesa. — Caroline, e Tyler Smallwood? Você não liga que ele seja o verdadeiro pai dos seus... filhos? Quanto tempo vocês namoraram antes de ele se unir a Klaus? Onde ele está agora?

— Pelo que sei, está morrrto. Você e seus amigos o mataram. — O rosnado tinha voltado, mas não era maldoso. Era mais um ronronar de triunfo. — Mas não sinto falta dele, então esperrro que ele continue morrrto — acrescentou Caroline, com um riso abafado. — *Ele* não iria se casarrrr comigo.

Bonnie teve de se afastar. Atrapalhou-se para achar a maçaneta, mas encontrou, e, por um momento, ficou cega. Passou tanto tempo na penumbra rubi que a luz do corredor era como o sol do meio-dia no deserto.

— Apague a luz! — disse Caroline debaixo da mesa. Mas enquanto Meredith se mexia para fazer isso, Bonnie ouviu uma explosão surpreendente e viu o abajur coberto de vermelho escurecer sozinho.

E mais uma coisa aconteceu.

A luz do corredor varreu o quarto de Caroline como um farol enquanto a porta se fechava. Caroline já estava dilacerando alguma coisa com os dentes. Algo com a textura de carne, mas não cozida.

Bonnie se virou de repente para correr e quase esbarrou na Sra. Forbes.

A mulher ainda estava parada no corredor, onde ficou quando elas entraram no quarto de Caroline. Mas não parecia ter ouvido pela porta. Só ficou ali, encarando o vazio.

— Vou lhes mostrar a saída — disse ela com a voz indistinta e branda. Ela não levantou a cabeça para olhar nos olhos de Meredith e Bonnie. — Se não, vocês podem se perder. Eu mesma me perco.

Andaram em linha reta até chegar na escada e desceram os quatro degraus até a porta da frente. Mas ao andarem, Meredith não disse nada, e Bonnie não conseguiu falar.

Depois que saíram da casa, Meredith se virou para Bonnie.

— E então? Ela está mais possuída pelo malach ou pela parte lobisomem? Você pode dizer alguma coisa pela aura dela?

Bonnie se ouviu rir, um som que parecia um choro.

— Meredith, a aura dela não é humana... Não sei o que pensar. E a mãe parece não ter aura nenhuma. Elas só estão... Essa casa está...

— Deixe pra lá, Bonnie. Não precisa entrar lá de novo.

— É como se... — Mas Bonnie não sabia explicar a aparência de parque de diversões das paredes, ou como a escada descia ao invés de subir.

— Eu acho — disse ela por fim — que é melhor pesquisar mais um pouco. Uma coisa como... possessão.

— Quer dizer possessão demoníaca? — Meredith lhe lançou um olhar penetrante.

— Sim. Acho que sim. Só que não sei por onde começar para descobrir qual é o problema dela.

— Tenho umas ideias — disse Meredith em voz baixa. — Por exemplo... Notou que ela não nos mostrou as mãos? Achei isso muito estranho.

— Eu sei por quê — sussurrou Bonnie, tentando não deixar o riso soluçado se elevar. — É porque... ela não tem mais unhas.

— Como assim?

— Ela pôs as mãos nos meus pulsos. Eu as *senti*.

— Bonnie, isso não tem lógica alguma.

Bonnie se obrigou a falar:

— Caroline agora tem garras, Meredith. Garras de verdade, como as de um lobo.

— Ou talvez — sussurrou Meredith — de uma raposa.

6

Elena usava todos os seus consideráveis talentos de negociação para acalmar Matt, estimulando-o a pedir mais um waffle, sorrindo para ele sentado à mesa na frente dela. Mas não estava dando certo. Matt não parava de se mexer e parecia que ia sair correndo a qualquer minuto. Ao mesmo tempo, não conseguia tirar os olhos dela.

Ele provavelmente estava imaginando Damon voando baixo e aterrorizando alguma menina, pensou Elena, impotente.

Damon não estava lá quando eles saíram da lanchonete. Elena viu o cenho franzido de Matt e teve uma ideia genial.

— Por que não tentamos vender o Jaguar para uma loja de carros usados? Se vamos abrir mão dele, quero *seu* conselho no que vamos conseguir em troca.

— É, meu conselho sobre ferros-velhos amassados e desmontados deve ser o melhor mesmo — disse Matt, com um sorriso torto que dizia que ele sabia que Elena estava tentando distraí-lo, mas não se importava.

A única revendedora de carros na cidade não parecia muito promissora. E mesmo *isso* não parecia tão deprimente quanto o dono da loja. Elena e Matt o viram dormindo dentro de um pequeno escritório de janelas sujas. Matt bateu gentilmente na janela encardida fazendo o homem se assustar, saltando da cadeira e os enxotando com raiva.

Mas Matt bateu de novo na janela quando o homem começou a baixar a cabeça, e desta vez ele se sentou bem devagar, olhou para eles com um desespero amargurado e veio à porta.

— O que vocês querem? — perguntou ele.

— Uma troca — disse Matt em voz alta, antes que Elena pudesse falar com brandura.

— Vocês, adolescentes, têm um carro para trocar — disse o homenzinho num tom desafiador. — Em meus vinte anos como dono deste lugar...

— Olhe. — Matt deu um passo para o lado, revelando o Jaguar vermelho vivo cintilando sob o sol da manhã como uma rosa gigante sobre rodas. — Um Jaguar XZR novinho em folha. De zero a 100 em 3,7 segundos! Motor AJ-V8 GEN III R turbo de 550 cavalos com transmissão automática ZF de 6 marchas! Adaptative Dynamics e diferencial ativo para tração e direção excepcionais! Não *existe* carro como o XZR! — concluiu Matt cara a cara com o baixinho, cuja boca aos poucos se abria e os olhos disparavam do carro ao menino.

— Você quer trocar *isso* por alguma coisa *desta* loja? — disse ele, impressionado, numa incredulidade visível. — Como se eu tivesse dinheiro para... Peraí um minutinho! — ele se interrompeu. Seus olhos pararam de disparar e se tornaram os olhos de um jogador de pôquer. Seus ombros se ergueram, mas a cabeça não, dando-lhe o aspecto de um predador. — Não quero — respondeu categoricamente e agiu como se fosse voltar ao escritório.

— Como assim, não quer? Você estava babando agora mesmo! — gritou Matt, mas o homem tinha parado de piscar. Sua expressão não mudou.

Eu devia ter falado, pensou Elena. Eles não estariam discutindo agora — mas era tarde demais. Ela tentou calar as vozes masculinas e olhou os carros dilapidados no pátio, cada um deles com a própria placa empoeirada no para-brisa: DEZ POR CENTO DE DESCONTO PARA O NATAL! CRÉDITO FÁCIL! DOCUMENTAÇÃO OK! ESPECIAL DA VOVÓ! SEM ENTRADA! OPORTUNIDADE ÚNICA! Ela teve medo de irromper em lágrimas a qualquer segundo.

— Ninguém quer um carro desses por aqui — dizia o dono sem alterar a voz. — Quem iria comprar?
— Ficou louco? Esse carro vai trazer os clientes voando para cá. É... É publicidade! Melhor do que aquele hipopótamo roxo ali.
— Não é um hipopótamo. É um elefante.
— E quem pode adivinhar, se metade dele está murcha?
Com dignidade, o proprietário olhou o Jaguar mais de perto.
— Não é novo. Já rodou muito.
— Foi comprado há apenas duas semanas.
— E daí? Daqui a alguns dias a montadora estará divulgando os modelos do ano que vem. — O dono acenou para o carro gigante de Elena. — Obsoleto.
— Obsoleto!
— É. Carros grandes assim bebem demais...
— É mais eficiente em combustível do que um híbrido...!
— Acha que as pessoas sabem disso? Elas veem...
— Olhe, posso levar esse carro a qualquer outro...
— Então leve. Na minha loja, aqui e agora, esse carro mal vale outro em troca!
— Dois carros.
A nova voz veio de trás de Matt e Elena, mas os olhos do vendedor se arregalaram como se tivessem acabado de ver um fantasma.
Elena se virou e encontrou o olhar negro e insondável de Damon. Ele estava com os Ray-Bans enganchados na camiseta, parado com as mãos para trás. Olhava firme para o vendedor de carros.
Passaram-se alguns segundos, depois...
— O... Prius prata no canto direito, ao fundo. Debaixo... debaixo do toldo — disse o vendedor lentamente, e com uma expressão estupefata — em resposta a nenhuma pergunta feita em voz alta.
— Eu vou... levar vocês lá — acrescentou num tom que combinava com sua expressão.

— Leve a chave. O garoto vai fazer o test-drive — ordenou Damon, e o dono se atrapalhou com as mãos, mostrando um chaveiro no cinto, depois se afastou devagar, olhando o vazio.

Elena se virou para Damon.

— Vou adivinhar. Você perguntou a ele qual era o melhor carro no pátio.

— Troque para "menos imprestável" e você chegará mais perto — disse Damon. Ele abriu um sorriso cintilante para ela por um décimo de segundo, depois fechou a cara.

— Mas Damon, por que dois carros? Sei que é mais justo e tudo, mas o que vamos fazer com o segundo carro?

— Caravana — disse Damon.

— *Ah*, não. — Mas até Elena podia entender os benefícios disso, pelo menos depois que eles decidissem o esquema de revezamento entre os carros para Elena. Ela suspirou. — Bom... Se Matt concordar...

— O Mutt concordará — disse Damon, parecendo, muito brevemente, *muito* brevemente mesmo, inocente como um anjo.

— O que está escondendo aí atrás? — disse Elena, decidindo não insistir no que Damon pretendia fazer com Matt.

Damon sorriu de novo, mas desta vez deu um sorriso estranho, levantou apenas um lado da boca. Seus olhos diziam que não era nada de mais. Mas sua mão direita apareceu, estendendo a mais linda rosa que Elena já vira na vida.

A rosa era do vermelho mais escuro que ela já vira, no entanto não havia um toque de roxo — era de um borgonha aveludado, aberta exatamente em plena floração. Parecia que seria felpuda ao toque, e seu caule verde vivo, com algumas folhas delicadas aqui e ali, tinha pelo menos 45 centímetros e era reto como uma régua.

Determinada, Elena pôs as mãos às costas. Damon não fazia o gênero sentimental — mesmo quando vinha com aquele papinho de sua "Princesa das Trevas". A rosa provavelmente tinha algo a ver com sua excursão.

— Não gostou? — disse Damon. Elena podia ter imaginado isso, mas quase pareceu que ele estava decepcionado.

— É claro que gostei. Para que isso?

Damon recuou.

— Para você, princesa — disse ele, parecendo magoado. — Não se preocupe, eu não roubei.

Não... Ele não a havia roubado. Elena sabia exatamente como Damon tinha conseguido a rosa... Mas era *tão linda*...

Como Elena não havia se mexido para pegar a rosa, Damon a ergueu e deixou que as pétalas frias e sedosas acariciassem o rosto dela.

Isso a fez tremer.

— Pare, Damon — murmurou Elena, mas ela não parecia capaz de recuar.

Ele não parou. Usou as pétalas frias que farfalhavam de leve para roçar na outra face de Elena. Ela respirou fundo automaticamente, mas o cheiro que sentiu não era de flores. Era o cheiro de algo escuro, de vinho tinto, algo remoto e fragrante que antigamente a deixaria imediatamente bêbada. Bêbada de Black Magic, inebriada por sua própria excitação precipitada... Só de estar perto de Damon.

Mas esta não era a verdadeira Elena, protestava uma voz em sua mente. Eu amo *Stefan*. Damon... Eu quero... Quero...

— Quer saber por que consegui essa rosa em particular? — perguntava Damon suavemente, a voz mesclando-se com as lembranças dela. — Peguei por causa do nome. É a rosa Black Magic.

— Sim — disse Elena. Ela já sabia disso. Era o nome que combinava.

Agora Damon lhe dava um beijo com a rosa, girando o botão em círculo pelo rosto dela, depois pressionando. As pétalas mais firmes do meio comprimiram sua pele, enquanto as externas apenas roçavam nela.

Elena se sentia levemente inebriada. O dia já estava quente e úmido; como a rosa poderia ser tão fria? Agora as pétalas externas acompanhavam a linha de seus lábios, e ela queria dizer não, mas de algum modo a palavra não lhe vinha.

Era como se tivesse sido transportada para o passado, de volta aos dias em que Damon lhe apareceu, reclamando-a para ele. Quando ela quase deixou que ele a beijasse antes de saber seu nome... Ele não mudara de ideia desde então. Vagamente, Elena se lembrou de já ter pensado algo parecido. Damon transformava os outros enquanto permanecia o mesmo.

Mas *eu* mudei, pensou Elena, e de repente havia areia movediça sob seus pés. Eu mudei tanto desde então. O suficiente para ver em Damon coisas que jamais imaginei que ele teria. Não só as partes desvairadas, sombrias e coléricas, mas as partes gentis. A honra e a decência que estavam aprisionadas como veios de ouro por dentro do rochedo que era sua mente.

Preciso ajudá-lo, pensou Elena. Tenho que encontrar uma maneira de ajudar Damon — e o menininho acorrentado ao rochedo.

Esses pensamentos faziam cócegas em sua mente, que parecia se separar do corpo. Ela estava tão envolvida com eles que de algum modo perdeu a pista de seu corpo e só agora percebia o quanto Damon tinha se aproximado. As costas de Elena estavam coladas a um dos carros melancólicos e decaídos. E Damon falava de leve, mas com uma conotação de seriedade.

— Uma rosa por um beijo, que tal? — perguntou ele. — Chama-se Black Magic e eu a *consegui* honestamente. O nome dela era... era...

Damon parou e, por um momento, uma expressão de intenso espanto surgiu em seu rosto. Depois ele sorriu, mas era o sorriso de um guerreiro, o sorriso brilhante que ele acendia e apagava quase antes de se ter certeza de ter visto. Elena pressentiu que teria problemas. É claro que Damon ainda não se lembrava do nome de Matt corretamente, mas nunca soube dele se esquecendo do nome de uma garota quando ele realmente queria se lembrar. Especialmente minutos depois de ter se alimentado dela.

Shinichi de novo?, perguntou-se Elena. Será que ele ainda tomava as lembranças de Damon — só os pontos altos, é claro? As emoções, boas ou más? Elena sabia que o próprio Damon estava pensando a mesma coisa. Seus olhos negros estavam em brasa. Damon estava furioso — mas havia certa vulnerabilidade em sua fúria.

Sem pensar, Elena pôs as mãos nos braços de Damon. Ela ignorou a rosa, mesmo enquanto ele a passava pela curva de seu queixo, e tentou falar de forma equilibrada:

— Damon, o que vamos fazer?

Foi neste momento que Matt apareceu. Correu para ela, na verdade. Ele veio costurando por um labirinto de carros e disparou em volta de uma SUV branca com um pneu furado, gritando, "Ei, pessoal, aquele Prius é..."

E ficou paralisado.

Elena sabia o que ele estava vendo: Damon acariciando-a com a rosa, enquanto ela praticamente o abraçava. Ela soltou os braços de Damon, mas não conseguiu se afastar dele por causa do carro atrás dela.

— Matt... — começou Elena, e sua voz falhou. Ela estava prestes a dizer: "*Isso não é o que parece. Não aconteceu nada entre a gente. Não estou tocando nele.*" Mas *era* o que parecia. Elena gostava de Damon; ela tentara penetrar nele...

Com um pequeno choque, esse pensamento se repetiu com a intensidade de um raio de sol atingindo o corpo de um vampiro desprotegido.

Elena gostava de Damon.

Ela realmente gostava. Em geral era difícil estar com ele porque eles eram parecidos demais. Teimosos, gostavam de fazer valer sua vontade, eram passionais, impacientes...

Ela e Damon eram tão parecidos.

Pequenos choques percorriam Elena e todo o seu corpo ficou fraco. Ela percebeu que estava feliz por se encostar no carro, embora devesse estar sujo e empoeirasse suas roupas.

Eu amo Stefan, pensou ela quase histericamente. Ele é o único que amo. Mas preciso de Damon para chegar a ele. E Damon pode estar se desfazendo diante de meus olhos.

Ela estava com os olhos fixos em Matt, cheios de lágrimas que não caíam. Ela piscou, mas elas teimosamente ficaram nas pálpebras.

— Matt... — sussurrou ela.

Ele não disse nada. Não precisava. Estava tudo em sua expressão: o assombro se transformando em algo que Elena nunca vira, não quando ele olhava para *ela*.

Era uma espécie de alienação que calou completamente Elena, que cortava quaisquer laços entre os dois.

— Matt, não... — Mas saiu num sussurro.

E, para seu espanto, Damon falou:

— Você sabe que sou eu, não sabe? Não pode culpar uma garota por tentar se defender. — Elena olhou para suas mãos, que agora tremiam. Damon continuou: — Você *sabe* que é tudo culpa minha. Elena jamais...

Foi quando Elena percebeu. Damon estava influenciando Matt.

— Não! — Ela pegou Damon de guarda baixa, agarrando-o de novo, sacudindo-o. — Não faça isso! Não com Matt!

Os olhos negros que se voltavam para os dela não eram os de um sedutor. Damon foi interrompido no uso de seu Poder. Se fosse outra pessoa, não teria ficado por isso mesmo.

— Eu estou te salvando — disse Damon com frieza. — Não quer minha ajuda?

Elena se viu vacilar. Talvez, se fosse só uma vez, e para o bem de Matt...

Algo se agitou dentro dela. Elena mal conseguiu evitar que sua aura escapasse completamente.

— Não tente fazer isso de novo comigo — disse Elena. Sua voz era baixa, mas gélida. — Não *se atreva* a tentar me influenciar! E deixe Matt em paz!

Algo semelhante a aprovação lampejou na escuridão interminável dos olhos de Damon. Passou antes mesmo de Elena ter certeza de ter visto alguma coisa. Mas quando ele falou, parecia menos distante:

— Tudo bem — disse ele a Matt. — E agora, qual é o plano? Me diga.

Matt respondeu devagar, sem olhar para nenhum dos dois. Estava corado, mas incrivelmente calmo.

— Eu ia dizer que o Prius não é nada mau. E o vendedor tem outro. Está em boas condições. Temos dois carros iguais. E podemos sair em caravana e nos separar se alguém nos seguir! Eles não vão saber a quem seguir. — Normalmente, a essa altura Elena teria se jogado nos braços de Matt. Mas ele olhava para os próprios sapatos, o que devia ser bom, porque Damon tinha os olhos fechados e balançava de leve a cabeça, como se não acreditasse em alguma idiotice.

É isso, pensou Elena. É a minha aura — ou a de Damon — que eles perseguem. Não podemos confundi-los com carros idênticos, a não ser que também tenhamos auras idênticas.

O que significava que ela devia dirigir com Matt o tempo todo. Mas Damon nunca aceitaria isso. E só Damon podia levá-la ao amado, a seu único e verdadeiro companheiro: Stefan.

— Vou ficar com o amassado — dizia Matt, combinando com Damon e ignorando Elena. — Estou acostumando com carros caindo aos pedaços. Já negociei com o cara. Precisamos ir. — Ainda se dirigindo apenas a Damon, ele disse: — Você *vai ter* que me dizer aonde vamos. Corremos o risco de nos separar.

Damon ficou em silêncio por um bom tempo. Depois, bruscamente, disse:

— Sedona, Arizona, para começar.

Matt fez cara de nojo.

— Aquele lugar cheio de malucos New Age? Está brincando.

— Eu disse que vamos começar por Sedona. É uma região completamente descampada... Cheia de pedras por todo lado.

Você pode se perder... com muita facilidade. — Damon abriu o sorriso reluzente por um breve segundo. — Vamos ficar no Juniper Resort, na North Highway 89A — acrescentou num tom tranquilizador.

— Entendi — disse Matt. Elena não via emoção em sua expressão, mas a aura de Matt fervia de tão vermelha.

— Agora, Matt — começou Elena —, precisamos nos encontrar realmente toda noite, então, se você nos seguir... — Ela se interrompeu, inspirando profundamente.

Matt já havia se virado. Não se voltou quando ela falou. Continuou andando, sem dizer nada.

Sem olhar para trás.

7

lena acordou com Damon batendo na janela do Prius impacientemente. Ela estava totalmente vestida, agarrada ao diário. Isso foi no dia seguinte ao que Matt os deixou.

— Dormiu a noite toda assim? — perguntou Damon, olhando-a de cima a baixo enquanto Elena esfregava os olhos. Como sempre, ele estava imaculadamente vestido: todo de preto, é claro. O calor e a umidade não o afetavam.

— Já tomei café da manhã — disse ele rispidamente, ocupando o banco do motorista. — E lhe comprei *isto*.

Isto era um copo de isopor com um café fumegante, que Elena segurou com gratidão, como se fosse um vinho Black Magic, e um saco de papel pardo que continha donuts. Não era exatamente o café da manhã mais nutritivo do mundo, mas Elena ansiava por cafeína e açúcar.

— Preciso parar em algum lugar — disse Elena enquanto Damon se sentava friamente ao volante e dava partida no carro. — Para trocar de roupa e lavar o rosto, essas coisas.

Eles seguiram para o oeste, de acordo com o que Elena descobrira olhando um mapa na internet na noite anterior. A pequena imagem em seu celular combinava com o que dizia o sistema de navegação do Prius. Os dois mostravam que Sedona, no Arizona, ficava numa linha quase reta a partir da pequena estrada rural onde Damon estacionara para passar a noite, no Arkansas. Mas logo Damon virava para o sul, pegando um desvio que podia ou não confundir qualquer perseguidor. Quando chegaram a uma parada, a bexiga de Elena estava prestes a explodir. Ela passou meia hora calmamente no banheiro das mulheres, fazendo o máximo para se limpar com toalhas de papel e água fria, escovando o cabelo e vestindo jeans novos e uma camiseta branca e limpa amarrada na frente como um espartilho. Afinal, a qualquer momento podia cochilar e ter outra experiência fora do corpo e assim ver Stefan de novo.

O que ela não queria pensar era que, com a partida de Matt, ela ficara sozinha com Damon, um vampiro indomado, viajando pelos Estados Unidos para um destino que era literalmente de outro mundo.

Quando Elena finalmente saiu do toalete, Damon estava frio e sem expressão — embora ela tenha percebido que ele se demorou ao dar uma boa olhada nela.

Ah, *que droga*, pensou Elena. Deixei meu diário no carro.

Elena tinha certeza de que ele o lera, era capaz de vê-lo fazendo isso, e ficou feliz por não haver nada lá sobre deixar o corpo e encontrar Stefan. Embora ela acreditasse que Damon também quisesse libertar Stefan — ela não estaria no carro com ele se não pensasse isso —, achava que era melhor que ele não soubesse que ela chegara lá primeiro. Damon gostava de comandar as coisas, assim como Elena. Ele também gostava de influenciar cada policial que o fazia parar por exceder o limite de velocidade.

Mas hoje ele estava rabugento demais até para seus próprios padrões. Por experiência própria, Elena sabia que Damon, quando queria, podia ser uma ótima companhia, contando histórias e piadas escandalosas até que o mais preconceituoso ou taciturno dos passageiros risse a contragosto.

Mas hoje ele nem mesmo respondia às perguntas de Elena, e muito menos ria das piadas dela. A única vez em que ela tentou fazer contato físico, tocando de leve o braço dele, Damon se afastou bruscamente, como se o toque dela pudesse estragar a jaqueta de couro preto.

Tudo bem, ótimo, pensou Elena, deprimida. Ela pousou a cabeça na janela e olhou a paisagem, que se repetia durante boa parte do trajeto. Sua mente viajou.

Onde estaria Matt? À frente deles, ou atrás? Será que ele conseguiu descansar um pouco na noite passada? Estaria ele dirigindo pelo Texas? Teria comido direito? Elena piscou para reprimir as lágrimas, que surgiam sempre que ela se lembrava de Matt se afastando dela sem olhar para trás.

Elena era ótima em lidar com pessoas. Podia reverter quase toda situação ruim, desde que as pessoas a sua volta fossem seres normais e sãos. E lidar com meninos era sua especialidade. Ela os controlava — dava as cartas — desde o ensino fundamental. Mas agora, aproximadamente duas semanas e meia depois de ter voltado dos mortos, de um mundo espiritual que ela não recordava, Elena não *queria* controlar ninguém.

Era isso que ela amava em Stefan. Depois de superar o instinto de se afastar de qualquer coisa de que gostasse, ela não precisou manipulá-lo. Ele se preocupava pouco, a não ser pela mais gentil das sugestões de que ela se transformara numa especialista em vampiros. Não para caçá-los ou abatê-los, mas para amá-los com segurança. Elena sabia quando era certo morder ou ser mordida, além de quando parar e como permanecer humana.

Mas além dessas sugestões gentis, ela nem mesmo *queria* manipular Stefan. Desejava simplesmente *estar* com ele. Depois disso, tudo seguiria por conta própria.

Elena não podia viver sem Stefan — assim ela *pensava*. Mas assim como estar longe de Meredith e Bonnie era como viver sem as duas mãos, ficar sem Stefan seria como tentar viver sem o coração. Ele era seu parceiro na Grande Dança; seu igual e seu oposto; seu amado e amante no sentido mais puro que se podia imaginar. Para Elena, ele era a sua metade nos Mistérios Sagrados da Vida.

E depois de vê-lo na noite anterior, mesmo que num sonho, o que ela não estava disposta a aceitar, a falta que Elena sentia dele era uma dor que latejava em seu íntimo. Uma dor tão grande que ela mal conseguia ficar sentada. Se pudesse simplesmente surtar e dar umas broncas em Damon para que dirigisse mais rápido... Elena podia estar ferida por dentro, mas não era suicida.

Eles pararam para almoçar numa cidade sem nome. Elena não tinha fome, mas Damon passou todo o tempo como corvo, o que, por algum motivo, a enfureceu.

Quando voltaram ao carro, a tensão tinha aumentado até que ficou impossível evitar o antigo clichê: dava para cortá-la com uma folha de papel, que dirá com uma faca, pensou Elena.

Foi quando ela percebeu exatamente que tipo de tensão era.

A única coisa que salvava Damon era seu orgulho.

Ele sabia que Elena deduzira as coisas. Ela ia parar de tentar tocá-lo ou até de falar com ele. E isso era *bom*.

Ele não devia se sentir assim. Os vampiros queriam as mulheres por seus pescoços brancos e lindos, e o senso estético de Damon exigia que o resto da doadora ao menos equivalesse a seus padrões. Mas agora até a aura humanizada de Elena anunciava a força vital única em seu sangue. E a reação de Damon era involuntária. Ele nem mesmo pensava em uma mulher *assim* havia cerca de quinhentos anos. Os vampiros não eram capazes disso.

Mas agora Damon era capaz — e muito. E quanto mais perto ficava de Elena, mais forte era a aura dela ao redor dele, e mais fraco era seu controle.

Graças aos pequenos demônios do inferno, seu orgulho era mais forte do que o desejo. Damon nunca *pediu* nada a ninguém na vida. Ele pagava pelo sangue que bebia dos humanos com sua própria moeda: o prazer, a fantasia e os sonhos. Mas Elena não precisava de fantasia; e não queria sonhos.

Ela não *o* queria.

Ela queria Stefan. E o orgulho de Damon nunca lhe permitiu pedir a Elena o que só ele desejava, e da mesma forma não lhe permitiria tirar sem seu consentimento... Assim ele esperava.

Havia apenas alguns dias, ele era uma concha vazia, seu corpo era uma marionete dos gêmeos kitsune, que o fizeram machucar Elena de uma maneira que agora o fazia encolher por dentro. *Damon* não tinha personalidade; seu corpo era objeto dos jogos de Shinichi. E embora ele mal pudesse acreditar nisso, o controle foi tão completo que sua concha obedecera a cada comando de Shinichi: ele atormentou Elena; podia até tê-la matado.

Não era *lógico* não acreditar nisso; ou dizer que não podia ser verdade. *Era* verdade. Acontecera. Shinichi era muito mais forte quando se tratava do controle da mente e o kitsune não tinha o distanciamento dos vampiros com as mulheres bonitas — do pescoço para baixo. Além disso, Shinichi por acaso era sádico. Ele gostava da dor — dos outros, é claro.

Damon não podia negar o passado, não podia se perguntar por que não "despertara" e impedira Shinichi de machucar Elena. Mas não havia nada nele para *ser* despertado. E se uma parte solitária de sua mente ainda chorava pelo mal que fizera, bom, Damon sabia como bloquear isso. Não perdia tempo com remorsos, mas estava determinado a controlar o futuro. Aquilo nunca mais aconteceria — se acontecesse, ele não permaneceria vivo.

O que Damon realmente não compreendia era por que Elena o estava punindo. Agindo como se *confiasse* nele. De todas as pessoas do mundo, ela era a que tinha mais motivos para odiá-lo, a lhe apontar um dedo acusador. Mas ela jamais fez isso. Nunca sequer olhou para ele com raiva em seus olhos azul-escuros pontilhados de dourado. Só ela parecia entender que alguém tão inteiramente possuído pelo mestre dos malach, Shinichi, como Damon, simplesmente não tinha alternativas — não *havia* alternativas — para seus atos.

Talvez fosse porque ela extraíra o malach que cresceu dentro dele. O corpo albino e palpitante que estivera em seu interior. Damon se obrigou a reprimir um tremor. Ele só sabia disso porque Shinichi jovialmente falou no assunto, enquanto tomava todas as lembranças de Damon desde que os dois, kitsune e vampiro, se encontraram no antigo bosque.

Damon estava *feliz* por ter perdido as lembranças. A partir do momento em que fitou os olhos risonhos e dourados do espírito raposa, sua vida foi envenenada.

E agora... Agora ele estava sozinho com Elena, no meio do nada, com cidadezinhas aqui e ali. Eles estavam completa e unicamente a sós, Damon incontrolavelmente querendo de Elena o que queria todo menino humano que ela conheceu.

Mas o pior de tudo era ver que essas meninas encantadoras, essas meninas ilusórias, eram praticamente a única *raison d'être* de Damon. Certamente a única razão por que ele *vivera* pelo último milênio. E no entanto ele sabia que não devia, *não devia* deixar que o processo começasse com essa única menina que, para ele, era a joia engastada sobre a porcaria conhecida como humanidade.

Para todos os fins, ele estava perfeitamente controlado, frio e preciso, distante e desinteressado.

A verdade era que Damon perdia o controle.

Naquela noite, depois de se assegurar de que Elena tivesse comida e água e estivesse trancada em segurança dentro do Prius, Damon invocou uma névoa úmida e começou a tecer sua proteção mais sombria. Aquilo avisava a quaisquer irmãs ou irmãos da noite que porventura se aproximassem do carro que a menina dentro dele estava sob a proteção de Damon; e que ele perseguiria e enfrentaria qualquer um que perturbasse o descanso dela... Depois ele daria um jeito de *realmente* castigar o culpado. Assim, assumindo o aspecto de corvo, Damon voou alguns quilômetros ao sul, encontrou uma espelunca em que bebia um bando de lobisomens e serviam algumas garçonetes encantadoras, e brigou e sangrou noite afora.

Mas não foi o bastante para distraí-lo — nem chegou perto. Pela manhã, voltando cedo, ele viu a proteção em volta do carro desfeita. Antes de entrar em pânico, percebeu que Elena a rompera de dentro. Ele não foi alertado de nada graças à intenção pacífica e ao coração inocente dela.

E então a própria Elena apareceu, vindo da margem de um regato, limpa e renovada. Damon ficou sem palavras ao vê-la. Devido à sua elegância e beleza, por aquela proximidade insuportável. Ele sentia o cheiro da pele recém-banhada dela e não conseguia deixar de respirar deliberadamente cada vez mais sua fragrância única.

Ele não sabia como suportaria outro dia assim.

E Damon de repente teve uma ideia.

— Quer aprender uma coisa que a ajudaria a controlar sua aura? — perguntou ele quando Elena seguia em direção ao carro.

Elena lhe lançou um olhar de esguelha.

— Então decidiu voltar a falar comigo. Devo desmaiar de felicidade?

— Bom... Isso sempre seria bem-vindo...

— Seria mesmo? — disse ela com aspereza, e Damon percebeu que subestimara a tempestade que se formava no íntimo dessa menina formidável.

— Não. Agora, estou falando sério — disse ele, fixando os olhos escuros nela.

— Eu sei. Vai me dizer que me tornar vampira ajudará a controlar meu Poder.

— Não, não, *não*. Isso não tem nada a ver com ser vampiro.

— Damon se recusou a se deixar atrair a uma discussão e isso provavelmente impressionou Elena, porque finalmente ela disse:

— O que é, então?

— Aprender a fazer seu Poder circular. O sangue circula, não é? O Poder também pode circular. Até os humanos sabem disso há séculos. Chamam isso de força vital ou *chi*. Com isso você dissipará seu Poder no ar. Isso é uma aura. Mas se aprender a fazê-la circular, pode reforçá-la e isso lhe dará um grande alívio, e pode também ser mais discreta.

Elena ficou claramente fascinada.

— Por que não me disse isso antes?

Porque sou um idiota, pensou Damon, porque os vampiros são tão instintivos quanto a respiração para você. Ele mentiu sem corar.

— É preciso certo nível de competência para conseguir fazer isso.

— Será que eu consigo?

— Acho que sim. — Damon pôs uma leve incerteza na voz. Naturalmente, isso deixou Elena ainda mais determinada.

— Me mostre! — disse ela.

— Quer dizer agora? — Ele olhou em volta. — Alguém pode passar de carro...

— Não estamos na estrada. Ah, por favor, Damon! Por favor?

— Elena fitou Damon com os imensos olhos azuis que vários homens achavam irresistíveis. Ela tocou o braço dele, tentando mais uma vez fazer contato. Quando ele automaticamente se afastou, ela continuou: — Eu quero muito aprender. Você pode me ensinar. Me mostre uma vez, e vou treinar.

Damon olhou o próprio braço, sentindo seu bom-senso e sua vontade vacilando. *Como Elena fazia isso?*

— Muito bem. — Ele suspirou. Havia pelo menos três ou quatro bilhões de pessoas neste minúsculo planeta que fariam qualquer coisa para estar com essa Elena Gilbert empolgada, ávida e ansiosa. O problema era que por acaso Damon era um deles — e ela claramente não dava a mínima para ele.

É claro que não. Elena tinha o querido Stefan. Bom, ele veria se sua princesa ainda era a mesma quando — e se — conseguisse libertar Stefan e saísse viva do destino a que se dirigiam.

Enquanto isso, Damon se concentrou em manter a voz, a expressão e a aura completamente desapaixonadas. Tinha alguma prática nisso. Apenas cinco séculos, mas contavam muito.

— Primeiro, tenho que achar o lugar — disse-lhe ele, ouvindo a falta de calor na voz, um tom que não era apenas desanimado, mas verdadeiramente frio.

A expressão de Elena não se alterou. Ela também podia ser desanimada. Até seus olhos azul-escuros pareciam ter assumido um brilho gélido.

— Muito bem. Onde fica?

— Perto do coração, só que mais para a esquerda. — Ele tocou o esterno de Elena, depois moveu os dedos para a esquerda.

Elena reprimiu a tensão e um tremor — ele percebeu isso. Damon sondava à procura do lugar onde a carne ficava macia sobre o osso, o lugar que a maioria dos humanos supunha estar o coração, porque era onde podiam sentir seu batimento. Devia ser bem em volta... *daqui*...

— Agora, vou fazer com que seu Poder circule uma ou duas vezes e, quando puder fazer isso sozinha... Aí estará pronta para esconder sua aura.

— Mas como vou saber?

— Você vai saber, acredite.

Ele não queria que ela fizesse perguntas, então simplesmente ergueu uma das mãos diante dela — sem tocar em seu corpo ou mesmo em sua roupa — e colocou a força vital de Elena em sintonia com a dele. Pronto. Agora, basta iniciar o processo. Ele sabia como pareceria para Elena: um choque elétrico, começando pelo ponto onde ele tocara e rapidamente se espalhando, quente, pelo corpo.

Depois, uma colagem rápida de sensações enquanto ele realizava uma ou duas rotações práticas com ela. Subindo para ele, aos olhos e ouvidos de Elena, onde ela de repente acharia que podia ouvir e enxergar muito melhor, depois descendo pela coluna e saindo pela ponta dos dedos, enquanto seu batimento cardíaco se acelerava e ela sentia algo parecido com eletricidade nas mãos. Subindo ao braço de novo e descendo pela lateral do corpo, e a essa altura haveria um tremor. Por fim, a energia desceria por suas pernas magníficas, até os pés, onde ela sentiria nas solas, enroscaria os dedos, antes de voltar para onde começara, perto do coração.

Damon ouviu Elena arquejar fraco quando o choque a atingiu, depois sentiu o coração se acelerar e suas pálpebras baterem enquanto o mundo de repente ficava muito mais leve para ela; suas pupilas se dilatando como se ela estivesse apaixonada, o corpo se enrijecendo ao mínimo ruído de um roedor na relva — um ruído que ela nunca ouviria sem o Poder dirigido aos ouvidos. E assim, por todo o corpo, uma vez, depois novamente, para que ela pudesse sentir o processo. Depois ele a soltou.

Elena estava ofegante e exausta; e fora *ele* a gastar energia.

— Eu nunca... vou conseguir... fazer isso sozinha — concluiu, arfando.

— Sim, vai, com tempo e prática. E quando conseguir, será capaz de controlar todo o seu Poder.

— Se é... o que você diz. — Os olhos de Elena agora estavam fechados, os cílios escuros enfeitando o rosto. Estava claro que ela fora levada a seu limite. Damon sentiu a tentação de puxá-la para si, mas a reprimiu. Elena deixou claro que não queria que ele a abraçasse.

Quantos homens será que ela não rejeitou, pensou Damon abruptamente, com amargura. Isso o surpreendeu um pouco, a amargura. Por que ele ligava para quantos outros tocaram em Elena? Quando ele a fizesse sua Princesa das Trevas, eles caçariam uma presa humana — juntos ou sozinhos. Ele não teria ciúme dela *então*. Por que ele ligava agora para quantos encontros românticos ela já tivera?

Mas ele descobriu que estava *mesmo* amargurado, amargurado e com raiva suficiente para responder sem calor nenhum:

— Afirmo que vai. Basta treinar sozinha.

No carro, Damon conseguiu ficar irritado com Elena. Isso era difícil, uma vez que ela era a companheira de viagem perfeita. Não tagarelava, não tentava cantarolar, nem — felizmente — cantava com o rádio, não mascava chiclete nem fumava, não recuava o banco do carro, nem precisava de muitas paradas, e *nunca* perguntava "Já chegamos?".

Na realidade, era difícil para qualquer um, homem ou mulher, ficar irritado com Elena Gilbert pelo tempo que fosse. Não se podia dizer que ela era exuberante demais, como Bonnie, ou serena demais, como Meredith. Elena era doce o suficiente para compensar seu intelecto brilhante, sempre ativo em seus esquemas. Era compassiva o bastante para compensar sua egolatria confessa, e distorcida o suficiente para garantir que ninguém a chamasse de normal. Ela era intensamente leal aos amigos e complacente o bastante para não considerar quase ninguém um inimigo — com exceção de kitsune e dos vampiros Antigos. Ela era sincera, franca e amorosa, e é claro que tinha uma tendência sombria em seu íntimo que os amigos simplesmente chamavam de loucura, mas Damon sabia o que realmente era. Compensava o lado ingênuo, terno e engenhoso de sua natureza. Damon tinha certeza de que não precisava de nenhuma dessas virtudes nela, especialmente agora.

Ah, sim... E Elena Gilbert era linda o bastante para tornar irrelevante qualquer um de seus defeitos.

Mas Damon estava decidido a ficar irritado e *ele* tinha força de vontade suficiente para escolher seu estado de espírito e se render a ele, fosse ou não adequado. Ele ignorou todas as tentativas que Elena fazia de conversar, e por fim ela desistiu. Damon manteve a mente fixa nas dezenas de meninos e homens que a menina extraordinária ao lado dele devia ter conquistado. Ele sabia que Elena, Caroline e Meredith tinham sido "veteranas" do quarteto quando eram amigas, enquanto a pequena Bonnie era a mais nova e considerada meio ingênua para ser plenamente iniciada.

Então por que ele estava com Elena agora?, Damon se viu perguntando amargamente, imaginando pelo mais leve segundo se Shinichi o estava manipulando, como tomava suas lembranças.

Será que Stefan se preocupava com o passado de Elena, especialmente com um ex-namorado — Mutt — ainda por perto, disposto a dar a vida por ela? Não era provável, ou Stefan teria acabado com isso — não, como Stefan podia acabar com *qualquer coisa* que Elena quisesse fazer? Damon vira o embate de suas vontades, mesmo quando Elena tinha a mentalidade de uma criança, logo depois de voltar do além. Quando se tratava da relação entre Stefan e Elena, era esta definitivamente quem mandava. Como dizem os humanos: *ela cantava de galo em casa*.

Bom, logo ela poderia ver como gostava de cantar de galo, pensou Damon, rindo em silêncio, embora seu humor estivesse mais sombrio do que nunca. O céu acima do carro reagia, escurecendo-se mais e o vento arrancava as folhas de verão dos galhos antes da hora. Pegadas de gato na chuva pontilhavam o para-brisa, e vieram o clarão de um raio e o eco de um trovão.

Elena saltava de leve, involuntariamente, sempre que trovejava. Damon a olhava com uma amarga satisfação. Ele sabia que ela tinha consciência de que ele podia controlar o clima. Nenhum deles dizia uma só palavra sobre isso.

Ela não pediria, pensou ele, sentindo o orgulho rápido e selvagem em Elena, depois irritado consigo mesmo por ser tão mole.

Eles passaram por um hotel e Elena seguiu o borrão das placas elétricas com os olhos, olhando para trás até que se perdessem na escuridão. Damon não queria parar de dirigir. Não se atrevia a parar, na verdade. Estavam caminhando para uma tempestade bem feia, e, de vez em quando, o Prius aquaplanava, mas Damon conseguia mantê-lo sob controle — bem, mais ou menos. Ele gostava de dirigir nessas condições.

Foi só quando uma placa avisava que o abrigo seguinte estava a mais de 150 quilômetros que Damon, sem consultar Elena, pegou uma estradinha inundada e parou o carro. As nuvens tinham desabado nesse momento; a chuva caía forte; e o quarto que Damon pegou era um pequeno anexo, separado do hotel principal.

O isolamento combinava muito bem com ele.

8

No correrem do carro para o quarto de hotel, Elena teve de se esforçar para que suas pernas se mantivessem estáveis. Assim que a porta do quarto bateu, a tempestade ficou mais ou menos do lado de fora e seu corpo rígido e dolorido foi ao banheiro sem sequer acender a luz. Suas roupas, seus cabelos e pés estavam ensopados.

As lâmpadas fluorescentes do banheiro pareciam brilhar demais depois da escuridão da noite e da tormenta. Ou talvez fosse Elena começando a aprender a fazer o Poder circular.

Isto sem dúvida foi uma surpresa. Damon nem tocou nela, mas o choque que ela sentiu ainda reverberava por dentro. E quanto à sensação de ter seu Poder manipulado de fora de seu corpo, bom, não tinha palavras para isso. Foi uma experiência de tirar o fôlego, é verdade. Mesmo agora, seus joelhos tremiam só de pensar nisso.

Mas ficou mais claro do que nunca que Damon não queria nada com ela. Elena se olhou no espelho e estremeceu. Sim, ela parecia um rato molhado que fora arrastado por quilômetros pelo esgoto. O cabelo estava encharcado, transformando as ondas sedosas em filetes de cachos em torno da cabeça e do rosto; ela estava pálida e os olhos azuis a fitavam do rosto murcho e exaurido de uma criança.

Por um momento ela se lembrou de estar em pior forma alguns dias antes — sim, havia apenas alguns dias — e de Damon cuidar dela com a maior gentileza, como se sua péssima aparência não significasse nada para ele. Mas aquelas lembranças tinham sido tiradas de Damon por Shinichi e era demais esperar que este fosse o verdadeiro estado de espírito dele. Foi... um capricho... Como todos os seus outros caprichos.

Furiosa com Damon — e consigo mesma pela ardência que sentia por trás dos olhos —, Elena se afastou do espelho.

Passado era passado. Ela não sabia por que Damon de repente começara a evitar seu toque, ou até mesmo olhar para ela daquele jeito frio e duro, como um predador. Algo o levara a odiá-la, a mal conseguir se sentar ao lado dela no carro. E o que quer que fosse, Elena tinha de aprender a ignorar, porque ela não conseguiria encontrar Stefan se Damon fosse embora.

Stefan. Seu coração vacilante podia encontrar pelo menos paz, ao pensar em Stefan. Ele não se importaria com sua aparência; sua única preocupação seria o bem-estar dela. Elena fechou os olhos ao abrir a água quente da banheira e tirar as roupas pegajosas, regozijando-se ao imaginar o amor e a aprovação de Stefan.

Elena encontrou um frasquinho plástico com espuma para banho, mas ela não o usou. Havia levado seu próprio saco transparente de cristais de banho de baunilha na bolsa de viagem, e esta era a primeira oportunidade que tinha de usá-los.

Alguns minutos depois, Elena estava imersa até os ombros na água quente, coberta por uma espuma com aroma de baunilha. Seus olhos se fecharam e o calor tomava todo o seu corpo. Os sais se desmanchavam suavemente, aliviando toda a dor.

Não eram sais de banho comuns. Não tinham cheiro de remédio, mas foram um presente da Sra. Flowers, senhoria de Stefan, uma bruxa do bem, idosa e gentil. As receitas de ervas da Sra. Flowers eram sua especialidade, e agora Elena podia jurar que sentia toda a tensão dos últimos dias sendo expulsa de seu corpo, sendo acalmada.

Ah, era disso que ela precisava. Elena jamais gostou tanto de um banho como agora.

Nesse momento, só havia uma coisa, disse ela a si mesma com firmeza, enquanto respirava continuamente o delicioso vapor de baunilha. Pedira à Sra. Flowers sais de banho que relaxassem, mas *não podia* dormir. Vou me afogar e já sei *como* é o afogamento. Sabia bem até demais, e não ia ter de comprar a mortalha.

Mas mesmo agora, enquanto a água quente continuava a relaxar seus músculos e o cheiro de baunilha fazia sua cabeça girar, os pensamentos de Elena eram mais obscuros e fragmentados. Ela foi perdendo a continuidade aos poucos, a mente vagando em devaneios... Cedia ao calor e ao luxo de não ter de fazer absolutamente nada...

Elena dormiu.

No sonho, ela se deslocava rapidamente. Havia apenas uma meia-luz, mas, de algum modo, ela sabia que deslizava pela névoa cinzenta e densa. O que a preocupava era que parecia estar cercada de vozes que discutiam, e o assunto era *ela*.

"Uma segunda chance? Já falei com ela sobre isso."

"Ela não se lembra de nada."

"Não importa do que ela se lembra. Tudo vai continuar dentro dela, se não for despertado."

"Vai germinar dentro dela... Até que chegue a hora certa."

Elena não entendia o significado daquela conversa.

Depois a névoa se dissipou e algumas nuvens lhe apontaram o caminho, então ela vagou para baixo, cada vez mais lentamente, até que foi depositada com gentileza em um solo coberto de agulhas de pinheiro.

As vozes se foram. Ela estava deitada no chão da floresta, mas não estava nua. Usava sua camisola mais bonita, aquela Valenciennes de renda. Ouvia os ruídos mais imperceptíveis da noite ao redor quando de repente sua aura reagiu como nunca havia feito antes.

Dizia que alguém se aproximava. Alguém que lhe trazia segurança em tons quentes e terrosos, em tons de rosa-claro e violeta-escuro que a envolviam antes mesmo de a pessoa chegar. Eram os sentimentos... de alguém por ela. E por trás do amor e da preocupação consoladora que ela viveu, havia um verde-floresta forte, nesgas de ouro quente e um tom misterioso de transparência. Como uma queda-d'água que cintilava ao cair e espumar como diamantes em volta dela.

Elena, sussurrou a voz. *Elena.*
Era tão familiar...
Elena. Elena.
Ela *conhecia* isso...
Elena, meu anjo.
Significava amor.
Ao se sentar e se virar no sonho, Elena estendia os braços. Aquela pessoa pertencia a ela. Era sua magia, seu conforto, seu amado. Não importava como tinha chegado ali, nem o que acontecera antes. Ele era sua alma gêmea eterna.
Mas depois...
Braços fortes a seguraram ternamente...
Um corpo quente a abraçou...
Beijos doces...
Muitos, muitos beijos...
Essa sensação familiar enquanto ela se derretia em seu abraço...
Ele era tão gentil, mas quase feroz em seu amor por ela. Ele jurara não matar, mas seria capaz de matar para salvá-la. Ela era a coisa mais preciosa no mundo dele... Valeria qualquer sacrifício, se ela estivesse segura e livre. A vida dele não significava nada sem ela, então ele desistiria satisfeito de sua vida, rindo e lhe soprando um beijo com seu último suspiro.

Elena respirou o cheiro maravilhoso de folhas de outono do suéter dele e se sentiu reconfortada. Como um bebê, ela se permitiu ser tranquilizada pelos simples cheiros familiares, pela sensação de seu rosto contra o ombro dele e o assombro dos dois respirando em sincronia.

Quando tentou dar um nome a este milagre, estava na ponta da língua.

Stefan...

Elena nem precisou olhar para o corpo dele para saber que os olhos verdes de Stefan estariam dançando como as águas encrespadas pelo vento num lago e cintilando com mil diferentes pontos de luz. Ela enterrou a cabeça no pescoço dele, com medo de alguém tirá-la de Stefan, embora não conseguisse se lembrar do motivo.

Não sei como cheguei aqui, disse-lhe ela sem pronunciar uma palavra. Na verdade, ela não se lembrava de nada antes disso, antes de acordar ao chamado dele, só de imagens desordenadas.

Não importa. Eu estou com você...

O medo a tomou. *Isto não é... só um sonho, é?*

Nenhum sonho é apenas um sonho. E eu estou sempre com você.

Mas como chegamos aqui?

Shhhh. Você está cansada. Vou ampará-la. Com a minha vida, se for preciso, eu juro. Descanse. Deixe-me abraçá-la só mais uma vez.

Só uma? Mas...

Mas agora Elena ficou preocupada e confusa, deixando a cabeça cair para trás, precisava ver o rosto de Stefan.

Ela tombou o queixo e se viu encontrando olhos risonhos e infinitos como a escuridão num rosto pálido, cinzelado e orgulhosamente bonito.

Elena quase gritou de pavor.

Calma. Calma, meu anjo.

Damon!

Os olhos escuros que encontraram os dela estavam cheios de amor e alegria. *Quem mais seria?*

Como se atreve... Como chegou aqui? Elena sentia-se cada vez mais confusa.

Não pertenço a lugar nenhum, observou Damon, parecendo triste de repente. *Você sabe que sempre estarei com você.*

Não sei; eu não *sei — devolva-me Stefan!*

Mas era tarde demais. Elena estava ciente do som de água escorrendo e do líquido tépido se agitando em seu corpo. Ela acordou a tempo de evitar que a cabeça afundasse na banheira.

Um sonho...

Ela se sentia muito mais flexível e à vontade em seu corpo, mas não pôde evitar a sensação de tristeza pelo sonho. Não foi outra experiência fora do corpo — foi simplesmente um sonho confuso e louco.

Eu não pertenço a lugar nenhum. Estarei sempre com você.
Nossa, qual era o significado dessa bobagem?
Mas Elena estremeceu, enquanto se lembrava.

Vestiu-se apressadamente — não a camisola Valenciennes de renda, mas um moletom cinza e preto. Quando saiu, estava exausta, irritadiça e pronta para começar uma briga se Damon desse qualquer sinal de ter captado seus pensamentos enquanto ela dormia.

Mas Damon não fez isso. Elena viu uma cama, conseguiu focalizá-la, cambaleou para até ela e desabou, caindo nos travesseiros que afundaram desagradavelmente sob a cabeça. Elena gostava de travesseiros firmes.

Ela ficou deitada por alguns segundos, saboreando as sensações pós-banho, enquanto sua pele esfriava aos poucos — e a cabeça também. Pelo que sabia, Damon estava parado na mesma posição em que estivera quando eles entraram no quarto.

E ele estava tão silencioso quanto estivera desde a manhã.

Por fim, para acabar logo com isso, ela falou com ele. E, sendo Elena, foi direto ao assunto.

— O que há de errado, Damon?

— Nada. — Damon olhava pela janela, fingindo estar envolvido em algo para além do vidro.

— Como assim, nada?

Damon balançou a cabeça. Mas de algum modo, dar as costas transmitia com eloquência sua opinião sobre aquele quarto de hotel.

Elena examinou o quarto com a visão boa demais de alguém que forçou o corpo para além de seus limites. Ela contemplou as paredes bege, o carpete bege, a poltrona bege, uma mesa bege, e, é claro, uma colcha bege. Damon não podia rejeitar um quarto com base no fato de que não combinava com seu preto básico, pensou ela, e depois: ah, estou cansada. E confusa. E com medo.

E... me sinto incrivelmente idiota. Só tem uma cama aqui. E estou deitada nela.

— Damon... — Com esforço, ela se sentou. — O que você quer? Tem uma poltrona aqui. Posso dormir na poltrona.

Ele se virou um pouco e ela viu no movimento que ele não estava irritado, nem mesmo fazia seus joguinhos. Estava furioso. Estava tudo ali, nos movimentos do assassino mais rápido do que o olho humano e no completo controle muscular, que se imobilizava quase antes de ter mexido.

Damon, com seus movimentos súbitos e sua imobilidade assustadora. Ele olhava pela janela de novo, o corpo postado, como sempre, para... alguma coisa. Agora ele parecia prestes a saltar pelo vidro e sair.

— Vampiros não precisam dormir — disse ele no tom de voz mais gélido e mais controlado que ela já ouvira vindo de Damon desde que Matt os deixara.

Isso lhe deu energia para sair da cama.

— Você sabe que eu sei que isso é mentira.

— Fique com a cama, Elena. Vá dormir. — Mas o tom de voz dele era o mesmo. Ela teria esperado uma ordem categórica e cansada. Damon parecia mais tenso, mais controlado do que nunca.

Mais abalado do que nunca.

As pálpebras de Elena arriaram.

— É sobre o Matt?

— Não.

— Shinichi?

— *Não!*

Arrá.

— É isso, não é? Você tem medo de que Shinichi vença todas as suas defesas e possua você de novo. Não é isso?

— Vá dormir, Elena — disse Damon, sem emoção alguma na voz.

Ele ainda a ignorava completamente, como se ela não estivesse ali, deixando Elena muito irritada.

— O que eu preciso fazer para lhe provar que confio em você? Estou viajando sozinha com você, sem a menor noção de para onde vamos. Estou confiando a *vida* de Stefan a você. — Elena agora estava atrás de Damon, no carpete bege que tinha cheiro de... Nada, era como água fervida. Não cheirava nem mesmo a pó. As palavras dela eram como pó. Havia algo nelas que fazia com que parecessem ocas, erradas. Eram a verdade — mas não atingiam Damon...

Elena suspirou. Tocar Damon inesperadamente era sempre arriscado, havia a possibilidade de provocar seu instinto assassino por acidente, mesmo quando ele não estava possuído. Ela estendeu a mão, com muito cuidado, para colocar a ponta dos dedos no cotovelo da jaqueta de couro dele. E falou com toda a precisão e falta de emoção que pôde reunir.

— Você também sabe que agora tenho outros sentidos além dos cinco de sempre. Quantas vezes preciso dizer isso, Damon? Eu *sei* que você não estava torturando a mim e a Matt na semana passada. — A contragosto, Elena ouviu certa súplica em sua voz. — Sei que você me protegeu nesta viagem quando eu corria perigo, até matou por mim. Isso significa... muito. Você pode dizer que não acredita no perdão, mas não acredito que você tenha se esquecido dele. E quando você sabe que não há nada para perdoar, antes de mais nada...

— Isso não tem nada a ver com a semana passada!

A mudança em sua voz — parecia mais forte agora — atingiu Elena como um açoite. Doeu... E a assustou. Damon falava sério. Também sentia uma dor pavorosa, não completamente diferente daquela da luta com a possessão de Shinichi, mas diferente.

— Damon...

— *Me deixe em paz!*

Ora, onde foi que ouvi uma coisa assim? Atônita, com o coração aos saltos, Elena vasculhou suas lembranças.

Ah, sim. Stefan. Stefan, quando eles se encontraram no quarto dele, juntos pela primeira vez, quando ele teve medo de amá-la, pois ele tinha certeza de que a amaldiçoaria se demonstrasse que gostava dela.

Será que Damon era *tão* parecido com o irmão de quem sempre zombava?

— Pelo menos vire-se e fale comigo olhando nos meus olhos.

— Elena. — Era um sussurro, mas parecia que Damon não conseguia invocar sua ameaça sedosa de sempre. — Vá dormir. Vá para o inferno. Vá para qualquer lugar, mas *fique longe de mim*.

— Você é mesmo bom nisso, não é? — O tom de Elena agora era frio. Imprudente e colérica, ela se aproximou mais. — Em afugentar as pessoas. Mas eu sei que você não se alimentou esta noite. Não há mais nada que queira de mim, e não pode bancar o mártir faminto tão bem quanto Stefan...

Elena falou aquilo sabendo que suas palavras certamente incitariam alguma reação, mas a resposta habitual de Damon a esse tipo de provocação era se recostar em algo e fingir que não tinha ouvido.

O que aconteceu em seguida, na verdade, fugia inteiramente da experiência de Elena.

Damon girou o corpo, pegou-a com precisão, manteve-a presa num aperto impossível de sair. Depois, baixando a cabeça como um falcão atacando um camundongo, ele a beijou. Ele era forte o bastante para mantê-la imóvel sem machucá-la.

O beijo foi duro e longo, e, por um tempo, Elena resistiu por puro instinto. O corpo de Damon era frio no dela, que ainda estava quente e úmido do banho. O modo como ele a segurava — se Elena fizesse força contra determinados pontos, machucaria bastante. E depois — ela sabia —, ele a soltaria. Mas ela tinha mesmo certeza? Estaria preparada para quebrar um osso para testar essa hipótese?

Ele afagava o cabelo dela, o que era tão injusto, enrolando as pontas e esmagando-as nos dedos... horas depois de ter lhe ensinado a sentir as coisas com as pontas dos cabelos. Ele sabia que não eram os pontos fracos de qualquer mulher, mas eram os dela. Ele conhecia os de Elena; sabia como lhe dar vontade de gritar de prazer, e depois acalmá-la.

Não havia nada a fazer a não ser testar sua teoria e talvez quebrar um osso. Ela *não* se submeteria quando não o havia solicitado. *Não faria isso!*

Mas ela se lembrou de sua curiosidade pelo garotinho e o rochedo, e deliberadamente abriu a mente a Damon, que caiu na armadilha que ele próprio montou.

Assim que suas mentes se conectaram, houve algo parecido com fogos de artifício. Explosões. Foguetes. Estrelas transformando-se em supernovas. Elena forçou a mente a ignorar o corpo e começou a procurar pelo rochedo.

Estava no fundo, bem no fundo da parte mais escondida de seu cérebro. No fundo da escuridão eterna que dormia ali. Mas Elena parecia ter trazido uma lanterna. Sempre que se virava, grinaldas escuras de teias de aranha caíam e arcos de pedra que pareciam pesados se esfarelavam no chão.

— Não se preocupe — Elena se viu falando. — A luz não faria isso com *você*! Não precisa viver aqui embaixo. Vou lhe mostrar a beleza da luz.

O que estou dizendo?, perguntou-se Elena enquanto as palavras saíam de sua boca. Como posso prometer isso a ele... Talvez ele goste de morar aqui no escuro!

Mas no instante seguinte ela chegou mais perto do garotinho, perto o bastante para ver seu rosto pálido e maravilhado.

— Você voltou — disse ele, como se aquilo fosse um milagre.

— Prometeu que viria, e veio mesmo!

Isso rompeu todas as barreiras de Elena de uma só vez. Ela se ajoelhou e puxou as correntes com força, pegando-o no colo.

— Está feliz por eu ter voltado? — perguntou ela com gentileza. Elena já afagava o cabelo macio do garotinho.

— Ah, sim! — Foi um *grito*, e assustou Elena quase tanto quanto a agradou. — Você é a pessoa mais gentil que eu já vi... A mais bonita que já vi...

— Calma — disse-lhe Elena —, fique tranquilo. Deve haver alguma maneira de te aquecer.

— É o ferro — disse o menino com humildade. — O ferro me deixa fraco e com frio. Tem que ser o ferro; se não, ele não conseguiria me controlar.

— Sei — disse Elena com amargura. Ela começava a entender o tipo de relação que Damon tinha com esse menino. Ela pegou dois pedaços do ferro nas mãos e tentou rompê-los. Elena tinha uma superluz aqui; por que não superpoderes? Mas ela só conseguiu torcer e virar o ferro inutilmente, cortando o dedo em uma ponta da corrente.

— Oh! — Os olhos imensos e escuros do menino se fixaram no leito escuro de sangue. Ele olhava como se estivesse fascinado e com medo.

— Quer? — Elena estendeu a mão para ele, insegura. Mas só uma criatura arrasada desejaria o sangue de outra, pensou ela. Ele assentiu timidamente, como se não soubesse se ela estava com raiva. Mas Elena sorriu e ele segurou seu dedo com reverência, pegando todo o globo de sangue, fechando os lábios nele como num beijo.

Ao levantar a cabeça, o menino parecia ter mais cor no rosto pálido.

— Você me disse que Damon o mantém aqui — disse ela, abraçando-o de novo e sentindo seu coração bater contra o corpo frio dele. — Você sabe por quê?

A criança ainda lambia os lábios, mas virou o rosto para ela de imediato e respondeu:

— Eu sou o Guardião dos Segredos. Mas — falou com tristeza — os Segredos ficaram tão grandes que nem eu sei mais quais são.

Elena seguiu o movimento da cabeça dele, de seus membros pequenos presos à corrente de ferro, até a bola imensa de metal. Ela se sentiu desanimar e lhe veio uma profunda compaixão por aquele guardião tão pequeno. E se perguntou o que diabos podia estar dentro daquela grande esfera de pedra que Damon protegia tão obstinadamente.

Mas Elena não teve a chance de perguntar.

9

Ao abrir a boca para falar, Elena sentiu como se tivesse sido atingida por um furacão. Por um momento grudou-se ao menino que era arrancado de seu abraço, e só teve tempo de gritar "Eu vou voltar" e ouvir a resposta dele, antes de ser puxada para o mundo real de banhos, manipulação e quartos de hotel.

— Vou guardar seu segredo! — Foi o que o garotinho gritou para ela no último segundo.

E o que isso podia significar a não ser que ele guardaria segredo de seu encontro com o Damon real (ou "comum")?

Um segundo depois Elena estava de pé em um quarto de hotel barato e Damon a segurava pelos braços. Quando ele a soltou, Elena sentia gosto de sal. Lágrimas escorriam livremente pelo rosto dela.

Isso não pareceu fazer muita diferença para seu atacante. Damon parecia estar à mercê do puro desespero. Tremia como um menininho na primeira vez que beijara seu primeiro amor. Era isso que o fazia perder o controle, pensou Elena, confusa.

Mas ela achava que ia desmaiar.

Não! Precisava ficar consciente.

Elena tentou empurrar Damon e girou o corpo, machucando-se deliberadamente ao tentar se livrar do aperto aparentemente inabalável que a segurava.

Ele estava no controle.

Será que Shinichi o possuíra de novo, entrando de maneira sorrateira na mente de Damon e obrigando-o a fazer coisas...?

Elena lutou com mais força, tentando sair dos braços de Damon, até que realmente podia gritar de dor. Ela gemeu uma vez... O aperto se desfez.

De algum modo Elena sabia que Shinichi não tinha nada a ver com aquilo. A verdadeira alma de Damon era um menininho preso em correntes havia não se sabe quantos séculos, alguém que jamais conhecera calor humano mas que ainda tinha um apreço comovente por esse sentimento. A criança que estava acorrentada à pedra era um dos maiores segredos de Damon.

E agora Elena tremia tanto que nem sabia se conseguiria ficar de pé, e pensou na criança. Estaria com frio? Estaria chorando, como ela? Como Elena poderia saber?

Ela e Damon se olharam por um instante, os dois respirando com dificuldade. O cabelo liso de Damon estava desgrenhado, fazendo-o parecer tão libertino quanto aventureiro. Seu rosto, sempre pálido e contido, estava corado. Os olhos desceram e observaram Elena massagear involuntariamente os pulsos. Ela agora podia sentir as cãibras: recuperara parte da circulação. Depois que ele virou o rosto, pareceu não conseguir olhar nos olhos dela de novo.

Contato olhos nos olhos. Tudo bem. Elena reconheceu uma arma, tateando em busca de uma cadeira e encontrando a cama inesperadamente perto, atrás dela. Não tinha muitas armas agora e precisava usar todas elas.

Ela se sentou, cedendo à fraqueza do corpo, mas manteve os olhos fixos no rosto de Damon. Sua boca estava inchada. Era tão... injusto. Os lábios de Damon eram parte de sua artilharia básica. Ele tinha a boca mais bonita que Elena já vira em alguém, homem ou mulher. A boca, o cabelo, as pálpebras meio caídas, os cílios pesados, a delicadeza do queixo... Era injusto, mesmo para alguém como Elena, que já não se encantava mais por alguém apenas pela beleza.

Mas ela jamais vira *aquela* boca inchada, o cabelo perfeito desarrumado, os cílios tremendo porque ele olhava para todo lado, menos para ela, e tentava não demonstrar isso.

— O que foi *isso*... O que você estava pensando enquanto se recusava a falar comigo? — perguntou Elena, e sua voz era quase equilibrada.

A súbita imobilidade de Damon era perfeita, como todas as suas outras perfeições. Não respirava, é claro. Ele olhava para um ponto no carpete bege como se estivesse pegando fogo.

Depois, finalmente, ele ergueu aqueles olhos imensos e negros para ela. Era difícil demais dizer alguma coisa sobre os olhos de Damon porque a íris era quase da mesma cor da pupila, mas Elena teve a sensação de que neste momento suas pupilas estavam tão dilatadas que tomavam os olhos. Como eles podiam ser escuros como um buraco negro e ainda assim iluminados? Ela parecia ver neles um universo de estrelas.

Então, com brandura, ele falou:

— Fuja.

Elena sentiu as pernas bambas.

— Shinichi?

— Não. Você precisa fugir agora.

Elena sentiu os músculos da coxa relaxarem um pouco e ficou grata por não ter de provar que podia correr — ou mesmo engatinhar — neste exato momento. Mas seus punhos cerraram.

— Quer dizer que isso é só você agindo como um canalha? — disse Elena. — Decidiu me odiar de novo? Você gostou...?

Damon girou o corpo novamente, da imobilidade ao movimento mais rápido que os olhos de Elena puderam acompanhar. Ele bateu no caixilho da janela uma vez, travando o murro quase completamente no último segundo. Houve um estrondo e depois mil ecos pequenos, enquanto o vidro se quebrava, lembrando diamantes se espalhando pela escuridão lá fora.

— Talvez isso... atraia algumas pessoas em seu auxílio. — Damon não tentava fazer com que as palavras parecessem mais do que uma reconsideração. Agora que tinha se afastado dela, não pareceu se importar com as aparências. Pequenos tremores percorriam seu corpo.

— A essa hora, com essa tempestade e tão longe da recepção... Duvido. — O corpo de Elena estava desperto pelo surto de adrenalina que lhe permitiu lutar para se livrar do aperto de Damon. Seu corpo todo formigava e ela teve de se esforçar para não tremer muito.

E eles estavam de volta à estaca zero, Damon encarando a noite e ela olhando as costas dele. Ou, pelo menos, era o que ele queria que fosse.

— Podia ter pedido — disse Elena. Ela não sabia se um vampiro conseguia entender esse tipo de coisa. Ela ainda não ensinara a Stefan. Às vezes ele ficava sem o que queria por não saber pedir. Com toda inocência e boas intenções, Stefan deixava as coisas de lado até que *ela*, Elena, fosse obrigada a pedir *a ele*.

Já Damon não tinha esse problema, pensou ela. Ele pega o que quer com a mesma despreocupação de quem pega artigos na prateleira de um supermercado.

E agora ele ria em silêncio, o que significava que estava verdadeiramente abalado.

— Vou tomar isso como um pedido de desculpas — disse Elena em voz baixa.

Agora Damon ria alto e Elena sentiu um arrepio. Aqui estava ela, tentando ajudá-lo, e...

— Você acha mesmo — ele interrompeu os pensamentos de Elena — que era só *isso* que eu queria?

Elena se sentiu paralisar novamente ao pensar no que ele dizia. Damon podia muito bem ter tirado seu sangue enquanto a mantinha imobilizada. Mas — é claro — não era tudo o que ele queria dela. Ela sabia o que sua aura fazia com os vampiros. Damon a estivera protegendo de outros vampiros que podiam vê-la.

A diferença, pensou Elena em sua sinceridade inata, era que ela não dava a mínima para os outros. Mas Damon era diferente. Quando ele a beijou, ela pôde sentir a diferença dentro de si. Algo que ela nunca sentira antes... Até Stefan.

Ah, Deus — isso era realmente ela, Elena Gilbert, traindo Stefan simplesmente porque não conseguia fugir dessa situação? Damon estava sendo uma pessoa melhor do que ela; dizia-lhe para levar sua aura tentadora para longe dele.

Para que a tortura recomeçasse novamente no dia seguinte.

Elena já vivera outras situações nas quais julgou que era melhor partir antes que as coisas piorassem. O problema aqui era que não havia para onde ir sem estragar tudo — colocando-se num perigo maior. E, além de tudo, perdendo a chance de encontrar Stefan.

Será que teria sido melhor se tivesse ido com Matt? Mas Damon dissera que dois humanos sozinhos não conseguiriam chegar à tal Dimensão das Trevas. E Elena ainda tinha algumas dúvidas se Damon se daria ao trabalho de dirigir até o Arizona, e procurar Stefan, se ela não estivesse com ele a cada passo.

Além disso, como Matt a protegeria da estrada perigosa que ela e Damon seguiam? Elena sabia que Matt morreria por ela — e que era só isso que ele podia fazer, se eles dessem com vampiros ou lobisomens. Morrer. Deixando que Elena enfrentasse seus inimigos sozinha.

Ah, sim, Elena sabia o que Damon fazia toda noite, enquanto ela dormia no carro. Ele colocava alguns feitiços sombrios em torno dela, dando-lhes sua assinatura, lacrando com seu selo, afastando do carro as criaturas da noite até a manhã seguinte.

Mas seus maiores inimigos, os gêmeos kitsune, Shinichi e Misao, foram atraídos por eles.

Elena pensou nisso tudo antes de levantar a cabeça e olhar Damon nos olhos. Olhos que, no momento, lembravam os do garoto maltrapilho acorrentado a uma pedra.

— Você não vai embora, não é? — sussurrou ele.

Elena balançou a cabeça.

— Não tem medo de mim?

— Ah, eu tenho medo. — De novo, Elena sentiu um tremor percorrer seu corpo. Mas agora estava em pleno voo, tinha estabelecido o curso e não havia como parar. Especialmente quando ele olhava para ela daquele jeito. Lembrava a alegria extrema, o orgulho quase relutante que ele sempre demonstrava quando eles abatiam um inimigo juntos.

— Eu não vou me tornar sua Princesa das Trevas — disse-lhe ela. — E você sabe que eu nunca desistirei de Stefan.

Um fantasma daquele velho sorriso malicioso tocou os lábios de Damon.

— Tenho muito tempo para convencer você a pensar nessa questão à minha maneira.

Não precisa, pensou Elena. Ela sabia que Stefan entenderia.

Mas mesmo agora, quando parecia que o mundo girava em volta dela, algo incitou Elena a desafiar Damon.

— Você disse que não é Shinichi. Acredito em você. Mas tudo isso é por causa... do que Caroline disse? — Ela podia ouvir a súbita frieza em sua própria voz.

— Caroline? — Damon piscou como se tivesse tropeçado.

— Ela disse que antes de eu conhecer Stefan, eu era só uma... — Elena achou impossível concluir a frase. — Que eu era... promíscua.

O queixo de Damon endureceu e seu rosto corou rapidamente — como se ele de repente tivesse levado um soco.

— Aquela menina — murmurou ele. — Ela já traçou o destino dela e, se fosse outra pessoa, eu podia estar inclinado a lhe ter alguma piedade. Mas ela foi... além... Ela está... além... de qualquer decência... — Ao falar, o ritmo de suas palavras diminuía e o espanto tomava seu rosto. Ele fitava Elena e ela sabia que ele podia ver as lágrimas nos olhos dela, porque Damon estendeu a mão para ampará-las com os dedos. Ao fazer isso, porém, ele parou em pleno movimento e, com o rosto subitamente perplexo, levou uma das mãos aos lábios, provando as lágrimas.

Se tinham um gosto bom, Damon não pareceu acreditar. Ele levou a outra mão aos lábios. Elena agora o encarava abertamente; ele deveria ter recuperado a compostura — mas não foi o que aconteceu. Em vez disso, um caleidoscópio de emoções atravessava seu rosto, rápido demais para os olhos humanos. Mas ela via o assombro, a incredulidade, a amargura, mais assombro, e depois, por fim, uma espécie de choque deliciado e uma expressão de choro em seu rosto.

E Damon riu. Foi um riso rápido de desdém por si mesmo, mas era autêntico, até eufórico.

— Damon — disse Elena, ainda piscando por reprimir as lágrimas; tudo estava acontecendo rápido demais —, qual é o seu *problema*?

— Nenhum, está tudo bem — disse ele, enquanto levantava um dedo criticamente. — Não deve tentar enganar um vampiro, Elena. Os vampiros têm muitos sentidos que faltam aos humanos... E alguns que nem mesmo sabemos ter, até precisarmos deles. Precisei de muito tempo para perceber o que sei sobre você. Porque, é claro, todo mundo me dizia uma coisa, e minha própria mente me dizia outra. Mas enfim entendi. Sei o que você realmente é, Elena.

Por meio minuto Elena ficou sentada num silêncio profundo.

— Se entende, então posso muito bem lhe dizer agora que *ninguém* vai acreditar em você.

— Talvez não — disse Damon —, principalmente se forem humanos. Mas os vampiros são programados para reconhecer a aura de uma donzela. E *você* é isca para unicórnio, Elena. Não sei como você criou sua fama e não ligo para isso. Fui ludibriado por mim mesmo por um bom tempo, mas finalmente encontrei a verdade. — De repente ele estava se curvando sobre Elena para que ela não visse nada além dele, seu belo cabelo roçando sua testa, os lábios tão próximos dos dela, os olhos escuros, insondáveis, capturando o olhar dela.

— Elena — sussurrou ele. — Este é o seu segredo. Não sei como conseguiu, mas... Você é virgem.

Ele se inclinou, os lábios roçando os dela, partilhando sua respiração. Eles ficaram assim por um longo tempo, Damon parecia tentado a dar a Elena algo de seu próprio corpo; o oxigênio de que ambos precisavam, mas adquirido de maneiras diferentes. Para muitos humanos, a imobilidade de seus corpos, o silêncio e a troca de olhares — pois nenhum dos dois fechou os olhos — podiam ser demasiados. Podia dar a impressão de que eles tinham ido fundo demais na personalidade do parceiro, que haviam perdido a definição e se tornavam uma parte etérea do outro antes que um beijo tivesse acontecido.

Mas Elena flutuava no ar: na respiração que Damon lhe dava — e no sentido literal. Se as mãos fortes, longas e magras de Damon não estivessem segurando os ombros dela, Elena teria escapado inteiramente de seu amparo.

Elena sabia que havia outra maneira de ele a manter presa no chão. Ele podia influenciá-la a não permitir que a gravidade a afetasse. Mas até agora, ela não havia sentido o mais leve toque de influência. Era como se ele ainda quisesse lhe dar a honra de decidir. Ele não a seduziria por nenhum de seus muitos métodos habituais, os truques de dominação aprendidos por meio milênio de noites.

Havia apenas a respiração, que vinha cada vez mais acelerada, enquanto Elena percebia seus sentidos começarem a flutuar, o coração martelando. Elena tinha certeza de que Stefan não se importaria com isso; mas Stefan lhe dera a maior honra possível, confiando em seu amor e em sua capacidade de julgamento. E ela começava a sentir a verdadeira personalidade de Damon, sua necessidade de dominá-la; e o quanto ele ficava vulnerável por conta disso começava a se tornar uma obsessão para ele.

Sem tentar influenciá-la, ele abria grandes asas escuras e suaves em volta dela para que não houvesse lugar para onde fugir, nenhuma escapatória. Elena se sentiu desfalecer com a intensidade da paixão que surgia entre os dois. Como último gesto, não de repúdio, mas como um convite, ela arqueou a cabeça para trás, expondo-lhe o pescoço nu, e deixou que ele sentisse seu desejo.

E como se grandiosos sinos de cristal soassem ao longe, ela sentiu o júbilo de Damon com sua rendição voluntária à escuridão aveludada que já a dominava.

Ela nunca sentiu os dentes que romperam sua pele e reclamaram seu sangue. Antes que acontecesse, Elena viu estrelas. E o universo foi tragado pelos olhos negros de Damon.

10

Na manhã seguinte Elena se levantou e se vestiu em silêncio, grata pelo espaço só dela. Damon havia saído do quarto, mas ela esperava por isso. Geralmente ele tomava seu café da manhã cedo, enquanto estavam na estrada, atacando garçonetes de paradas noturnas de caminhoneiros ou aqueles que tomavam café bem cedo.

Um dia conversaria sobre isso com ele, pensou Elena ao colocar o pó de café no pequeno filtro para duas xícaras fornecido pelo hotel. O cheiro era bom.

O mais urgente, porém: ela precisava falar com *alguém* sobre o que tinha acontecido na noite anterior. É claro que Stefan era sua primeira opção, mas Elena sabia que as experiências fora do corpo não aconteciam quando ela bem entendesse. Queria ligar para Bonnie e Meredith. Ela *precisava* falar com elas — era seu direito —, mas, justo agora, *não podia*. Sua intuição lhe dizia que qualquer contato com Fell's Church poderia não ser o melhor a fazer.

E Matt não havia se registrado. Nem tinha dado notícias. Ela não fazia ideia de onde ele estava, mas era melhor que chegasse a Sedona a tempo. Ele deliberadamente cortara toda a comunicação entre eles. Tudo bem, desde que aparecesse quando prometera.

Mas... Elena *ainda* precisava falar, precisava se expressar.

É claro! Ela era uma idiota! Ainda tinha seu fiel companheiro que nunca dizia uma palavra, nunca a deixava esperando. Servindo-se de uma xícara de café forte e escaldante, Elena pegou o diário no fundo da bolsa de viagem e abriu em uma página em branco. Nada como uma página em branco e uma caneta correndo suavemente para incitá-la a escrever.

Quinze minutos depois ela ouviu uma batida na janela e, no minuto seguinte, Damon estava entrando. Trazia vários sacos de papel e Elena se sentiu inexplicavelmente satisfeita e confortável. Ela providenciara o café, o que era bom, mesmo que o leite fosse em pó, e Damon trazia...

— Gasolina — disse ele, triunfante, erguendo as sobrancelhas expressivamente para ela ao colocar os sacos na mesa. — Para o caso de usarem aquelas plantas contra nós. Não, obrigado — acrescentou ele, vendo que Elena oferecia uma xícara de café para ele. — Encontrei um mecânico enquanto comprava isso. Vou lavar as mãos.

E desapareceu, passando por Elena.

Passou por Elena sem nem olhar para ela, embora ela só estivesse com a única roupa limpa que lhe restava: jeans e um top discreto que, à primeira vista, parecia branco, mas sob a luz forte revelava um colorido que lembrava um delicado arco-íris.

Sem nem olhar, pensou Elena, sentindo a estranha sensação de que, de algum modo, sua vida estava arruinada.

Ela ia jogar o café fora, mas percebeu que precisaria dele e bebeu grandes goles em sequência.

Depois voltou ao diário, lendo as últimas duas ou três páginas.

— Está pronta para ir? — Ela ouviu Damon gritar em meio ao som de água corrente no banheiro.

— Sim... Só um minuto. — Elena leu as páginas do diário a partir da última entrada e foi folheando as páginas anteriores.

— Podemos ir direto para o oeste a partir daqui — gritou Damon. — Assim ganhamos um dia. Eles vão pensar que é um estratagema para chegarmos a um determinado portal e vão procurar em todos os pequenos. Enquanto isso, seguiremos para o Portal Kimon e estaremos a dias de qualquer um que nos siga. É perfeito.

— Arrã — disse Elena, lendo.

— Talvez a gente encontre Mutt amanhã... Talvez até esta noite, dependendo dos problemas que eles causarem.

— Arrã.

— Mas primeiro quero te fazer uma pergunta: acha que é coincidência que nossa janela esteja quebrada? Porque eu sempre ponho uma proteção nas janelas à noite e tenho certeza... — Ele passou a mão na testa. — Tenho certeza de ter feito isso na noite passada também. Mas algo quebrou a janela e passou por ela, saindo sem deixar rastros. Por isso trouxe toda essa gasolina. Se tentarem alguma coisa com as árvores, vou explodi-las e mandá-los de volta para o inferno.

E metade dos moradores inocentes do estado também, pensou Elena, fechando a cara. Mas ela estava em tal choque que pouca coisa a impressionaria neste momento.

— O que está fazendo? — Damon claramente estava pronto para ir embora.

— Livrando-me de umas coisas de que não preciso — disse Elena e puxou a descarga, vendo os pedacinhos rasgados de seu diário rodarem sem parar antes de desaparecerem. — Mas eu não me preocuparia com a janela — disse ela, voltando ao quarto e calçando os sapatos. — E não se levante ainda, Damon, temos que conversar.

— Ah, tenha dó. Não pode esperar até estarmos na estrada?

— Não, não pode, porque temos que pagar por essa janela. Você a quebrou ontem à noite, Damon. Mas não se lembra disso, não é?

Damon a encarou. Ela sabia que sua primeira tentação era de rir. A segunda, a que ele cedeu, foi pensar que ela estava maluca.

— Estou falando sério — disse ela, depois que ele se levantou e foi para a janela com um olhar que dizia claramente que queria sair voando como um corvo. — Não se atreva a ir a lugar nenhum, Damon, porque tem mais.

— Mais coisas que fiz e não lembro? — Damon se recostou na parede, em uma de suas conhecidas poses arrogantes. — Talvez eu tenha quebrado algumas guitarras, deixei o rádio ligado até as 4 da manhã?

— Não. Não necessariamente coisas da... noite passada — disse Elena, virando o rosto. Não conseguia olhar para ele. — Outras coisas, de outros dias...

— Como talvez eu tentando sabotar a viagem o tempo todo — disse ele, com a voz lacônica. Ele olhou para o teto e soltou um longo suspiro. — Talvez eu tenha feito isso só para ficar sozinho com você...

— Cale a boca, Damon!

De onde veio isso? Bom, ela sabia, é claro. Dos sentimentos sobre a noite anterior. O problema era que ela também precisava resolver umas coisas — seriamente, se ele aceitasse. Pensando bem, esta podia ser uma maneira melhor de abordar o assunto.

— Acha que seus sentimentos por Stefan... Bom, mudaram recentemente? — perguntou Elena.

— Como é?

— Você acha... — Ah, era tão difícil fazer isso olhando naqueles olhos tão negros quanto o infinito. Especialmente quando na noite anterior eles tinham uma miríade de estrelas — ...acha que chegou a pensar nele de forma diferente? A honrar os desejos dele mais do que costumava fazer?

Agora Damon a examinava atentamente, como Elena fazia com ele.

— É sério? — disse ele.

— Completamente — disse Elena e, com um esforço supremo, reprimiu as lágrimas e as mandou para onde deveriam ir.

— Aconteceu uma coisa na noite passada — disse ele. Damon olhava atentamente o rosto dela. — Não foi?

— Aconteceu *uma coisa*, sim — disse Elena. — Foi... Foi mais um... — Ela teve de soltar a respiração, e com ela quase tudo saiu.

— Shinichi! *Shinichi, che bastardo! Imbroglione!* Aquele ladrão! Eu vou matá-lo *bem devagar!* — De repente Damon estava em toda parte. Ao lado dela, com as mãos em seus ombros; no instante seguinte xingava pela janela, depois voltava, estendendo as duas mãos.

Mas só uma palavra importava para Elena. Shinichi. O kitsune de cabelo preto com pontas escarlate, que os obrigara a desistir de procurar a cela de Stefan.

— *Mascalzone! Maleducato...* — Elena perdeu de novo o fio do xingamento de Damon. Então era verdade. A noite anterior foi completamente roubada de Damon, retirada dele inteiramente com a mesma simplicidade com que lhe foi subtraída no período em que ela usou as Asas da Redenção e as Asas da Purificação em Damon. Com isso ele teve de concordar. Mas na noite passada... Que outras coisas a raposa tinha tirado?

Eliminar uma noite inteira — e esta noite em particular, implicava...

— Ele nunca fechou a conexão entre minha mente e a dele. Ele ainda pode entrar em mim sempre que quiser. — Damon finalmente tinha parado de xingar, e parou de se mexer também. Estava sentado no sofá de frente para a cama, com as mãos entre os joelhos. Parecia realmente abatido. — Elena, você precisa me dizer. O que ele tirou de mim na noite passada? Por favor! — Damon parecia a ponto de cair de joelhos diante dela, sem exageros.

— Se... Se... foi o que penso...

Elena sorriu em meio às lágrimas que ainda escorriam por seu rosto.

— Não foi... o que *qualquer um* pensaria, exatamente. Eu acho — disse ela.

— Mas...!

— Digamos que desta vez... Fui eu — disse Elena. — Se ele roubar mais alguma coisa de você, ou se tentar fazer isso no futuro, então ele vai merecer seu castigo. Mas este... será meu segredo.

— Até que talvez um dia você rompa seu imenso rochedo de mistérios, pensou ela.

— Até que eu o dilacere, junto com sua língua e seu rabo! — rosnou Damon, e era verdadeiramente o grunhido de um animal. Elena ficou feliz por não ser dirigido a ela. — Não se preocupe — acrescentou Damon num tom tão gélido que era quase mais assustador do que a fúria animal anterior. — Eu *vou* achá-lo, por mais que ele tente se esconder. E *vou* tirar isso dele. E talvez fique com as peles. Vou fazer um par de luvas com elas para você, que tal?

Elena tentou sorrir e conseguiu. Estava aceitando o que aconteceu, embora não acreditasse nem por um minuto que Damon realmente esquecesse o assunto até que recuperasse a lembrança que Shinichi tirara dele. Ela percebeu que, de alguma maneira, estava castigando Damon pelo que Shinichi havia feito, e que aquilo era errado. Eu prometo que *ninguém* vai saber da noite passada, disse ela a si mesma. Não até que Damon saiba. Não vou contar nem a Bonnie e Meredith.

Isso tornava as coisas muito mais difíceis para ela, e portanto provavelmente mais justas.

Enquanto eles limpavam os cacos do mais recente ataque de fúria de Damon, de repente ele enxugou uma lágrima perdida no rosto de Elena.

— Obrigada... — começou Elena. Depois parou. Damon colocava os dedos nos próprios lábios.

Ele a olhou, sobressaltado e meio decepcionado. Depois deu de ombros.

— Ainda é isca para unicórnio — disse ele. — Eu disse isso ontem à noite?

Elena hesitou, depois decidiu que as palavras dele não recaíam nos limites de tempo cruciais do segredo.

— Sim, disse. Mas... você não vai me entregar, vai? — acrescentou ela, mostrando-se ansiosa de repente. — Prometi às minhas amigas não contar nada.

Damon a olhava.

— Por que eu diria alguma coisa sobre alguém? A não ser que esteja falando da ruivinha.

— Eu te disse; não vou contar *nada*. A não ser que obviamente Caroline não seja virgem. Bom, com todo o tumulto em torno de sua gravidez...

— Mas você se lembra — interferiu Damon —, cheguei a Fell's Church antes de Stefan; só que fiquei nas sombras por mais tempo. Pelo modo como você fala...

— Ah, eu sei. Gostamos dos meninos e os meninos gostam de nós, e temos nossa fama. Então falamos do jeito que gostamos de falar. Parte disso pode ter sido verdade, mas muita coisa você pode entender de duas maneiras... e é claro que você sabe como os *meninos* falam...

Damon sabia, e assentiu.

— Então logo todo mundo começou a falar da gente como se tivéssemos feito *de tudo* com *todo mundo*. Até escreviam coisas no jornal, no anuário e nas paredes do banheiro. Mas também tínhamos um poeminha, e às vezes até assinávamos. Como era mesmo? — Elena forçou a mente a voltar um ano, dois, ou até mais. Depois recitou.

"Não é verdade só porque ouviu
Não é verdade só porque leu.
A próxima vítima pode ser você
Ninguém vai pensar diferente porque você sabe... entendeu?

Ao terminar, Elena olhou para Damon, sentindo a necessidade urgente e repentina de chegar a Stefan.

— Já estamos quase lá — disse ela. — Vamos nos apressar.

11

Arizona era tão quente e árido quanto Elena imaginara. Ela e Damon seguiram diretamente para o Juniper Resort e Elena ficou deprimida, embora não surpresa, ao ver que Matt também não tinha se registrado ali.

— Ele não pode ter levado mais tempo para chegar aqui do que a gente — disse ela, assim que lhes mostraram seus quartos.

— A não ser que... Ah, meu Deus, Damon! A não ser que Shinichi tenha conseguido pegá-lo.

Damon se sentou na cama e olhou carrancudo para Elena.

— Eu tive esperanças de que não teria que te contar isso... Que o idiota pelo menos faria o favor de contar ele mesmo. Mas andei rastreando a aura dele desde que nos deixou. Estava se distanciando constantemente... Na direção de Fell's Church.

Às vezes, a ficha demora um tempo para cair.

— Quer dizer — disse Elena — que ele não vai aparecer aqui?

— Quero dizer que o corvo, quando voou, não se distanciou tanto do revendedor de carros a ponto de ir a Fell's Church. Ele foi nessa direção. E não voltou.

— Mas por quê? — perguntou Elena, como se de algum modo a lógica pudesse vencer a realidade. — Por que ele iria embora e me deixaria? Aliás, por que ele voltaria para Fell's Church, onde estão procurando por ele?

— Acho que ele teve uma ideia errada sobre nós dois... Ou talvez a ideia certa meio cedo demais — Damon ergueu as sobrancelhas para Elena e ela atirou um travesseiro nele — e quis nos dar alguma privacidade. Quanto a por que Fell's Church... —

Damon deu de ombros. — Olha, você conhece o sujeito há mais tempo que eu, mas mesmo com pouco tempo de convivência, posso dizer que ele é do tipo Galahad. O cavalheiro *parfait gentil, sans peur et sans reproche*. Na minha opinião, ele foi se defender das acusações de Caroline.

— Ah, *não* — disse Elena, indo à porta depois de ouvir uma batida. — Não depois de eu ter falado tanto com ele...

— Ah, *sim* — disse Damon, agachando-se um pouco. — Mesmo com seus sábios conselhos soando nos ouvidos...

A porta se abriu. Era Bonnie. Bonnie, com o corpo mignon, o cabelo louro-arruivado cacheado, os olhos castanhos comoventes e grandes. Elena, sem acreditar em seus *próprios* olhos e ainda sem ter encerrado a discussão com Damon, fechou a porta na cara dela.

— Matt vai ser *linchado* — Elena quase gritou, vagamente irritada ao ouvir uma batida distante.

Damon se levantou. Passou por Elena, caminhou até a porta e disse:

— Acho que é melhor você se sentar. — Em seguida, colocou-a numa cadeira, mantendo-a ali até que ela desistisse de se levantar.

Depois abriu a porta.

Desta vez era Meredith que batia. Alta e magra, com o cabelo caindo em ondas escuras pelos ombros, ela parecia que continuaria insistindo até que a porta abrisse. Algo aconteceu dentro de Elena e ela descobriu que podia pensar em mais de um problema ao mesmo tempo.

Era Meredith. E Bonnie. Em Sedona, no Arizona!

Elena saltou da cadeira onde Damon a colocara e jogou-se nos braços de Meredith, dizendo de maneira incoerente:

— Vocês vieram! As duas vieram! Vocês sabiam que eu não podia ligar, então vieram!

Bonnie se afastou um pouco do abraço e perguntou a Damon em voz baixa:

— Ela voltou a beijar todo mundo que encontra?

— Infelizmente... — disse Damon — não. Mas prepare-se para morrer esmagada.

Elena se virou para ele.

— Eu ouvi! Ah, Bonnie! Nem acredito que vocês duas estejam realmente *aqui*. *Eu* queria tanto conversar com vocês!

Enquanto isso, ela abraçava Bonnie, Bonnie a abraçava e Meredith abraçava as duas. Os sinais sutis da irmandade velociraptor estavam sendo passados de uma à outra ao mesmo tempo — uma sobrancelha arqueada *aqui*, um leve assentir *ali*, um franzido da testa e um dar de ombros terminando com um suspiro. Damon não podia imaginar, mas estava sendo acusado, julgado, absolvido e reabilitado — com a conclusão de que era preciso uma vigilância melhor daqui para a frente.

Elena foi a primeira a se desprender.

— Vocês devem ter encontrado Matt... Ele deve ter falado deste lugar.

— Falou, depois vendeu o Prius, nós fizemos as malas às pressas, compramos passagens aéreas para cá e ficamos esperando... Estávamos com medo de perder você de vista! — disse Bonnie sem fôlego.

— Não acho que vocês compraram as passagens para cá apenas há dois dias — disse Damon num tom indagativo, olhando para o teto com uma expressão cansada e recostando-se com um cotovelo na cadeira de Elena.

— Vejamos... — começou Bonnie, mas Meredith interveio de maneira categórica:

— Foi, sim. O que foi? Isso prejudicou vocês de alguma maneira?

— Estávamos tentando manter as coisas meio ambíguas para o inimigo — disse Damon. — Mas a essa altura, não deve importar mais.

Não, pensou Elena, porque Shinichi pode atingir o íntimo de seu cérebro sempre que quiser e tirar suas lembranças, e só o que você pode fazer é tentar lutar com ele.

— Mas isso quer dizer que Elena e eu precisamos partir imediatamente — continuou Damon. — Tenho uma coisa para fazer primeiro. Elena, arrume as malas. Leve o mínimo que puder, só o que for absolutamente essencial... Mas inclua comida para dois ou três dias.

— Você disse... partir imediatamente? — Bonnie sussurrou e se sentou no chão.

— Faz sentido, se já perdemos o elemento surpresa — respondeu Damon.

— Nem acredito que vocês duas vieram se despedir de mim enquanto Matt cuida da cidade — disse Elena. — Isso é um *amor*!
— Ela sorriu radiante antes de acrescentar, mentalmente, e uma tremenda *burrice*!

— Bom...

— Bom, ainda tenho o que fazer — disse Damon, acenando sem se virar. — Digamos que vamos sair daqui a meia hora.

— Egoísta — reclamou Bonnie, quando a porta se fechou atrás dele. — Isso nos dá só uns minutos para conversar antes de partirmos.

— Posso fazer as malas em menos de cinco minutos — disse Elena com tristeza, depois se enrolou na frase anterior de Bonnie.
— *Antes de partirmos*?

— Não posso levar só o essencial. — Meredith se enervava em silêncio. — Não posso guardar tudo no meu celular e não sei quando vou poder recarregá-lo. Enchi uma mala com *papelada*!

Elena olhava de um lado a outro, nervosa.

— Hmmmm, pelo que sei, eu é que devia estar fazendo as malas — disse ela. — Porque sou a única que vai... não é? — Mais um olhar de um lado a outro.

— Até parece que vamos deixar você entrar em outro universo sozinha! — disse Bonnie. — Você *precisa* da gente!

— Não é outro universo; é outra dimensão — disse Meredith.
— Mas o princípio é o mesmo.

— Mas... não posso deixar que venham comigo!

— Claro que não pode. Eu sou mais velha que você — disse Meredith. — Você não me "deixa" fazer nada. A verdade é que temos uma missão. Queremos encontrar a esfera estelar de Shinichi ou de Misao. Se conseguirmos fazer isso, podemos interromper o que está acontecendo em Fell's Church imediatamente.

— Esfera estelar? — disse Elena sem entender, enquanto em algum lugar no fundo de sua mente agitava-se uma imagem desagradável.

— Vou explicar depois.

Elena balançava a cabeça.

— Mas... Vocês deixaram Matt cuidando da coisa sobrenatural em Fell's Church? Quando ele é um foragido e precisa se esconder da polícia?

— Elena, agora até a polícia está com medo de Fell's Church... E, francamente, se Matt for preso em Ridgemont, estará até mais seguro lá. Mas isso não vai acontecer. Ele está trabalhando com a Sra. Flowers e os dois estão *ótimos* juntos; formam uma boa equipe. — Meredith parou para respirar e pareceu pensar em como dizer algo importante.

Bonnie falou por ela, bem baixinho:

— E eu não ajudei em *nada*, Elena. Comecei... Bom, comecei a ficar histérica e ver e ouvir coisas que não estavam ali... Ou pelo menos as imaginava, e talvez até as tornasse realidade. Eu estava morrendo de medo e acho que acabava colocando as pessoas em perigo. Matt é pragmático demais para fazer isso. — Ela enxugou os olhos.

— Sei que a Dimensão das Trevas é muito ruim, mas pelo menos eu não vou mais colocar em perigo casas cheias de gente inocente.

Meredith assentiu.

— Tudo ia... mal com a Bonnie ali. Mesmo que não quiséssemos vir com você, eu teria de tirá-la de lá de qualquer jeito. Não quero ser dramática, mas acredito que os demônios estavam atrás dela. E desde que Stefan partiu, Damon pode ser o único capaz de mantê-los longe. Ou quem sabe você possa ajudá-la, Elena?

Meredith... sendo dramática? Mas Elena podia ver o leve tremor correndo sob a pele da amiga, e o brilho da transpiração descendo pela testa de Bonnie e umedecendo seus cachos.

Meredith tocou o pulso de Elena.

— Nós não desertamos. Fell's Church agora é uma zona de guerra; mas acredite, não deixamos Matt sem aliados. A Dra. Alpert está com ele... Ela é racional... É a melhor médica de lá... E talvez até consiga convencer alguém de que Shinichi e os malach são reais. E além disso tudo, os adultos assumiram o problema. Os pais, psiquiatras e jornalistas. Graças a eles, é quase impossível trabalhar abertamente. Matt não está em desvantagem.

— Mas... Só há uma semana...

— Dê uma olhada no jornal do último domingo.

Elena pegou o *Ridgemont Times* das mãos de Meredith. Era o maior jornal da região. Uma manchete dizia:

POSSESSÃO NO SÉCULO XXI?

Sob a manchete havia muitas linhas de impressão cinza, mas o que realmente lhe chamou a atenção foi uma foto de três meninas, todas aparentemente tendo convulsões ou contorções impossíveis para o corpo humano. A expressão de duas delas era simplesmente de dor e pavor, mas foi a terceira menina que paralisou o sangue de Elena nas veias. Seu corpo estava curvado de tal modo que o rosto ficou de cabeça para baixo, e ela olhava diretamente para a câmera com os lábios repuxados sobre os dentes. Os olhos — não havia outra maneira de colocar isso — eram demoníacos. Não estavam na parte de trás da cabeça, nem eram malformados ou algo assim. Nem tinham um brilho sinistro e vermelho. Estava tudo na expressão. Elena nunca vira olhos que a deixassem tão nauseada.

Em voz baixa, Bonnie disse:

— Já teve uma espécie de lapso e pensou, "Uau, lá se vai o universo todo"?

— Constantemente, desde que conheci Stefan — disse Meredith. — Não me leve a mal, Elena. Mas a questão é que tudo isso aconteceu há apenas alguns dias; logo que os adultos sabiam que algo estava *realmente* acontecendo se juntaram.

Meredith suspirou e passou as unhas bem-cuidadas pelo cabelo antes de continuar:

— Aquelas meninas são o que Bonnie chama de possuídas no sentido moderno. Ou talvez estejam possuídas por Misao... A kitsune fêmea é capaz de fazer isso. Mas se pudermos achar essas coisas chamadas esferas estelares... Ou pelo menos uma... Podemos obrigá-*los* a arrumar toda essa bagunça.

Elena baixou o jornal para não ter de ver aqueles olhos de cabeça para baixo.

— E enquanto tudo isso acontece, o que seu namorado está fazendo?

Pela primeira vez, Meredith pareceu genuinamente aliviada.

— Ele pode estar a caminho agora mesmo. Escrevi para ele contando tudo o que está acontecendo e foi ele que disse para Bonnie sair da cidade. — Ela lançou um olhar de desculpas a Bonnie, que simplesmente levantou as mãos e o rosto para o céu. — E assim que ele terminar o trabalho numa ilha chamada Shinmei no Uma, irá para Fell's Church. Esse tipo de coisa é especialidade de Alaric, e ele não se assusta com facilidade. Então, mesmo que a gente fique *semanas* fora, Matt não estará sozinho.

Elena lançou as mãos para o alto num gesto parecido com o de Bonnie.

— Só há uma coisa que vocês precisam saber antes de começarmos. *Eu* não posso ajudar Bonnie. Se estão contando comigo para fazer seja lá o que fiz quando lutei com Shinichi e Misao da última vez... Bom, não posso. Me acabei de tanto tentar invocar minhas asas. Mas não acontece nada.

— Bom, então talvez Damon saiba de alguma coisa... — disse Meredith devagar.

— Talvez saiba, mas por favor, Meredith, não o pressione agora. Não neste minuto. O que ele sabe com certeza é que Shinichi pode entrar em sua mente e pegar suas lembranças... E quem sabe, talvez até o possua novamente...

— Aquele kitsune mentiroso! — cuspiu Bonnie, parecendo quase possessiva. Como se Damon fosse namorado dela, pensou Elena. — Shinichi *jurou* que não faria...

— E também jurou que deixaria Fell's Church em paz. A única razão para eu ter alguma fé em todas as pistas que Misao me deu sobre a chave da raposa é que ela estava me provocando quando me falou. Ela não podia imaginar que faríamos um acordo, assim não tentava mentir nem ser espertinha... É o que *penso*.

— Bom, por isso estamos aqui com você, para libertar Stefan — disse Bonnie. — E se tivermos sorte, encontraremos as esferas estelares que nos permitirão controlar Shinichi. Não é?

— Isso mesmo! — disse Elena, animada.

— Isso — disse Meredith solenemente.

Bonnie assentiu.

— Amigas para sempre!

Elas estenderam as mãos uma por sobre a outra rapidamente, formando um aro de três raios. Isso fez Elena se lembrar dos tempos em que eram quatro raios.

— E Caroline? — perguntou ela.

Bonnie e Meredith se consultaram com os olhos. Meredith balançou a cabeça.

— Não vai querer saber. *De verdade* — disse ela.

— Eu aguento. *De verdade* — disse Elena quase sussurrando. — Meredith, eu estive morta, lembra? Duas vezes.

Meredith ainda balançava a cabeça.

— Se não consegue olhar essa foto, não deve saber de Caroline. Fomos vê-la duas vezes...

— *Você* foi vê-la duas vezes — interrompeu Bonnie. — Na segunda vez eu desmaiei e você me deixou esperando na porta.

— E percebi que podia ter perdido você para sempre, e pedi desculpas — intrometeu-se Meredith quando Bonnie pôs a mão em seu braço e a empurrou um pouco.

— Mas então, não foi bem uma visita — disse Meredith. — Eu entrei no quarto de Caroline na frente da mãe dela e a encontrei dentro do ninho... comendo alguma coisa. Mas não me pergunte o quê.... Quando me viu, ela riu e continuou a comer.

— E? — disse Elena, quando a tensão estava no auge. — O que era?

— Eu acho — disse Meredith com desânimo — que eram vermes e lesmas. Ela os esticava para cima e eles se remexiam antes de serem mordidos. Mas o pior não foi isso. Olha, você tinha de estar lá para entender direito, mas ela simplesmente deu um sorrisinho falso para mim e disse naquela voz grossa: "Quer uma mordida?" E de repente minha boca ficou cheia daquela massa se retorcendo... E desceu direto por minha garganta. Então eu vomitei, ali mesmo no carpete do quarto dela. Caroline começou a rir, e eu corri para baixo, peguei Bonnie e fugi com ela. Nunca mais voltamos. Mas... no caminho de casa, percebi que Bonnie estava engasgada. Tinha... os vermes e aquilo tudo... na boca e no nariz. Eu entendo de primeiros socorros; consegui tirar a maior parte deles antes que ela despertasse vomitando. Mas...

— Foi uma experiência que eu prefiro não ter de novo. — A falta de expressão na voz de Bonnie dizia mais do que qualquer tom de terror.

— Soube que os pais de Caroline se mudaram, e não sei se posso culpá-los — disse Meredith. — Caroline tem mais de 18 anos. Só o que posso acrescentar é que todo mundo está meio que rezando para que de algum modo o sangue de lobisomem vença nela, porque isso parece ser menos horrível do que o malach ou o... demônio. Mas se não vencer...

Elena pousou o queixo nos joelhos.

— E a Sra. Flowers pode cuidar disso?

— Melhor do que a Bonnie. A Sra. Flowers está feliz por ter Matt ao seu lado; como eu disse, eles formam uma boa equipe. E agora que ela finalmente teve contato com a raça humana do século XXI, acho que até gosta. E está praticando suas artes constantemente.

— Suas artes? Ah...

— Sim, é o que ela chama de artes mágicas. Não sei se vai adiantar alguma coisa, porque não tenho nada com o que comparar... ou com...

— Seus cataplasmas funcionam feito mágica! — disse Bonnie com firmeza assim que Elena contou que os banhos de sais da Sra. Flowers funcionavam mesmo.

Meredith abriu um sorriso amarelo.

— É uma pena que ela não esteja aqui em vez da gente.

Elena balançou a cabeça. Agora que tinha refeito o contato com Bonnie e Meredith, ela sabia que nunca entraria nas Trevas sem elas. Elas eram mais do que suas mãos; eram muito mais para ela... E aqui estavam, dispostas a arriscar a vida por Stefan e por Fell's Church.

Nesse momento, a porta do quarto se abriu e Damon entrou, trazendo alguns sacos de papel pardo numa das mãos.

— Então, já se despediram? — perguntou ele. Parecia ter problemas para olhar as duas visitas, então olhava particularmente sério para Elena.

— Bom... na verdade, não. — disse Elena. Ela se perguntou se Damon poderia atirar Meredith pela janela do quinto andar. Melhor pegar leve com ele, contando aos poucos...

— Porque vamos com vocês — disse Meredith.

— Mas esquecemos de fazer as malas — completou Bonnie.

Elena se movimentou rapidamente para ficar entre Damon e as meninas. Mas Damon se limitou a fitar o chão.

— É uma péssima ideia — disse ele com muita brandura. — Uma ideia muito, muito, mas muito ruim.

— Damon, não as influencie! Por favor! — Ela agitou as duas mãos para ele, nervosa, e Damon levantou uma das mãos num gesto de negação. E, de algum modo, suas mãos se roçaram... E formigaram.

Choque elétrico. Mas dos bons, pensou Elena — embora ela não tivesse tempo para pensar naquilo. Ela e Damon tentavam desesperadamente retrair as mãos, mas simplesmente não conseguiam. Pequenas ondas de choque corriam da palma da mão de Elena para todo o seu corpo.

Por fim, conseguiram se separar e se viraram, num uníssono culpado, para olhar Bonnie e Meredith, que os fitavam com os olhos arregalados. Olhos desconfiados. Que diziam *"Arrá!* O que temos aqui?".

Passou-se um longo tempo, e ninguém se mexeu nem falou. Depois Damon disse com seriedade:

— Este não é um passeio. Vamos porque não temos alternativa.

— Sozinhos vocês não vão — disse Meredith num tom neutro.

— Se Elena for, nós também vamos.

— Sabemos que é um lugar ruim — disse Bonnie —, mas *não há dúvida* de que vamos com vocês.

— Além disso, temos nossos próprios motivos — acrescentou Meredith. — Uma maneira de limpar a bagunça que Shinichi fez em Fell's Church... E que continua fazendo.

Damon balançou a cabeça.

— Vocês não entendem. Não iam *gostar* — disse ele entre dentes. Ele assentiu para o celular dela. — Não tem eletricidade lá. Ter um desses é até crime. E o castigo para qualquer crime é tortura e morte. — Ele avançou um passo para ela.

Meredith recusou-se a recuar, os olhos escuros fixos nos dele.

— Olha, vocês nem mesmo sabem o que precisam fazer para entrar lá — disse Damon friamente. — Primeiro, precisam de um vampiro... E por sorte têm um. Depois terão de fazer todo tipo de coisas de que não gostam...

— Se Elena pode fazer, nós também podemos — interrompeu Meredith baixinho.

— Não quero que nenhuma das duas se machuque. Vou entrar lá por causa de Stefan — interrompeu Elena, falando em parte para as amigas, em parte para si mesma, que as ondas de choque e pulsações de eletricidade por fim alcançaram. Como uma doçura estranha, solvente e palpitante por algo que começou como um choque. Como um forte choque por simplesmente tocar a mão de uma pessoa...

Elena se esforçou para tirar os olhos do rosto de Damon e se concentrar na discussão que se desenrolava.

— Você fará por Stefan, é verdade — dizia Meredith a ela — e nós vamos com você.

— Estou lhe dizendo, não vão *gostar* disso. Vão se arrepender... Isto é, se sobreviverem — dizia Damon, sem rodeios e com uma expressão sombria.

Bonnie simplesmente encarou Damon com os olhos castanhos arregalados e suplicantes na carinha em forma de coração. As mãos estavam postas sobre o coração. Ela parecia uma ilustração de um cartão da Hallmark, pensou Elena. E aqueles olhos valiam mil discussões lógicas.

Por fim, Damon olhou novamente para Elena.

— Sabe que pode estar levando as duas para a morte. Você, eu devo proteger. Mas você *e* Stefan, *e* suas duas amiguinhas adolescentes... *Não posso* proteger todo mundo.

Foi um choque ouvir isso. Elena não pensava assim. Mas podia ver a determinação no queixo de Meredith e o modo como Bonnie se apoiou nas pontas dos pés para tentar parecer maior.

— Acho que já está decidido — disse ela, baixinho, ciente de que sua voz falhava.

Houve um longo momento em que elas fitaram os olhos escuros de Damon, e de repente ele acendeu seu sorriso de 250 quilowatts para as três, apagando-o quase antes de ter começado e dizendo:

— Sei. Bom, neste caso, tenho outras coisas a fazer. Pode ser que eu demore um pouco, então fiquem à vontade para usar o quarto...

— Elena precisa ir ao nosso quarto — disse Meredith. — Tenho muita coisa para mostrar a ela. E já que não podemos levar, vamos ter que repassar tudo a noite toda...

— Então combinamos de nos encontrar aqui ao amanhecer — disse Damon. — Vamos daqui para o Portal do Demônio. E lembrem-se... Não levem dinheiro; não serve de nada por lá. E isto *não* é um passeio... Mas logo vocês entenderão isso.

Com um gesto elegante e irônico, ele entregou o saco a Elena.

— O Portal do *Demônio*? — disse Bonnie enquanto iam para o elevador. Sua voz tremia.

— Calma — disse Meredith. — É só um nome.

Elena preferia não reconhecer quando Meredith mentia.

12

Elena abriu um pouco a cortina do quarto de hotel para ver se já estava amanhecendo. Bonnie estava encolhidinha, cochilando numa poltrona perto da janela. Elena e Meredith ficaram acordadas a noite toda e agora estavam cercadas de papéis, jornais e fotos tiradas da internet.

— Já se espalhou para além de Fell's Church — explicou Meredith, apontando um artigo em um dos jornais. — Não sei se está seguindo as linhas de força ou sendo controlado por Shinichi... Ou só avançando sozinho, como qualquer parasita.

— Tentou falar com Alaric?

Meredith olhou para a figura adormecida de Bonnie e falou suavemente:

— Essa é a boa notícia. Fiquei uma eternidade tentando falar com ele e enfim consegui. Ele logo estará em Fell's Church... Só tem mais uma parada antes.

Elena respirou fundo.

— Isso é mais importante do que o que acontece na cidade?

— Por isso eu não contei a Bonnie que ele está vindo. Nem a Matt. Eu sabia que eles não entenderiam. Mas... adivinhe que tipo de lenda ele está pesquisando no Extremo Oriente? — Meredith fixou os olhos nos de Elena.

— Não... Não é, é? *Kitsune*?

— Sim, ele vai a uma cidade muito antiga que foi destruída por eles... Assim como Fell's Church está sendo destruída. Ninguém mora lá agora. Esse nome... Unmei no Shima... significa Ilha da Danação. Talvez lá ele descubra alguma coisa importante sobre os espíritos raposa. Ele vai fazer um tipo de pesquisa multicultural independente com Sabrina Dell. Ela é da idade dele, mas já é uma antropóloga bastante famosa.

— E você não fica com ciúme? — perguntou Elena, sem jeito. Era complicado falar de questões pessoais com Meredith. Fazer perguntas a ela sempre parecia uma coisa indiscreta.

— Bom. — Meredith tombou a cabeça para trás. — Nós não somos noivos nem nada.

— Mas você não contou a ninguém sobre isso.

Meredith baixou a cabeça e olhou rapidamente para Elena.

— Contei agora — disse ela.

Por um momento as meninas ficaram sentadas, em silêncio. Depois Elena falou em voz baixa:

— O Shi no Shi, o kitsune, Isobel Saitou, Alaric e sua Ilha da Danação... Podem não ter relação alguma. Mas se tiverem, vou descobrir qual é.

— E eu vou ajudar — disse Meredith. — Mas pensei que depois que eu me formasse...

Elena não aguentava mais.

— Meredith, eu prometo, assim que libertarmos Stefan e a cidade se acalmar, vamos pressionar Alaric — disse ela. Elena se inclinou para a frente e lhe deu um beijo no rosto. — É um juramento da nossa irmandade, está bem?

Meredith piscou duas vezes, engoliu em seco uma vez e sussurrou:

— Está bem. — Depois, abruptamente, voltou a seu jeito eficiente. — Obrigada — disse ela. — Mas pode não ser uma tarefa fácil limpar a cidade. Fell's Church está um caos.

— E Matt *quis* ficar no meio de tudo isso? Sozinho? — perguntou Elena.

— Como dissemos, ele e a Sra. Flowers formam uma boa equipe — disse Meredith em voz baixa. — E foi o que ele escolheu.

— Bom — disse Elena secamente —, no final das contas, talvez ele acabe com a melhor parte.

Elas voltaram à papelada espalhada. Meredith pegou várias fotos de kitsunes protegendo santuários no Japão.

— Dizem que eles geralmente são retratados com uma "joia" ou "chave". — Ela ergueu uma foto de um kitsune segurando uma chave na boca de frente para o portão principal do Santuário Fushimi.

— Arrá — disse Elena. — Parece que a chave tem duas asas, não é?

— Foi exatamente o que eu e Bonnie pensamos. E as "joias"... Bom, dê uma olhada nisso. — Elena obedeceu e seu estômago se revirou. Sim, eram como os "globos de neve" que Shinichi usou para criar aquelas armadilhas no antigo bosque.

— Descobrimos que eles os chamam de *hoshi no tama* — disse Meredith. — E se traduz por "esferas estelares". Cada kitsune coloca parte de seu poder numa delas, junto com outras coisas, e uma das únicas maneiras de matá-los é destruindo a esfera. Se você achar uma esfera estelar de kitsune, pode controlar o kitsune. É o que Bonnie e eu vamos fazer.

— Mas *como* vão achar? — perguntou Elena, animada com a ideia de controlar Shinichi e Misao.

— Sa... — disse Meredith, pronunciando a palavra como um suspiro. Depois abriu um de seus raros sorrisos luminosos. — Em japonês, quer dizer: "Como será?; hummm; prefiro não comentar; meu Deus do céu, não posso dizer." A gente bem que podia ter uma palavra dessas na nossa língua.

A contragosto, Elena riu.

— Mas outras lendas dizem que os kitsune podem ser mortos pelo Pecado do Remorso ou por armas abençoadas. Não sei o que é o Pecado do Remorso, mas... — Ela vasculhou sua mala e pegou um revólver antigo mas que parecia funcionar.

— Meredith!

— É do meu avô... Parte de um par. Matt ficou com o outro. São carregados com balas abençoadas por um sacerdote.

— Que sacerdote abençoaria *balas de revólver*, pelo amor de Deus? — perguntou Elena.

O sorriso de Meredith esfriou.

— Alguém que viu o que está acontecendo em Fell's Church. Lembra como Caroline fez Isobel ser possuída, e o que Isobel fez consigo mesma?

Elena assentiu.

— Lembro — disse ela, nervosa.

— Bom, lembra que te dissemos que Obaasan... A vovó Saitou... Que ela era uma donzela do santuário? É uma sacerdotisa japonesa. *Ela* abençoou as balas para a gente, e especialmente para matar kitsune. Você devia ter visto como o ritual foi esquisito. Bonnie quase desmaiou.

— E como Isobel está agora?

Meredith balançou a cabeça lentamente.

— Melhor, mas... não acho que já saiba de Jim. Vai ser muito difícil para ela.

Elena tentou reprimir um arrepio. Não havia nada além de tragédia reservada para Isobel quando ela melhorasse. Jim Bryce, o namorado dela, passou apenas uma noite com Caroline e agora estava com a doença de Lesch-Nyhan, segundo os médicos. Na noite pavorosa em que Isobel se furou toda, e cortou a língua para que ficasse bifurcada, Jim, um lindo astro do time de basquete, devorou os próprios dedos e os lábios. Na opinião de Elena, os dois estavam possuídos, e suas lesões eram mais um motivo para que os gêmeos kitsune fossem detidos.

— Vamos conseguir — disse ela em voz alta, percebendo pela primeira vez que Meredith estava segurando a mão dela como se Elena fosse Bonnie. Elena conseguiu abrir um sorriso fraco mas decidido para Meredith. — Vamos tirar Stefan de lá e vamos deter Shinichi e Misao. *Temos* que conseguir.

Desta vez foi Meredith que assentiu.

— Tem mais — disse ela por fim. — Quer ouvir?

— Preciso saber de tudo.

— Bom, todas as fontes que consultei dizem que os kitsune possuem as meninas e depois levam os meninos à destruição. O tipo de destruição depende de onde você olhar. Pode ser simples, como parecer um fogo-fátuo e levar você a um pântano ou a se jogar de um penhasco, ou complicada como a metamorfose.

— Ah, sim — disse Elena asperamente. — Eu sabia disso pelo que aconteceu com você e Bonnie. Eles podem ficar iguaizinhos a alguém.

— Sim, mas sempre há um pequeno defeito; se você olhar bem, irá perceber. Nunca conseguem fazer uma réplica perfeita. Mas podem chegar a ter nove caudas, e quanto mais caudas tiverem, melhores ficam em tudo.

— Nove? Que horror. Nunca *vimos* um de nove caudas.

— Bom, talvez a gente ainda veja. Eles podem atravessar livremente de um mundo a outro. Ah, sim. E eles são especificamente encarregados do Portal "Kimon" entre as dimensões. Quer chutar a tradução disso?

Elena a fitou.

— Ah, não.

— Ah, sim.

— Mas por que Damon nos faria atravessar o país só para passar pelo Portal do Demônio, que é dominado pelos espíritos raposa?

— Sa... Mas quando Matt nos disse que vocês iam para um lugar perto de Sedona, Bonnie e eu decidimos vir.

— Que ótimo. — Elena passou as mãos no cabelo e suspirou.

— Mais alguma coisa? — perguntou ela, sentindo-se como um elástico que tinha se esticado ao máximo.

— Só há uma coisa que pode te animar um pouco depois de tudo o que vimos. Alguns são bons. Os kitsune, quero dizer.

— Alguns são bons... Bons como? Bons lutadores? Bons assassinos? Bons mentirosos?

— Não, é sério, Elena. Alguns são deuses e deusas que de certo modo a testam, e se você passar no teste, eles a recompensam.

— E podemos contar que acharemos um desses?

— Na verdade, não.

Elena baixou a cabeça na direção da mesa de centro onde estava espalhada a papelada de Meredith.

— Meredith, fala sério, como vamos lidar com eles quando passarmos pelo Portal do Demônio? Meu Poder é quase tão confiável quanto uma bateria arriada. E não são só os kitsune; são todos o demônios e vampiros... Os Antigos também! O que vamos *fazer*?

Ela levantou a cabeça e olhou a amiga nos olhos — aqueles olhos escuros cuja cor ela jamais conseguiu classificar.

Para sua surpresa, Meredith, em vez de demonstrar seriedade, jogou o resto de uma Diet Coke fora e sorriu.

— Ainda não tem um Plano A?

— Bom... Talvez só uma ideia. Nada muito definido. E você?

— Alguns que podem ser classificados como Planos B ou C. Então, vamos fazer o que sempre fazemos... Nos esforçar ao máximo e falhar, errando até que você tenha uma ideia brilhante e nos salve.

— Merry... — Meredith piscou. Elena sabia por quê: ela não usava esse diminutivo para Meredith havia muitos anos. Nenhuma das três meninas gostava de apelidos, nem os usava. Elena continuou séria, fixando-se nos olhos de Meredith. — Não há nada que eu queira mais do que salvar todo mundo... Todo mundo... desses cretinos kitsune. Eu daria minha vida por Stefan e por todos vocês. Mas... desta vez a bala pode ir para outra pessoa.

— Ou a estaca. Eu sei. Bonnie sabe. Conversamos sobre isso quando estávamos voando para cá. Mas ainda estamos com você, Elena. Precisa saber disso. Estamos juntas nessa.

Só havia uma maneira de responder a isso. Elena segurou a mão de Meredith. Depois soltou a respiração e, como se prestes a tocar numa ferida aberta, tentou abordar um assunto complicado. — O Matt... Ele... Bom, como Matt estava quando vocês o deixaram?

Meredith olhou para ela de lado. Essa menina não deixava passar nada.

— Ele parecia bem, mas... distraído. Às vezes tinha umas crises, ficava olhando para o nada e não ouvia a gente falando com ele.

— Ele contou por que foi embora?

— Bom... Mais ou menos. Disse que viu Damon hipnotizando você e que você não está... não estava fazendo nada para impedi-lo. Mas ele é menino, e os meninos têm ciúmes mesmo...

— Não, ele tinha razão sobre o que viu. É que eu... passei a conhecer Damon um pouco melhor. E Matt não gostou disso.

— Arrã. — Meredith olhava para ela por sob as pálpebras baixas, mal respirava, como se Elena fosse um passarinho que não devia ser perturbado, ou fugiria voando.

Elena riu.

— Não é nada de *ruim* — disse ela. — Pelo menos eu não acho que é. É só que... de certo modo Damon precisa mais de ajuda do que Stefan quando chegou a Fell's Church.

As sobrancelhas de Meredith se ergueram, mas só o que ela disse foi "Arrã".

— E... Acho que Damon é muito mais parecido com Stefan do que deixa transparecer.

As sobrancelhas de Meredith ficaram erguidas. Elena finalmente a olhou. Ela abriu a boca uma ou duas vezes, mas se limitou a fitar Meredith.

— Estou em apuros, não é? — disse ela de um jeito impotente.

— Se isso tudo surgiu com menos de uma semana de viagem com ele... Então está. Mas temos de nos lembrar que mulheres são a especialidade de Damon. E ele acha que está apaixonado por você.

— Não, ele realmente está... — começou Elena, depois mordeu o lábio inferior. — Ah, meu Deus, é deste *Damon* que estamos falando. Eu *estou mesmo* em apuros.

— Vamos deixar as coisas assim e ver o que acontece — disse Meredith com sensatez. — Ele sem dúvida também mudou. Se fosse antes, ele teria dito a você que suas amigas não iriam... e pronto. Hoje ele ficou e ouviu.

— Sim. Eu só tenho que... ficar atenta a partir de agora — disse Elena, meio trêmula. Como ia ajudar a criança dentro de Damon sem se aproximar mais dele? E como explicaria a Stefan tudo o que talvez precisasse fazer?

Ela suspirou.

— Vai ficar tudo bem — murmurou Bonnie, sonolenta. Meredith e Elena se viraram para olhá-la e Elena sentiu um arrepio percorrer sua espinha. Bonnie estava sentada, mas os olhos pareciam fechados e sua voz era indistinta. — A verdadeira questão é: o que Stefan dirá sobre aquela noite no hotel com Damon?

— *Como é?* — A voz de Elena saiu aguda e alta o bastante para acordar qualquer um que estivesse dormindo. Mas Bonnie nem se mexeu.

— *O que* aconteceu *em que* noite e em *que* hotel? — perguntou Meredith. Elena não respondeu. Então Meredith a pegou pelo braço e a virou para que ficassem cara a cara.

Por fim Elena olhou a amiga. Mas seus olhos, ela sabia, não revelavam nada.

— Elena, do que ela está falando? *O que aconteceu entre você e Damon?*

Elena ainda se mantinha sem expressão e usou uma palavra que aprendera naquela noite.

— Sa...

— Elena, você é inacreditável! Não vai *largar* Stefan depois que o libertar, não é?

— Não, *claro* que não! — Elena ficou magoada. — Stefan e eu pertencemos um ao outro... Para sempre.

— Mas você ainda assim passou uma noite com Damon e *alguma coisa* aconteceu entre vocês.

— Alguma coisa... Acho que sim.

— E essa coisa foi...?

Elena sorriu como quem se desculpa.

— Sa...

— Vou arrancar isso *dele*! Vou colocá-lo na parede...

— Pode pensar em um Plano A e um Plano B e tudo isso — disse Elena. — Mas não vai adiantar. Shinichi tirou as lembranças dele. Meredith, desculpe... Não sabe o quanto eu lamento. Mas jurei que ninguém jamais saberia disso. — Ela olhou a menina mais alta, sentindo as lágrimas se acumularem nos olhos. — Não pode só... uma vez na vida... deixar essa história para lá?

Meredith empalideceu.

— Elena Gilbert, o mundo tem sorte por você ser uma só. Você é a... — ele parou, como se pensasse se falaria ou não. Depois disse: — Está na hora de dormir. Vai amanhecer daqui a pouco e logo estaremos no Portal do Demônio.

— Merry?

— O que é agora?

— Obrigada.

13

Portal do Demônio.

Por sobre o ombro, Elena olhou o banco de trás do Prius. Bonnie piscava, sonolenta. Meredith, que dormiu muito menos mas ouviu informações muito mais alarmantes, parecia uma navalha de tão afiada, estava entusiasmada, pronta para tudo.

Não havia nada para ver, apenas Damon com os sacos de papel no banco ao lado dele, dirigindo o Prius. Pela janela, onde o amanhecer árido do Arizona que provavelmente era ofuscante até o horizonte, só o que havia era neblina.

Era assustador e desorientava. Eles pegaram uma pequena estrada perto da Highway 179 e, aos poucos, a neblina desceu, criando dedos de névoa em volta do carro, até finalmente o envolver por completo. Parecia a Elena que eles estavam sendo deliberadamente isolados do velho mundo comum de McDonald's e Target, e cruzavam uma fronteira para um lugar do qual não queriam saber, muito menos visitar.

Não havia trânsito no sentido contrário. Nenhum. Por mais que Elena espiasse pela janela, era como tentar olhar por nuvens que se moviam rapidamente.

— Não estamos indo rápido demais? — perguntou Bonnie, esfregando os olhos.

— Não — disse Damon. — Seria... uma coincidência extraordinária... se mais alguém estivesse na mesma rota ao mesmo tempo que nós.

— Parece muito o Arizona — disse ela, decepcionada.

— Pode *ser* o Arizona, pelo que sabemos — respondeu Damon. — Mas ainda não atravessamos o Portal. E este não é um lugar no Arizona em que se possa entrar por acaso. Sempre há uns truques e armadilhas no caminho. O problema é que nunca sabemos o que vamos encontrar. Agora preste atenção — acrescentou ele, olhando para Elena com uma expressão que ela agora conhecia. Significava: não estou brincando; estou falando com você como igual; estou falando *sério*.

"Você se saiu muito bem mostrando apenas uma aura humanizada", disse Damon. — E isso significa que, se aprender mais uma coisa antes de entrarmos, pode realmente *usar* sua aura, fazê-la trabalhar a seu favor quando quiser, em vez de apenas escondê-la até que ela saia de controle e levante carros de três toneladas.

— A meu favor, como?

— Vou mostrar como agora. Antes de tudo, relaxe e me deixe controlá-la. Depois, aos poucos, vou passar o controle para você. Tente mandar seus Poderes para os olhos... e enxergará muito melhor; aos ouvidos... e ouvirá muito melhor; a seus braços e pernas... e se moverá com uma rapidez e precisão muito maiores. Entendeu?

— Não podia ter me ensinado isso antes de sairmos nessa pequena excursão?

Ele sorriu para ela, um sorriso selvagem e perigoso que a fez sorrir também, mesmo que não soubesse por quê.

— Até que você mostrasse que podia controlar bem sua aura... no caminho para cá... eu não achei que estivesse pronta — disse ele sem rodeios. — Mas agora acho. Existem coisas em sua mente esperando para ser destrancadas. Você vai entender quando as soltarmos.

E vamos soltar... com o quê? Um beijo?, pensou Elena, desconfiada.

— Não. Não. E esse é o outro motivo para você ter aprendido isso. Sua telepatia está muito descontrolada. Se não aprender a evitar a projeção de seus pensamentos, nunca vai passar do posto de controle do Portal como humana.

— Posto de controle. Isso parecia sinistro. Elena assentiu.

— Tudo bem; o que vamos fazer?

— Exatamente o que fizemos antes. Como eu disse, relaxe. Procure confiar em mim.

Ele pôs a mão direita à esquerda do esterno de Elena, sem tocar o tecido da sua camiseta dourada. Elena percebeu que corou e se perguntou o que Bonnie e Meredith estariam pensando disso, se estivessem vendo.

E Elena sentiu outra coisa.

Não era frio nem calor, mas era parecido com os extremos das duas sensações. Era o puro Poder. Teria a nocauteado se Damon não estivesse segurando-a pelo braço com a outra mão. Ela pensou, Ele está usando o próprio Poder para carregar o meu, para fazer alguma coisa...

... alguma coisa que *dói*...

Não! Elena tentou, verbal e telepaticamente, dizer a Damon que aquele Poder era demasiado, que doía. Mas Damon ignorou suas súplicas como ignorava as lágrimas que lhe escorriam pelo rosto. O Poder dele agora comandava o dela, dolorosamente, por todo o seu corpo. Estava em sua corrente sanguínea, arrastando o Poder de Elena como a cauda de um cometa. Obrigava-a a levar o próprio Poder a diferentes partes de seu corpo e deixar que se acumulasse ali, sem permitir que ela o expirasse, sem deixar que ela o movesse.

Eu vou explodir...

Durante todo o tempo seus olhos estavam fixos nos de Damon, transmitindo seus sentimentos: da raiva indignada ao choque e à dor agonizante... E agora... A...

Sua mente explodiu.

O resto de seu Poder continuou circulando, sem provocar nenhuma dor. A cada nova respiração de Elena, mais Poder havia, mas ele simplesmente circulava em seu sangue, sem aumentar a aura, mas fortalecendo o Poder que já estava dentro dela. Depois de respirar rapidamente por duas ou três vezes, ela percebeu que fazia isso sem esforço algum.

Agora o Poder de Elena não estava apenas deslizando suavemente dentro dela, visto de fora, como uma humana qualquer. Também enchia vários nódulos inchados em seu íntimo e, com isso, provocava alterações.

Ela percebeu que fitava Damon com os olhos arregalados. Ele podia ter adiantando como seria, em vez de deixar que ela descobrisse sozinha.

Você realmente é um canalha, não é?, pensou Elena e, surpreendentemente, sentiu Damon receber o pensamento e sentiu também a reação automática dele, concordando com o pensamento dela.

Mas logo Elena se esqueceu dele quando compreendeu aquela novidade. Percebia que podia manter seu Poder circulando dentro de si e até aumentá-lo cada vez mais, preparando-se para uma comoção verdadeiramente explosiva, e sem mostrar *nada* do que acontecia na superfície.

E quanto aos nódulos...

Elena olhou o que minutos antes fora uma vastidão árida do lado de fora. Era como levar tiros de luz pelos olhos. Ela ficou fascinada, encantada. As cores pareciam ganhar vida numa glória dolorosa. Elena sentiu que podia enxergar mais longe do que nunca, entrando cada vez mais pelo deserto, e ao mesmo tempo podia distinguir as pupilas de Damon de suas íris.

Ambas eram pretas, mas de tons diferentes de preto, notou. É claro que combinavam — Damon jamais teria íris que não complementassem as pupilas. Mas as íris eram mais opacas, como veludo, enquanto as pupilas eram mais brilhantes. E, no entanto, são de um veludo que pode reter a luz — quase como o céu noturno com as estrelas — como aquelas esferas estelares dos kitsune de que Meredith falou.

Agora aquelas pupilas estavam dilatadas e postadas obstinadamente em seu rosto, como se Damon não quisesse perder um momento sequer da reação de Elena. De repente, o canto de seu lábio se torceu no esboço de um sorriso.

— Você conseguiu. Aprendeu a canalizar o Poder para os olhos. — Ele falou num leve sussurro que antes ela jamais teria detectado.

— E para os meus ouvidos — respondeu ela também num sussurro, ouvindo a incrível sinfonia de ruídos mínimos ao seu redor. No céu, um morcego guinchou numa frequência alta demais para o ouvido humano. A queda de grãos de areia ao redor era uma pequena sinfonia ao bater nas rochas e quicar com um tinido mínimo antes de cair no chão.

Isso é incrível, disse ela a Damon, ouvindo a presunção em sua voz telepática. *E agora posso falar com você assim quando quiser?* Ela teria de ser cuidadosa — a telepatia ameaçava revelar mais do que ela realmente queria.

É melhor ter cuidado, concordou Damon, confirmando suas suspeitas. Ela enviou mais do que pretendia.

Mas Damon... Bonnie também pode fazer isso? Devo mostrar a ela?

— Quem sabe? — respondeu Damon em voz alta, fazendo Elena estremecer. — Ensinar humanos a usar o Poder não é bem o meu forte.

E minhas diferentes Asas do Poder? Será que conseguirei controlá-las agora?

— Sobre isso eu não faço a menor ideia. Nunca vi nada parecido. — Damon pareceu pensativo por um momento e depois balançou a cabeça. — Acho que você precisa de alguém com mais experiência do que eu para lhe ensinar a controlar isso. — Antes que Elena pudesse dizer alguma coisa, ele acrescentou: — É melhor voltarmos às outras. Estamos quase no Portal.

— E acho que eu não devia usar a telepatia.

— Bom, é uma tremenda bandeira...

— Mas vai me ensinar mais tarde, não vai? Tudo o que sabe sobre o controle do Poder?

— Talvez seu namorado devesse fazer isso — disse Damon, de forma quase grosseira.

Ele tinha medo, pensou Elena, tentava manter os pensamentos ocultos sob uma muralha de ruído branco para que Damon não os captasse. Ele tem tanto medo de revelar demais quanto eu tenho medo dele.

14

— uito bem — disse Damon, enquanto Elena alcançava Bonnie e Meredith. — Agora vem a parte complicada.

Meredith olhou para ele.

— *Agora* vem...

— Sim. A parte realmente difícil. — Damon finalmente tinha aberto o zíper de sua misteriosa bolsa de couro preta. — Escutem — disse ele num murmúrio baixo —, é por este Portal que temos de atravessar. E podem dar o ataque que quiserem, mas todas vocês têm que fingir que são minhas escravas. — Ele pegou vários pedaços de corda.

Elena, Meredith e Bonnie se uniram numa demonstração instantânea de amizade.

— Para que... — disse Meredith devagar, como se quisesse dar a Damon o último benefício da dúvida — ... são essas cordas?

Damon tombou a cabeça de lado em um gesto de "me poupe".

— São para amarrar suas mãos.

— *Por quê?*

Elena ficou surpresa. Nunca vira Meredith com tanta raiva. Ela mesma não teve oportunidade de falar. Meredith já estava a 10 centímetros de Damon, encarando-o.

E os olhos dela eram *cinza*!, exclamou, em alguma parte distante, a mente de Elena, assombrada. De um cinza-claro muito intenso. Durante todo esse tempo eu pensei que eram castanhos, mas não são.

Enquanto isso, Damon olhava meio alarmado para a expressão de Meredith. Um *Tiranossauro rex* teria ficado assustado com a expressão de Meredith, pensou Elena.

— E espera que a gente ande por aí de mãos amarradas? Enquanto isso, *você* faz o quê?

— Enquanto ajo como seu dono — disse Damon, refazendo-se de repente com um sorriso glorioso que sumiu rapidamente. — Vocês três são minhas escravas.

Houve um tempo de silêncio desconfortável.

Elena afastou a pilha de cordas com um gesto.

— Não vamos fazer isso — disse ela categoricamente. — Não vamos. Deve haver outra maneira...

— *Quer libertar Stefan ou não?* — perguntou Damon de repente. Havia um calor abrasador nos olhos negros que ele fixava em Elena.

— É claro que quero! — rebateu Elena rapidamente, sentindo um calor em seu rosto. — Mas não como escrava, arrastada por você!

— É a única maneira de qualquer humano entrar na Dimensão das Trevas — respondeu Damon. — Presos, como propriedade de um vampiro, kitsune ou demônio.

Meredith balançava a cabeça.

— Você nunca nos disse...

— Eu disse que vocês não iam gostar!

Ao responder a Meredith, os olhos de Damon não desgrudaram de Elena. Por baixo de sua pura frieza, ele parecia estar suplicando a ela que compreendesse, pensou Elena. Se fosse há algum tempo, ela refletiu, Damon teria simplesmente se recostado em uma parede e erguido as sobrancelhas, dizendo: "Tudo bem; não quero ir mesmo. Quem quer fazer um piquenique?"

Mas ele queria que elas fossem, percebeu Elena. Estava desesperado para que concordassem. Só não sabia a melhor maneira de transmitir isso. O único jeito que conhecia era aquele.

— Você tem que nos prometer uma coisa, Damon — disse Elena, olhando nos olhos dele. — E tem que ser agora.

Ela podia ver o alívio nos olhos de Damon, mesmo que para as outras meninas o rosto dele estivesse perfeitamente frio e impassível. Ela sabia que ele estava feliz por ela não dizer que sua decisão anterior era definitiva e ponto final.

— Prometer o quê? — perguntou Damon.

— Terá que jurar... dar a sua palavra... que independentemente de decidirmos entrar ou não na Dimensão das Trevas agora, você não vai tentar nos influenciar. Não vai nos colocar para dormir, nem nos incitar a fazer o que você quer. Não vai usar *nenhum* truque de vampiro em nossa mente.

Damon não seria Damon se não discutisse.

— Mas olha só, imagine que você queira que eu faça isso... Pode ser melhor passar por umas coisas lá dormindo...

— Então nesse caso vamos dizer que mudamos de ideia, e vamos liberar você da promessa. Entendeu? Não tem o que discutir. Vai ter que jurar.

— Tudo bem — disse Damon, ainda sustentando o olhar. — Eu juro não usar nenhum tipo de Poder na mente das três; não vou influenciar vocês de maneira alguma, a não ser que me peçam. Dou a minha palavra.

— Muito bem. — Por fim Elena desviou os olhos com o menor dos sorrisos e um leve assentir. E Damon assentiu também.

Ela se afastou para se ver olhando nos olhos castanhos, indagativos e arregalados de Bonnie.

— Elena — sussurrou Bonnie, puxando o braço da amiga. — Venha aqui um minutinho, está bem? — Elena mal pôde evitar. Bonnie era forte como um pequeno pônei. Elena foi, lançando um olhar impotente para Damon por sobre o ombro.

— O que foi? — sussurrou ela quando Bonnie finalmente parou de arrastá-la. Meredith vinha logo atrás, imaginando ser assunto da irmandade velociraptor. — E então?

— Elena — desabafou Bonnie, como se fosse incapaz de continuar reprimindo as palavras —, você e Damon agem como se... Vocês estão diferentes. Antigamente vocês não... Quero dizer, o que *realmente* aconteceu entre vocês quando estavam sozinhos?

— Não é hora para isso — sibilou Elena. — Estamos com um problemão aqui, caso não tenha percebido.

— Mas... e se...

Meredith completou a frase, tirando uma mecha de cabelos pretos dos olhos.

— E se for algo de que Stefan não vá gostar? Como "o que aconteceu com Damon quando vocês estavam sozinhos no hotel naquela noite"? — concluiu, citando as palavras de Bonnie.

A boca de Bonnie se escancarou.

— Que hotel? Que noite? *O que aconteceu?* — Ela estava praticamente gritando, o que fez Meredith ser mordida quando tentou calá-la.

Elena olhou primeiro para uma, depois para outra — duas amigas que vieram morrer com ela, se necessário. Ela podia sentir a respiração ficar mais fraca. Era tão injusto, mas...

— Podemos discutir isso depois? — sugeriu, tentando transmitir com a expressão que *Damon podia ouvir!*

Bonnie se limitou a sussurrar:

— Que hotel? Que noite? O que...

Elena desistiu.

— Não aconteceu *nada* — respondeu categoricamente. — Meredith só está citando *você*, Bonnie. Você disse essas palavras na noite passada, quando estava dormindo. E talvez no futuro você vá nos contar o que estava falando, porque *eu não sei.*

Ela terminou olhando para Meredith, que tinha erguido uma sobrancelha perfeita.

— Tem razão — disse Meredith, completamente desiludida.

— Nossa língua podia mesmo ter uma palavra como "sa". Deixaria essas conversas muito mais curtas, para começar.

Bonnie suspirou.

— Tá legal, então, vou descobrir sozinha — disse ela. — Pode achar que não sou capaz, mas *vou*.

— Tudo bem, tá, mas enquanto isso alguém tem algo de útil a dizer sobre a ideia de Damon nos amarrar?

— Tipo dizer a ele onde enfiar esse troço? — sugeriu Meredith à meia-voz.

Bonnie segurava um pedaço da corda. Passou nela a mãozinha de pele clara.

— Não acho que foi comprada por raiva — disse ela, os olhos castanhos desfocados e a voz assumindo o tom meio sinistro que sempre adquiria quando ela estava em transe. — Vejo um menino e uma menina, junto ao balcão de uma loja de ferragens... Ela está rindo e o menino diz, "Aposto qualquer coisa que o que você vai fazer na escola no ano que vem tem a ver com arquitetura", e a menina, com o olhar vago, diz, sim, e...

— E essa é toda a espionagem paranormal de hoje. — Damon tinha se aproximado delas sem fazer barulho. Bonnie deu um salto e quase largou a corda.

— Escutem — continuou Damon com aspereza —, a última travessia fica a cem metros daqui. Ou vocês usam isto e *agem* como escravas ou não entram para ajudar Stefan. Nunca. E *ponto*.

Em silêncio, as meninas trocaram olhares. Elena sabia que sua expressão dizia claramente que ela não ia pedir a Bonnie ou Meredith que a acompanhassem, mas que ela mesma ia, se necessário, de quatro atrás de Damon.

Meredith, encarando Elena, fechou lentamente os olhos e assentiu, soltando a respiração. Bonnie já concordava com a cabeça, resignada.

Em silêncio, Bonnie e Meredith deixaram Elena amarrar seus pulsos na frente do corpo. Elena deixou que Damon amarasse os dela e prendesse as três com uma grande corda, como se fossem uma corrente de prisioneiras.

Elena podia sentir um rubor subindo da parte inferior do peito, queimando-lhe o rosto. Não conseguia olhar nos olhos de Damon, não assim, mas sabia, sem precisar perguntar, que ele pensava na época em que Stefan o expulsou de seu apartamento como um cão, diante desta mesma plateia, além de Matt.

Grosso, *vingativo*, pensou Elena, com a maior intensidade que pôde, na direção de Damon. Ela sabia que a primeira palavra o magoaria mais. Damon se orgulhava de ser um cavalheiro...

Mas "cavalheiros" não entram na Dimensão das Trevas, a voz de Damon disse em sua cabeça num tom de zombaria.

— Muito bem — acrescentou Damon em voz alta, pegando a corda principal. Começou a andar animadamente em direção à caverna escura, as três meninas se espremendo e tropeçando atrás dele.

Elena jamais se esqueceria daquela breve jornada e sabia que Bonnie e Meredith também não. Elas atravessaram a abertura rasa da caverna e entraram no pequeno espaço ao fundo, que se abria como uma boca. Foi preciso alguma manobra para conseguir que passassem. Do outro lado, a caverna se alargava de novo e logo as três se viram numa cavidade maior. Pelo menos foi o que diziam os sentidos aprimorados de Elena. A neblina perene havia voltado, e Elena não fazia ideia de que rumo tomavam.

Minutos depois surgiu uma construção naquela névoa densa.

Elena não sabia o que esperar do Portal do Demônio. Talvez imensas portas de ébano, com serpentes entalhadas e cravejadas de joias. Talvez um colosso de pedra precário e desgastado, como as pirâmides egípcias. Talvez até uma espécie de campo de energia futurista que tremeluzisse e piscasse com lasers violeta-azulados.

O que ela viu parecia uma espécie de depósito caindo aos pedaços, um lugar para guardar e despachar bens. Havia um curral vazio, fortemente cercado, encimado por arame farpado. Aquilo fedia, e Elena ficou feliz por ela e Damon não terem canalizado o Poder para o olfato.

E havia gente lá, homens e mulheres vestidos elegantemente, cada qual com uma chave, murmurando algo antes de abrir uma porta de um lado da construção. A mesma porta — mas Elena tinha certeza que aquela gente toda não ia para o mesmo lugar, se as chaves fossem como a que ela "pegara emprestada" da casa de Shinichi havia mais ou menos uma semana. Uma das mulheres parecia estar vestida para um baile de máscaras, com orelhas de raposa que se misturavam ao seu longo cabelo castanho. Foi só quando viu o farfalhar de uma cauda de raposa por baixo do vestido na altura do tornozelo que Elena se deu conta de que a mulher era uma kitsune fazendo uso do Portal do Demônio.

Damon apressadamente — e sem gentileza alguma — as levou para o outro lado do prédio, onde uma porta de dobradiças quebradas se abria para um espaço deteriorado que, estranhamente, parecia maior por dentro do que visto do lado de fora. Todo tipo de mercadoria era anunciada e vendida ali: muitas davam a impressão de ter relação com gestão de escravos.

Elena, Meredith e Bonnie se olharam, assustadas. O cenário que elas viram deixava óbvio que as pessoas que traziam escravos selvagens do mundo exterior os torturavam e aterrorizavam diariamente.

— Passagem para quatro — disse Damon ao homem de ombros arriados mas corpulento, atrás do balcão.

— Três selvagens de uma vez? — O homem, que devorava com os olhos o que podia ver das três meninas, ergueu-se para observar Damon com desconfiança.

— O que posso dizer? Meu trabalho é também meu passatempo. — Damon o encarou sem se abalar.

— Sim, mas... — O homem riu. — Ultimamente recebemos em média uma ou duas por mês.

— São legalmente minhas. Não houve rapto. Ajoelhem-se — acrescentou Damon despreocupadamente às três meninas.

Foi Meredith quem entendeu primeiro e arriou no chão como uma dançarina de balé. Os olhos cinzentos estavam focalizados em algo que ninguém podia ver. Depois Elena, de algum modo, se desembaraçou das outras. Concentrou a mente em Stefan e fingiu que estava se ajoelhando para beijá-lo em seu catre na prisão. Pareceu funcionar e ela se ajoelhou.

Mas Bonnie continuou de pé. A mais dependente, mais delicada e inocente do trio achava que seus joelhos tinham se solidificado.

— Ruivas, hein? — disse o homem, olhando Damon incisivamente enquanto abria um sorriso malicioso. — Talvez seja melhor comprar um atiçador para essa daí.

— Talvez — disse Damon com firmeza. Bonnie olhou para ele sem expressão, virou-se para as meninas e se jogou no chão, ficando imóvel. Elena podia ouvir seu choro baixo. — Mas descobri que uma voz firme e um olhar de censura funcionam melhor.

O homem desistiu e arriou os ombros de novo.

— Passagem para quatro — grunhiu ele, estendendo a mão e puxando a corda suja de um sino. A essa altura Bonnie chorava de medo e humilhação, mas ninguém além das amigas pareceu perceber.

Elena não se atreveu a tentar reconfortá-la telepaticamente; não combinaria com a aura de "menina humana normal", e quem poderia saber se não haveria armadilhas ou dispositivos escondidos ali, além do homem que praticamente as despia com os olhos? Ela só queria poder apelar a uma de suas Asas, bem ali, naquele lugar. Isso arrancaria aquela expressão presunçosa da cara dele.

Minutos depois, tudo se apagou completamente, exatamente como Elena desejara. Damon se inclinou no balcão e cochichou alguma coisa que transformou o ar malicioso do homem em uma cor esverdeada, meio doentia.

Ouviu o que ele disse?, Elena tentou se comunicar com Meredith usando os olhos e as sobrancelhas.

Meredith, com o próprio cenho franzido, pôs a mão diante da barriga de Elena, girando a mesma em seguida.

Até Bonnie sorriu.

Então Damon as levou para esperar do lado de fora do depósito. Estavam paradas ali havia alguns minutos quando a nova visão de Elena localizou um barco deslizando em silêncio pela névoa. Ela percebeu que a construção devia ficar na margem de um rio, mas mesmo com o Poder dirigido unicamente aos olhos, mal conseguia distinguir onde a terra opaca dava lugar à água brilhante, e mesmo com o Poder dirigido apenas aos ouvidos, mal conseguia escutar o som veloz de água corrente.

O barco parou, mas Elena não viu nenhuma âncora ser jogada na água nem nada que o segurasse. Mas o fato era que ele havia parado. E o corcunda baixou uma prancha, por onde eles embarcaram: primeiro Damon, depois seu grupo de "escravas".

A bordo, Elena viu Damon oferecer, sem dizer uma única palavra, seis peças de ouro ao barqueiro — duas para cada humana que presumivelmente não voltariam, pensou ela.

Por um momento ela se perdeu em uma lembrança de quando era muito nova — devia ter só 3 anos —, sentada no colo do pai enquanto ele lia um livro ilustrado maravilhoso que falava dos mitos gregos. Contava do barqueiro, Caronte, que levava os espíritos pelo rio Estige à terra dos mortos. E o pai contando a ela que os gregos punham moedas nos olhos daqueles que morriam, para que pudessem pagar ao barqueiro...

Essa viagem não tem volta!, pensou ela de repente e com veemência. Não há como escapar! Elas podiam muito bem estar mortas...

Estranhamente, foi o pavor que a salvou de todo aquele terror. Ao levantar a cabeça, talvez para gritar, a figura sombria do barqueiro se afastou brevemente, como se contasse os passageiros. Elena ouviu o guincho de Bonnie. Meredith, tremendo, tentava frenética e ilogicamente pegar a arma escondida na bolsa. Nem Damon parecia capaz de se mexer.

O espectro alto no barco não tinha rosto.

Havia depressões fundas onde deveriam estar os olhos, uma boca oca e um buraco triangular onde o nariz devia se projetar. O horror sobrenatural daquilo, além do fedor do lugar, simplesmente foi demais para Bonnie e ela desmaiou, seu corpo flácido caindo contra Meredith.

Elena, completamente apavorada, teve um momento de revelação. No crepúsculo escuro, úmido e gotejante, ela se esquecera de parar de tentar usar todos os sentidos ao máximo. Sem dúvida era mais capaz de ver a face inumana do barqueiro em vez de, digamos, Meredith. Também podia *ouvir* coisas, como os sons dos mineiros mortos havia muito tempo, batendo na pedra acima delas, e o esvoaçar dos morcegos, das baratas enormes ou coisa assim, *dentro* das paredes de pedra que as cercavam.

Mas agora Elena de repente sentiu lágrimas quentes no rosto gelado ao perceber que ela subestimara completamente Bonnie, pois sabia dos poderes paranormais da amiga. Se os sentidos de Bonnie estivessem permanentemente suscetíveis aos tipos de horror que Elena vivia agora, não era de surpreender que Bonnie vivesse com medo. Elena se viu prometendo ser muito mais tolerante na próxima vez em que Bonnie vacilasse ou começasse a gritar. Na verdade, Bonnie merecia um prêmio por se manter sã até agora, concluiu Elena. Mas ela não se atrevia a fazer mais do que olhar a amiga, que estava completamente inconsciente, e jurar a si mesma que, de agora em diante, Bonnie teria uma defensora em Elena Gilbert.

Sua promessa e seu calor ardiam como uma vela em sua mente, uma vela que Elena imaginava segurar para Stefan, e cuja luz dançava em seus olhos verdes e brincava com suas feições. Foi o bastante para evitar que ela perdesse a sanidade pelo resto da jornada.

Quando o barco aportou — num lugar um pouco mais movimentado do que aquele onde embarcaram —, as três meninas estavam exaustas do terror prolongado e do suspense lancinante.

Mas não ousaram pensar nas palavras "Dimensão das Trevas" nem imaginar as várias maneiras com que as trevas podiam se manifestar.

— Nosso novo lar — disse Damon, carrancudo. Olhando para ele em vez de olhar para aquele novo cenário, Elena percebeu, pela tensão em seu pescoço e em seus ombros, que Damon não estava gostando nada daquilo. Ela pensava que, para ele, era como entrar em seu paraíso particular, um mundo de escravos humanos, onde a tortura era diversão, cuja única regra era a preservação do ego individual. Agora percebia que estava errada. Para Damon, este era um mundo de seres com poderes iguais aos dele... Ou até maiores. Ele ia ter de lutar por um lugar aqui entre eles, como qualquer malandro nas ruas — só que não podia cometer erro nenhum. Eles precisavam achar um jeito não apenas de viver, mas viver no luxo e se misturar com a alta sociedade, se quisessem ter alguma chance de resgatar Stefan.

Stefan — não, ela não permitiria *a si* o luxo de pensar nele a essa altura, pois corria o risco de ficar arrasada e começar a exigir coisas ridículas, como que eles fossem à prisão, só para olhar, como uma estudante apaixonada por um menino mais velho que queria apenas que a levassem de carro "perto da casa *dele*" para poder admirá-lo. E depois, o que isso traria de bom a seus planos de libertá-lo? O Plano A era: *não cometer erros*, e Elena se ateria a ele até que achasse outro melhor.

Foi quando Damon e suas "escravas" chegaram à Dimensão das Trevas, através do Portal do Demônio. A menor delas precisou ser reanimada com água no rosto antes de conseguir se levantar e andar.

15

Apressando-se atrás de Damon, Elena tentou não olhar para os lados. Podia ver bem mais do que aquilo que para Meredith e Bonnie era apenas uma escuridão uniforme. Havia depósitos dos dois lados, lugares onde escravos obviamente eram comprados, vendidos ou transportados posteriormente. Elena podia ouvir gemidos de crianças no escuro e se ela própria não estivesse tão assustada, teria corrido para acudir as crianças chorosas.

Mas não posso fazer isso, porque agora sou uma escrava, pensou ela, com um choque que começava pela ponta dos dedos. Não sou mais um ser humano de verdade. Sou propriedade de alguém.

Ela se viu mais uma vez olhando a nuca de Damon e perguntando-se como fora convencida a se meter nessa. Elena entendia o que significava ser uma escrava — na verdade parecia ter uma compreensão intuitiva e surpreendente disso —, e definitivamente não era boa coisa.

Significava que ela podia ser... Bom, que qualquer coisa podia ser feita com ela e não era da conta de ninguém, só de seu dono. E seu dono (*como* ele a convencera daquilo mesmo?) era ninguém menos que Damon.

Ele podia vender as três meninas — Elena, Meredith e Bonnie — e sair dali uma hora depois com o lucro.

Eles andaram apressadamente pelas docas, com as meninas olhando para baixo para não tropeçar.

Depois subiram uma colina. Abaixo do grupo, numa espécie de formação em cratera, havia uma cidade.

Os cortiços ficavam às margens e se estendiam quase até o ponto onde eles estavam. Mas havia uma tela de arame diante deles, que os mantinha isolados, ao mesmo tempo que proporcionava uma vista de cima da cidade. Se ainda estivessem na caverna por onde entraram, esta teria sido a maior caverna subterrânea imaginável — mas não estavam mais no subsolo.

— Isso às vezes acontece durante a travessia de balsa — disse Damon. — Nós pegamos... Bom... Um desvio no espaço, digamos assim. — Ele tentou explicar e Elena se esforçou para entender. — Você entra pelo Portal do Demônio e quando sai não está mais na dimensão da Terra, mas em outra completamente diferente.

— Elena teve que olhar o céu para acreditar nele. As constelações eram outras; não havia Ursa Menor nem Ursa Maior, nem a Estrela Polar.

E havia o Sol, que era muito maior, mas muito mais fraco do que o da Terra, e jamais deixava o horizonte. A qualquer momento cerca de metade dele aparecia, dia e noite — termos que, como Meredith observou, perdiam seu significado ali.

Ao se aproximarem de um portão de tela que finalmente os tiraria da área de armazenagem de escravos, foram detidos pelo que Elena mais tarde descobriria ser uma Guardiã.

Ela aprenderia isso, de certo modo; os Guardiões eram os governantes da Dimensão das Trevas, embora eles mesmos viessem de um lugar distante; era como se eles praticamente tivessem ocupado este pedacinho do Inferno, tentando impor a ordem entre os reis dos cortiços e senhores feudais que dividiam a cidade entre eles.

Esta Guardiã era alta, seu cabelo da cor do de Elena — verdadeiramente dourado — cortado reto na altura dos ombros, e praticamente ignorou a presença de Damon, mas de imediato perguntou a Elena, que estava logo atrás dele na fila:

— Por que está aqui?

Elena ficou feliz, muito feliz, por Damon ter lhe ensinado a controlar sua aura. Ela se concentrou nisso enquanto o cérebro zumbia a uma velocidade supersônica, perguntando-se qual seria a resposta certa para aquela pergunta. A resposta que os deixaria livres e não os mandasse de volta para casa.

Damon não nos treinou para isso, foi a primeira coisa que Elena pensou. E a segunda foi, porque ele nunca esteve aqui. Ele não sabe como tudo funciona por aqui, só algumas coisas.

E *se* tivesse a impressão de que esta mulher pudesse tentar se meter nos negócios dele, Damon simplesmente enlouqueceria e a atacaria, acrescentou uma voz de algum lugar no subconsciente de Elena. Elena duplicou a velocidade de seu estratagema. Antes, Elena costumava ser uma especialista na arte de mentir, e, naquele momento, ela disse a primeira coisa que lhe passou pela cabeça e mostrou o polegar para cima.

— Fiz uma aposta com ele e perdi.

Uau, pareceu bom. As pessoas perdem todo tipo de coisas quando apostam: lavouras, talismãs, cavalos, castelos, lâmpadas com gênios. E se por acaso aquilo não fosse motivo suficiente, ela podia dizer que era só o começo de sua triste história. Melhor ainda, de certo modo aquela história era verdade. Havia tempos dera sua vida por Damon e por Stefan, e Damon não virou exatamente a página, como Elena pedira. Meia página, talvez. Apenas um pedacinho.

A Guardiã a encarava com uma expressão confusa nos olhos muito azuis. As pessoas haviam encarado Elena a vida toda — quando se era jovem e bonita, só se fica irritada quando as pessoas não olham para você. Mas aquela expressão era meio preocupante. Será que a mulher alta estava lendo sua mente? Elena tentou acrescentar outra camada de ruído branco. O que apareceu foram alguns versos de uma música da Britney Spears. Ela aumentou o volume psíquico.

A mulher alta colocou dois dedos na cabeça como alguém que sente a pontada de uma súbita cefaleia. Depois olhou para Meredith.

— Por que... está aqui?

Em geral Meredith não mentia, mas quando era necessário tratava a mentira como uma arte intelectual. Felizmente, ela também nunca tentava consertar nada que não tivesse defeitos.

— Aconteceu a mesma coisa comigo — disse ela com tristeza.

— E você? — A mulher olhava para Bonnie, que dava a impressão de que ia desmaiar novamente.

Meredith deu um pequeno cutucão em Bonnie. Depois olhou bem para ela. Elena a encarou severamente, sabendo que Bonnie só precisava murmurar um "eu também". E Bonnie era boa em concordar uma vez que Meredith fizesse isso.

O problema era que Bonnie ou estava em transe, ou perto demais disso para se importar.

— Almas Sombrias — disse Bonnie.

A mulher pestanejou, mas não como piscamos quando alguém diz algo que não tem resposta. Ela piscou de assombro.

Ah, meu Deus, pensou Elena. Bonnie conseguiu a senha deles ou coisa parecida. Está fazendo previsões, profetizando ou sei lá o quê.

— Almas... Sombrias? — disse a Guardiã, olhando Bonnie atentamente.

— A cidade está cheia delas — disse Bonnie num tom infeliz.

Os dedos da Guardiã dançaram sobre o que parecia um palmtop.

— Sabemos disso. É para este lugar que elas vêm.

— Então deviam impedir.

— Nossa jurisdição é limitada. A Dimensão das Trevas é regida por uma dezena de facções de senhores, que têm chefes nos cortiços para levar suas ordens a cabo.

Bonnie, pensou Elena, tentando atravessar o labirinto mental da amiga mesmo que a Guardiã a ouvisse. *Eles são a* polícia.

No mesmo instante, Damon assumiu.

— O motivo dela é o mesmo das outras — disse ele. — Só que é paranormal.

— Ninguém pediu a sua opinião — rebateu a Guardiã, sem sequer olhar na direção dele. — Não me importa que tipo de figurão você era lá. — Ela apontou a cabeça com desdém para a cidade de luzes. — Atrás desta cerca, está em meu território. E estou perguntando à ruivinha: o que ele diz é verdade?

Elena entrou em pânico por um instante. Depois de tudo por que passaram, se agora Bonnie estragasse tudo...

Desta vez Bonnie piscou. O que quer que estivesse tentando comunicar, a verdade era que era igual a Meredith e Elena. E era verdade que ela era paranormal. Bonnie mentia muito mal quando tinha tempo demais para pensar, mas ela só respondeu sem hesitar:

— Sim, é verdade.

A Guardiã encarou Damon.

Damon sustentou seu olhar como se pudesse fazer isso a noite toda. Encarar era a especialidade dele.

E a Guardiã acenou para se afastarem.

— Imagino que até uma paranormal possa ter um dia ruim — disse ela. Depois acrescentou a Damon: — Cuide delas. Você sabe que todas as paranormais devem ter licença para trabalhar, não sabe?

Damon, com suas melhores maneiras de *grand seigneur*, respondeu:

— Senhora, elas não são paranormais profissionais. São minhas assistentes particulares.

— E eu não sou uma "senhora"; sou tratada como "Meritíssima". A propósito, os viciados em jogo costumam encontrar um fim terrível por aqui.

Rá, rá, pensou Elena. Se ela soubesse que *tipo* de jogo todos estamos fazendo... Bom, provavelmente ficaríamos pior do que Stefan.

Do outro lado da cerca havia um pátio, onde estavam algumas liteiras, assim como riquixás e pequenas charretes. Nenhuma carroça, nem cavalos. Damon pegou duas liteiras, uma para ele e Elena, outra para Meredith e Bonnie.

Bonnie, ainda com a expressão confusa, olhava o sol.

— Quer dizer que nunca acaba de nascer?

— Não — disse Damon pacientemente. — E está se pondo, e não nascendo. O crepúsculo eterno da Cidade das Trevas. Verá mais enquanto avançarmos. Não toque nisso — acrescentou ele, enquanto Meredith tentava desamarrar a corda dos pulsos de Bonnie antes de subir na liteira. — Vocês duas podem tirar as cordas na liteira, se fecharem as cortinas, mas não as percam. Ainda são escravas e precisam usar algo simbólico nos braços para mostrar isso... Mesmo que sejam só pulseiras iguais. Caso contrário, eu terei problemas. Ah, e vocês terão que entrar na cidade de véu.

— Nós... *o quê?* — Elena lançou um olhar incrédulo para ele.

Damon se limitou a abrir o sorriso de 250 quilowatts e, antes que Elena pudesse dizer alguma coisa, tirou alguns tecidos transparentes e finos da mochila preta e entregou-os a elas. O tamanho dos véus era suficiente para cobrir todo o corpo.

— Mas vocês só precisam colocar na cabeça, prender no cabelo ou coisa assim — disse Damon com desdém.

— É feito do quê? — perguntou Meredith, sentindo o tecido sedoso e leve, transparente e tão fino que o vento ameaçava arrancá-lo dos dedos.

— E como vou saber?

— A cor é diferente do outro lado! — Bonnie descobriu isso ao deixar o vento transformar o véu verde-claro em um prata cintilante. Meredith balançava uma seda violeta-escuro em um azul misterioso pontilhado de uma miríade de estrelas. Elena, que esperava que seu véu fosse azul, viu-se olhando para Damon. Ele segurava o tecido dobrado nas mãos.

— Vamos ver como fica em você — murmurou ele, assentindo para ela se aproximar. — Adivinhe a cor.

Outra menina teria percebido os olhos negros e as linhas puras e entalhadas no rosto de Damon, ou talvez o sorriso selvagem e cruel — um tanto mais selvagem e mais doce do que nunca, como um arco-íris no meio de um furacão. Mas Elena também observou a rigidez de seu pescoço e dos ombros, onde a tensão se acumulava. A Dimensão das Trevas já está cobrando seu preço, fisicamente, mesmo com as zombarias de Damon.

Ela se perguntou quantas sondagens de Poder da parte dos curiosos ele tinha de bloquear a cada segundo. Ela estava prestes a oferecer ajuda, abrindo-se para o mundo sobrenatural, quando ele disse:

— Adivinhe! — E seu tom não era muito sugestivo.

— Dourado — disse Elena de imediato, surpreendendo-se. Quando estendeu a mão para pegar o quadrado dourado que Damon lhe oferecia, uma forte e agradável corrente elétrica disparou de sua palma, subindo pelo braço e parecendo torcê-la diretamente pelo coração. Damon segurou o dedos de Elena brevemente e ela sentiu como se pudesse captar a eletricidade pulsando da ponta dos dedos dele.

O verso do véu soprou branco e cintilou como se fosse incrustado de diamantes. Meu Deus, talvez *fossem mesmo* diamantes, pensou ela. Como ter certeza, em se tratando de Damon?

— Seu véu de noiva, quem sabe? — sussurrou Damon, com os lábios próximos do ouvido dela. A corda nos pulsos de Elena ficou frouxa demais e ela, indefesa, afagou o tecido transparente, sentindo as minúsculas pedras preciosas, do lado branco, frias em seus dedos.

— Como sabia que ia precisar de todas essas coisas? — perguntou Elena, com um pragmatismo contundente. — Você não sabia de tudo, mas parecia saber o bastante.

— Ah, pesquisei em bares e em alguns lugares. Encontrei pessoas que estiveram aqui e conseguiram sair... Ou foram expulsas. — O sorriso selvagem de Damon ficava cada vez mais selvagem. — À noite, enquanto você dormia. Comprei *isto* numa lojinha escondida. — Ele assentiu para o véu e acrescentou: — Não precisa cobrir o rosto com ele. Pressione no cabelo e ele vai se prender.

Elena obedeceu, usando o lado dourado para fora. Caía até seus calcanhares. Ela passou o dedo no véu, já podendo ver as possibilidades de sedução nele, assim como as de desdém. Se ela pudesse tirar essa maldita corda dos pulsos...

Depois de um momento, Damon se retraiu para a persona do senhor imperturbável e disse:

— Para o bem de todos nós, precisamos ser rigorosos com essas coisas. Os chefes dos cortiços e a nobreza que governa esta abominável bagunça que chamam de Dimensão das Trevas sabem que estão à beira de uma revolução, e se dermos o menor motivo, eles vão fazer de nós Um Exemplo Público.

— Tudo bem — disse Elena. — Toma, segure minha corda que vou subir na liteira.

Mas depois que ambos estavam sentados na mesma liteira, não havia muito sentido na corda. A liteira era carregada por quatro homens — não grandes, porém musculosos, e todos da mesma altura, o que tornava o percurso suave.

Se Elena fosse uma cidadã livre, jamais teria se permitido ser carregada por quatro pessoas que (ela supunha) eram escravos. Na realidade, teria feito um estardalhaço por causa disso. Mas a conversa que teve consigo mesma nas docas a fez refletir. *Ela* era uma escrava, mesmo que Damon não tivesse pagado nada por ela. Não tinha o direito de fazer estardalhaço com *nada*. Neste lugar carmesim com cheiro maligno, seus gritos provavelmente criariam ainda mais problemas para os próprios carregadores — fazendo com que seu senhor ou quem administrasse o negócio das liteiras os castigasse, como se fosse culpa deles.

Por ora, melhor se ater ao Plano A: ficar de boca fechada.

Havia muito para ver. Tinham passado por uma ponte, que cobria cortiços de odor desagradável, e becos cheios de casas prestes a cair. Em seguida passaram por uma área de comércio, as primeiras lojas eram fortemente gradeadas e feitas de pedra, depois vinham construções mais respeitáveis, e de repente eles estavam andando por um mercado a céu aberto. Mas mesmo aqui o selo da pobreza e da fadiga aparecia em muitos rostos. Elena esperava no máximo uma cidade fria, sombria e asséptica, com vampiros impassíveis e demônios de olhos vermelhos andando pelas ruas. Em vez disso, todos que via pareciam humanos e vendiam coisas — de remédios a comida e bebida, produtos dos quais os vampiros não precisavam.

Bom, talvez os kitsune e os demônios precisem deles, raciocinou Elena, tremendo com a ideia do que um demônio ia querer comer. Nas esquinas havia grupos de meninas e meninos malvestidos de expressões rudes, e pessoas esfarrapadas e famintas segurando placas deprimentes que diziam UMA LEMBRANÇA POR UMA REFEIÇÃO.

— O que elas querem dizer com isso? — perguntou Elena a Damon, mas ele não lhe respondeu de imediato.

— É assim que os humanos livres da cidade passam a maior parte do tempo — disse ele. — Então, lembre-se disso antes de pensar em se meter em uma de suas missões...

Elena não escutava. Olhava um dos que seguravam uma placa. O homem era terrivelmente magro, com uma barba enorme e dentes podres, mas o pior era a expressão de desespero em seu rosto. De vez em quando estendia a mão trêmula na qual segurava uma bola pequena e clara, murmurando: "Um dia de verão quando eu era jovem. Um dia de verão por uma peça de dez geld." Em geral não havia ninguém por perto quando ele falava.

Elena tirou o anel de lápis-lazúli que Stefan lhe dera e o estendeu para ele. Não queria irritar Damon saindo da liteira, então teve de dizer:

— Venha cá, por favor. — E estendeu o anel para o barbudo.

Ele ouviu, e chegou à liteira com rapidez. Elena viu algo se mexer em sua barba — piolhos, talvez — e se obrigou a olhar para o anel ao falar.

— Pegue. Rápido, por favor.

O velho olhou o anel como se fosse um banquete.

— Não tenho troco — gemeu ele, levantando a mão e enxugando a boca com a manga. Ele parecia prestes a cair inconsciente ao chão. — Não tenho troco!

— Não quero troco! — disse Elena vencendo o imenso inchaço que se formava na garganta. — Pegue o anel. Rápido, ou vou deixá-lo cair.

Ele o arrancou de seus dedos enquanto os carregadores avançavam de novo.

— Que os *Guardiões* a abençoem, senhora — disse ele, tentando acompanhar o trote dos carregadores. — Que *eles* a abençoem!

— Não devia ter feito isso — disse Damon a Elena quando a voz do homem esmoreceu atrás deles. — Ele não vai comprar uma refeição com isso, sabia?

— Ele estava faminto — disse Elena com brandura. Ela não conseguia explicar que ele lhe lembrava Stefan, não agora. — Era o *meu* anel — acrescentou ela na defensiva. — Acho que sei o que vai dizer. Que ele vai gastar tudo em álcool e drogas.

— Não, mas também não vai comprar uma refeição com ele. Vai comprar um banquete.

— Bom, que seja...

— Na imaginação dele. Vai comprar um globo empoeirado com alguma lembrança antiga de um vampiro em um banquete romano, ou a lembrança de alguém da cidade em um banquete moderno. Depois vai repetir essa recordação sem parar enquanto morre de fome aos poucos.

Elena ficou chocada.

— Damon! Rápido! Tenho que voltar e encontrá-lo...

— Receio que não possa. — Devagar, Damon ergueu a mão. Segurava firmemente a corda de Elena. — Além disso, ele já se foi.

— Como ele pode fazer isso? Como alguém pode fazer isso?

— Como um paciente de câncer de pulmão se recusa a parar de fumar? Mas concordo que aqueles globos podem ser as substâncias mais viciantes do mundo. Culpe os kitsune por trazer suas esferas estelares para cá e fazer delas uma obsessão.

— Esferas estelares? *Hoshi no tama*? — Elena arfou.

Damon a olhou, igualmente surpreso.

— O que você *sabe* delas?

— Só sei o que Meredith descobriu. Ela disse que os kitsune geralmente são retratados ou com chaves — ela ergueu as sobrancelhas para ele — ou com esferas estelares. E que segundo algumas lendas, eles podem colocar parte do seu poder, ou todo ele, na esfera, e assim, se você a encontrar, pode controlar o kitsune. Ela e Bonnie pretendem encontrar as esferas estelares de Misao ou Shinichi para poder controlá-los.

— Mas ainda assim, meu coração indomável — começou Damon teatralmente, mas no segundo seguinte já estava todo prático. — Lembra o que o velho disse? Um dia de verão por uma refeição? Ele estava falando *disso*. — Damon pegou o pequeno globo que o velho havia largado na liteira e levou-a à têmpora de Elena.

O mundo desapareceu.

Damon havia sumido. A visão e os sons — sim, e os cheiros — do mercado tinham sumido. Ela estava sentada na relva verde que ondulava com a brisa leve e olhava um salgueiro-chorão curvado na margem de um regato acobreado e ao mesmo tempo verde-escuro. Havia um cheiro doce no ar — madressilva, frésia? Algo delicioso agitava Elena enquanto ela se recostava para olhar as nuvens brancas e perfeitas como uma pintura rolando no céu.

Ela sentiu... Não sabia como dizer. Sentiu-se jovem, mas em algum lugar de sua mente sabia que na verdade era mais nova do que a personalidade estranha que se apoderara dela. Ainda assim, ficou animada por ser primavera e por cada folha verde e dourada, cada pequeno junco, cada nuvem branca e leve se rejubilarem com ela.

E de repente seu coração estava aos saltos. Ela acabara de ouvir o som de passos. Em um momento de alegria na primavera, ela estava de pé, os braços estendidos em seu amor extremado, a louca devoção que sentia por...

... essa jovem? Algo dentro do cérebro do usuário da esfera pareceu recuar de assombro. Acima de tudo, porém, foi pego relacionando as perfeições da menina que se esgueirava com tanta leveza pela relva ondulante: os cachos escuros se reunindo no pescoço, os olhos verdes e faiscantes sob sobrancelhas arqueadas, o leve brilho da pele de seu rosto enquanto ela ria para o amado, fingindo fugir em pés leves como os de um elfo...!

Perseguidor e acossada caíram juntos no tapete macio da relva alta... E as coisas rapidamente ficaram tão apaixonadas que Elena, a mente distante ao fundo, começou a se perguntar como diabos se *parava* uma coisa dessas. Sempre que levava a mão à têmpora, tateando, era apanhada e beijada por... Allegra... e Allegra era uma menina. Certamente era bonita, em especial pelos olhos deste espectador. Sua pele macia e sedosa...

Em seguida, com um choque tão grande quanto o que sentiu quando o mercado desapareceu, ela estava de volta. Ela era Elena; estava na liteira com Damon; havia uma cacofonia ao seu redor — e mil cheiros diferentes. Mas Elena respirava com dificuldade, e parte dela ainda ressoava John — era esse o nome dele —, o amor de John por Allegra.

— Mas *ainda* não entendo. — Ela quase caiu de joelhos.

— É simples — disse Damon. — Você coloca uma esfera estelar vazia do tamanho que quiser na têmpora e pensa no momento que quer registrar. A esfera faz o resto. — Ele gesticulou para que ela não o interrompesse e se inclinou para a frente com malícia naqueles olhos negros e insondáveis. — Quem sabe você teve um dia de verão especialmente *quente*? — disse ele, acrescentando sugestivamente: — Essas liteiras têm cortinas.

— Deixa de ser bobo, Damon — disse Elena, mas os sentimentos de John atiçaram os dela, como sílex e lenha. Ela não queria beijar Damon, disse a si mesma com severidade. Queria beijar Stefan. Mas como segundos antes estivera beijando *Allegra*, este não parecia um argumento muito forte.

— Acho — começou ela, ainda sem fôlego, enquanto Damon estendia-lhe a mão — que esta não é uma boa...

Com um leve peteleco na corda, Damon desamarrou as mãos de Elena. Ele teria puxado os pulsos dela, mas Elena imediatamente se virou um pouco, escorando-se com a mão. Precisava se escorar.

Naquelas circunstâncias, porém, não havia nada mais significativo — ou mais... excitante... do que o que Damon fizera. Ele não puxou as cortinas, mas Bonnie e Meredith estavam numa liteira logo atrás, fora de vista. E certamente longe da mente de Elena. Ela sentiu braços quentes envolvendo-a e por instinto se aninhou neles. Sentiu uma onda de puro amor e apreço por Damon, por sua compreensão de que ela jamais faria isso como escrava com um senhor.

Nós dois somos indomáveis, ela ouviu em sua mente, lembrando-se de que quando relaxava a maior parte de suas capacidades paranormais, esquecia-se de baixar o volume desta. Ah, que seja, pode bem vir a calhar...

Nós dois gostamos de ser venerados, respondeu ela telepaticamente, e sentiu o riso de Damon nos lábios dela enquanto ele admitia a verdade. Ultimamente, não havia nada mais doce em sua vida do que os beijos de Damon. Ela podia vagar neles para sempre, esquecendo-se do mundo. E era bom, porque, para Elena, havia depressão de mais e felicidade de menos no mundo. Mas se ela pudesse recorrer a isto sempre, a esta doçura, este êxtase bem-vindo...

Elena sobressaltou-se, lançando o peso para trás com tal rapidez que os carregadores da liteira quase caíram amontoados.

— Seu cretino — sussurrou ela com crueldade. Eles ainda estavam psiquicamente ligados e Elena ficou feliz por ver, pelos olhos de Damon, que ela era como uma Afrodite vingativa: seu cabelo dourado erguendo-se e vergastando atrás dela como uma tempestade, os olhos violeta brilhando em sua fúria elementar.

E agora, para piorar as coisas, a deusa virara a cara.

— Nem um dia — disse ela. — Você não consegue manter sua promessa nem por um dia que seja!

— Eu não fiz! Não influenciei você, Elena!

— Não me chame assim. Agora temos uma relação profissional. Eu o chamo de "amo". Você me chama de "escrava", "cadela" ou o que quiser.

— Se temos uma relação profissional de senhor e escrava — disse Damon, com os olhos perigosos —, então posso simplesmente ordenar que você...

— Experimente! — Elena ergueu os lábios no que realmente não era um sorriso. — Por que não tenta e vê o que acontece?

16

amon decidiu apelar à clemência de Elena e lançou um olhar comovente e meio desequilibrado a ela, o que ele fazia com facilidade sempre que queria.

— Eu realmente não tentei influenciá-la — repetiu ele, mas logo acrescentou: — Talvez seja melhor mudar de assunto... Quem sabe contar mais sobre as esferas estelares.

— Esta — disse Elena em sua voz mais fria — pode ser uma ótima ideia.

— Bom, as esferas gravam as memórias diretamente de seus neurônios, entendeu? Tudo o que você viveu está armazenado em algum lugar do seu cérebro, e a esfera só traz para fora.

— Assim você pode se lembrar daquilo sempre e assistir quantas vezes quiser, como um filme? — perguntou Elena, brincando com o véu para esconder o rosto e pensando que uma esfera estelar seria um ótimo presente para Alaric e Meredith antes do casamento.

— Não — disse Damon, carrancudo. — *Não* é assim. Primeiro, a lembrança sai de você... Estamos falando de brinquedos de kitsune, lembra? Depois que a esfera tira a memória de seus neurônios, *você* não se lembra mais de nada. Segundo, a "gravação" na esfera estelar vai sumindo aos poucos... Com o uso, com o tempo, com outros fatores que ninguém compreende. Mas a esfera fica mais turva e as sensações enfraquecem, até que por fim não passa de um globo de cristal vazio.

— Mas... Aquele pobre homem estava vendendo um dia da *vida* dele. Um dia maravilhoso! É de se pensar que ele quisesse ficar com ele.

— Você o viu.

— Sim. — Mais uma vez Elena teve a visão do velho infestado de piolhos, faminto, a pele cinzenta. Sentiu algo gelado descendo pela espinha ao pensar que um dia ele fora o jovem John risonho e alegre que ela viu e sentiu. — Ah, que coisa triste — disse ela, e não estava falando da lembrança.

Mas, pela primeira vez, Damon não acompanhou seus pensamentos.

— Sim — disse ele. — Existem muitos pobres e velhos aqui. Eles trabalham para se libertar da escravidão, ou seu senhor generoso morre... E é assim que eles acabam.

— Mas e as esferas estelares? São feitas para os pobres? Os ricos podem simplesmente viajar para a Terra e viver um dia de verão por si mesmos, não é?

Damon riu sem muito humor.

— Ah, não, eles não podem. A maioria deles está *amarrada* a este lugar.

Ele pronunciou *amarrada* de um jeito estranho. Elena se arriscou:

— Ocupados demais para tirar férias?

— Ocupados demais, poderosos demais para passar pelas proteções que cercam a Terra deles, preocupados demais com o que seus inimigos farão enquanto eles estiverem fora, fisicamente decrépitos, famosos demais, mortos demais.

— *Mortos?* — O horror do túnel e da névoa com cheiro de decomposição parecia prestes a envolver Elena.

Damon abriu um de seus sorrisos cruéis.

— Esqueceu-se de que seu namorado é *de mortius*? Para não falar de seu ilustre amo? A maioria das pessoas, quando morre, vai para outro nível, que não é este... Um nível superior ou inferior. Este é o lugar dos maus, mas é um nível acima. Mais para baixo... Bom, ninguém quer ir para lá.

— Como o Inferno? — Elena arquejou. — Estamos no Inferno?

— É mais como o Purgatório, pelo menos onde estamos. E tem o Outro Lado. — Ele assentiu para o horizonte, onde o sol poente ainda estava parado. — A outra cidade, que pode ter sido seu destino em suas "férias" no além. Aqui a chamam de "O Outro Lado". Mas posso lhe contar duas histórias que ouvi de meus informantes. Lá, chamam de Corte Celeste. E lá o céu é azul cristalino e o sol está sempre nascendo.

— A Corte Celeste... — Elena se esqueceu de que falava em voz alta. Ela sabia, por instinto, que era o tipo de corte de rainhas-e-cavaleiros-e-feiticeiras, e não uma corte judicial. Seria como Camelot. Só de pronunciar as palavras ela teve uma nostalgia dolorosa e... não lembranças, mas a sensação de que as lembranças estavam trancadas atrás de uma porta. Era uma porta, porém, bem trancada, e só o que Elena podia ver pelo buraco da fechadura eram filas de mulheres que pareciam com as Guardiãs, altas, de cabelos dourados, olhos azuis, e uma delas — do tamanho de uma criança entre mulheres adultas — olhava para cima e, de uma forma penetrante, a uma longa distância, encontrou diretamente os olhos de Elena.

A liteira saía do mercado e entrava em outros cortiços, que Elena avistou espiando rapidamente para os dois lados, escondida atrás do véu. Pareciam com qualquer favela, *barrios* ou comunidades pobres da Terra — só piores. Crianças, com o cabelo vermelho queimado do sol, amontoavam-se em volta da liteira de Elena, as mãos estendidas num gesto de significado universal.

Elena se sentiu dilacerar intimamente por não ter nada de valor para lhes dar. Ela queria construir casas ali, certificar-se de que aquelas crianças tivessem comida e água potável, e também educação, e um futuro próspero. Uma vez que não tinha ideia de como lhes dar qualquer uma dessas coisas, ela as olhava correrem com tesouros, como seu chiclete Juicy Fruit, seu pente, sua escova, o gloss, a garrafa de água e os brincos.

Damon balançava a cabeça, mas só a deteve quando ela se atrapalhou com o pingente de lápis-lazúli e diamante que Stefan dera a ela. Elena chorava ao tentar abrir o fecho quando de repente a corda em volta de seu pulso se encurtou.

— Já basta — disse Damon. — Você não entende. Ainda nem entramos na cidade. Por que não dá uma olhada na arquitetura em vez de se preocupar com esses pirralhos inúteis que vão morrer de qualquer jeito?

— Que frieza, a sua — disse Elena, mas não conseguia pensar em um jeito de fazê-lo entender e estava com raiva demais dele para tentar.

Mesmo assim, ela parou de mexer na corrente e olhou para além dos barracos, como Damon sugeriu. Ali podia ver uma silhueta impressionante, com prédios que pareciam existir havia uma eternidade, construídos com pedras, como as pirâmides egípcias e os zigurates maias deviam parecer quando novos. Tudo, porém, era tingido de vermelho e preto por um sol agora escondido por repentinas nuvens carmim. Aquele sol imenso e vermelho dava à atmosfera um clima diferente para diferentes estados de espírito. Às vezes parecia quase romântico, cintilando em um grande rio pelo qual Elena e Damon passaram, destacando mil marolas no movimento lento da água. Em outras ocasiões, simplesmente parecia estranho e agourento, aparecendo claramente no horizonte como um presságio monstruoso, tingindo as construções, por mais magníficas que fossem, da cor do sangue. Quando eles se afastaram disso, enquanto os carregadores entravam na cidade onde ficavam aqueles prédios imensos, Elena pôde ver sua própria sombra longa e ameaçadora atrás de si.

— E então? O que acha? — Damon parecia tentar aplacá-la.

— Ainda acho que parece o Inferno — disse Elena devagar. — Eu detestaria morar aqui.

— Ah, mas quem disse que vamos morar aqui, minha Princesa das Trevas? Vamos voltar para casa, onde a noite é negra e aveludada e a lua brilha, deixando tudo prateado. — Lentamente, Damon passou um dedo na mão de Elena, subindo por seu braço até chegar ao ombro, provocando um arrepio por dentro de Elena.

Ela tentou manter o véu alto como uma barreira contra ele, mas era transparente demais. Ele ainda lhe abria aquele sorriso reluzente e deslumbrante, pelo branco pontilhado de diamantes — rosado, é claro, por causa da luz — que estava de seu lado do véu.

— Este lugar tem uma lua? — perguntou ela, tentando distraí-lo. Elena estava com medo, com medo dele, com medo de si mesma.

— Ah, sim; acho que três ou quatro. Mas são pequenas demais e é claro que o sol nunca baixa, então não se pode vê-las bem. Não é... romântico. — Ele sorriu novamente, desta vez lentamente, e Elena virou o rosto.

E ao olhar para o lado, ela viu algo diante de si que prendeu toda a sua atenção. Numa rua transversal, uma carroça virava, derramando grandes rolos de pelo e couro. Havia uma velha magra de aparência faminta presa à carroça como uma besta, prostrada no chão, e um homem alto e colérico assomando sobre ela, descendo golpes de um chicote em seu corpo desprotegido.

O rosto da mulher estava voltado para Elena. Contorcia-se numa careta de angústia, enquanto ela tentava em vão se enroscar, com as mãos na barriga. Estava nua da cintura para cima, mas o chicote vergastava sua carne, e o corpo, do pescoço à cintura, recobria-se de uma camada de sangue.

Elena sentiu que inchava de Poderes das Asas, mas de algum modo não acontecia cada. Desejou com toda sua força vital circulante que alguma coisa — *qualquer coisa* — se libertasse de seus ombros, mas não adiantou. Talvez tivesse algo a ver com usar os restos das pulseiras de escrava. Talvez fosse Damon, ao lado dela, dizendo-lhe em uma voz vigorosa para não se meter.

Para Elena, as palavras dele não passavam de pontuação para a batida do coração em seus ouvidos. Bruscamente, ela se livrou da corda, depois saiu da liteira. Em seis ou sete passos estava ao lado do homem com o chicote.

Era um vampiro, as presas alongadas ao ver o sangue, mas não parou seu açoite frenético. Era forte demais para Elena, mas...

Com um passo a mais Elena se postou acima da mulher, seus braços estendidos num gesto de proteção e defesa. Uma corda pendia de um pulso.

O dono da escrava não ficou impressionado. Já estava descendo a chibatada seguinte e acertou o rosto de Elena, abrindo ao mesmo tempo um rasgo grande em sua camiseta fina de verão, cortando-a e lancetando a carne por baixo. Enquanto ela ofegava, a ponta do chicote cortou seus jeans como se o tecido fosse manteiga.

Lágrimas se formaram involuntariamente nos olhos de Elena, mas ela as ignorou. Conseguira não pronunciar um som que fosse além daquele ofegar no início. E ainda estava firme, exatamente onde se postara para proteger a mulher. Elena podia sentir o vento vergastar sua blusa rasgada, enquanto o véu intocado oscilava às costas, como que para proteger a pobre escrava que desmaiara junto à carroça arruinada.

Elena ainda tentava, desesperadamente, invocar qualquer Asa. Queria lutar com armas de verdade, e as tinha, mas não conseguia obrigá-las a salvar a si ou àquela pobre escrava. Mesmo sem elas, Elena sabia de uma coisa. Aquele canalha diante dela não ia tocar na escrava novamente, não sem primeiro cortar Elena em pedaços.

Alguém parou para olhar e outra pessoa saiu de uma loja, correndo. Quando as crianças que seguiam a liteira a cercaram, gemendo, formou-se uma multidão.

Ao que parecia, uma coisa era ver um mercador espancando sua serva desgastada — as pessoas daqui deviam ver esse tipo de coisa todos os dias. Mas ver essa linda menina ter as roupas cortadas, esta menina de cabelos como seda sob um véu branco e dourado, e olhos que talvez fizessem alguns se lembrar de um céu azul, do qual mal se recordavam — isto era bem diferente. Além disso, a menina nova obviamente era uma escrava bárbara e novata que, sem dúvida, havia humilhado seu senhor ao romper as cordas das mãos dele e agora estava parada ali, transformando a santidade de seu véu em escárnio.

Um teatro de rua terrível.

E mesmo com tudo isso o senhor armava outro golpe, levantando o braço bem alto e se preparando para despejar toda a sua força nela. Algumas pessoas na multidão ofegaram; outras murmuraram, indignadas. A nova audição de Elena, agora elevada, podia captar cada sussurro. Uma menina *assim* não tinha significado algum para os cortiços; devia ser destinada ao coração da cidade. Sua aura já mostrava isso. Na verdade, com aquele cabelo dourado e os olhos azul-claros, ela podia até ser uma Guardiã do Outro Lado. Quem poderia saber?

O chicote que subira ainda não descera. Antes de descer, houve um clarão de raio negro — de puro Poder — que dispersou metade da multidão. Um vampiro, de aparência jovem e vestido com roupa do mundo superior, a Terra, tinha aberto caminho e se postado entre a menina de cabelos dourados e o senhor da escrava — ou melhor, agora assomava sobre o senhor da escrava, que se encolhia. Os poucos na multidão que não se abalaram pela menina de imediato sentiram o coração bater mais forte ao ver *aquela figura*. Ele era o amo da menina, certamente, e agora cuidaria do problema.

Nesse instante, Bonnie e Meredith chegaram à cena. Estavam reclinadas na liteira, decorosamente enroladas nos véus, Meredith num azul-escuro estrelado e Bonnie num verde-claro e suave. Elas podiam ser uma ilustração de *As mil e uma noites*.

Mas no momento em que viram Damon e Elena, elas saltaram mais de maneira indecorosa da liteira. Agora a multidão era tão densa que abrir caminho até a frente exigia o uso de cotovelos e joelhos, mas em segundos elas estavam ao lado de Elena, as mãos desafiadoras desfazendo ou deixando pender a corda solta, os véus flutuando ao vento.

Quando chegaram ao lado de Elena, Meredith ofegou. Os olhos de Bonnie se arregalaram e assim ficaram. Elena entendeu o que elas viam. O sangue escorria em abundância do corte em seu rosto e sua blusa ficou aberta ao vento, revelando a combinação, também rasgada e ensanguentada. Uma perna do jeans rapidamente ficava vermelha.

Mas, atraída para a proteção de sua sombra, havia uma figura muito mais deplorável. E enquanto Meredith levantava o véu transparente de Elena para ajudar a manter sua blusa fechada e mais uma vez vesti-la com decência, a mulher levantou a cabeça, olhando as três meninas com os olhos de um animal sendo caçado.

Atrás delas, Damon disse com brandura:
— Este prazer será meu. — Ergueu o homem corpulento no ar com uma das mãos e atacou seu pescoço como uma cobra. Houve um grito horrendo, contínuo, que não cessava.

Ninguém tentou interferir, ninguém tentou incentivar o senhor da escrava a encarar a briga.

Elena, olhando os rostos na multidão, percebeu o motivo. Ela e as amigas já estavam acostumadas com Damon — ou como alguém pode se acostumar a seu ar um tanto indomado de ferocidade. Mas essas pessoas estavam vendo pela primeira vez o jovem vestido de preto, de altura mediana e corpo magro, que compensava a pouca musculatura com uma elegância suave e letal. Isto era ampliado pelo seu dom de dominar todo o espaço à sua volta, de modo que ele se tornava facilmente o foco de qualquer imagem — como uma pantera negra podia se tornar o foco se andasse preguiçosamente por uma rua movimentada de uma cidade.

Mesmo aqui, onde a ameaça e a franca crueldade eram características comuns, este jovem irradiava um perigo que fazia todos ficarem fora de seu campo de visão e jamais se colocarem em seu caminho.

Enquanto isso, Elena, Meredith e Bonnie olhavam em volta, procurando por alguma assistência médica, ou mesmo algo limpo que estancasse o sangue. Depois de cerca de um minuto, elas perceberam que não conseguiriam nada, então Elena apelou à multidão.

— Alguém conhece um médico? Um curandeiro? — gritou ela. A plateia apenas a olhou. Parecia relutar em se envolver com uma menina que desafiara o demônio de preto que agora torcia o pescoço do senhor da escrava.

— Então vocês todos acham que não tem nada de mais — gritou Elena, percebendo a perda de controle, o nojo e a fúria em sua própria voz — um canalha como esse açoitar uma grávida faminta?

Alguns baixaram os olhos, outros davam respostas que seguiam o raciocínio "Ele era o senhor dela, não era?". Mas um jovem que estivera recostado em uma carroça endireitou-se.

— Grávida? — repetiu ele. — Ela não parece grávida.

— Mas está sim!

— Bem — disse o jovem devagar. — Se for verdade, ele só está prejudicando a própria mercadoria. — Ele olhou nervoso para onde Damon agora estava, acima do senhor da escrava derrotado, em cujo rosto se formava uma careta medonha de agonia.

Elena ainda não havia conseguido ajuda nenhuma para uma mulher que ela temia estar à beira da morte.

— Será que *ninguém* sabe onde posso encontrar um médico?

— Agora houve murmúrios em vários tons na multidão.

— Talvez a gente consiga algo se oferecer algum dinheiro a eles — disse Meredith. Elena de imediato colocou a mão no pingente, mas Meredith foi mais rápida, abrindo o colar de ametista no pescoço e o estendendo. — Isto vai para quem nos indicar um bom médico primeiro.

Houve uma pausa enquanto todos pareceram avaliar a recompensa e o risco.

— Não tem nenhuma esfera estelar? — perguntou uma voz ofegante.

Então uma voz aguda e leve gritou:

— Isso serve para *mim*!

Uma criança — sim, um genuíno pivete — disparou para a frente da multidão, pegou a mão de Elena e apontou, dizendo:

— O Dr. Meggar, bem ali na rua. Só a algumas quadras daqui; podemos ir a pé.

A criança estava enrolada num vestido velho e esfarrapado, mas devia ser apenas para se aquecer, porque ela, ou ele, também vestia calças. Elena não conseguia saber se era menino ou menina até que a criança lhe abriu um sorriso doce e inesperado e sussurrou:

— Meu nome é Lakshmi.
— O meu é Elena — disse ela.
— É melhor correr, Elena — disse Lakshmi. — Os Guardiões vão chegar a qualquer minuto.

Meredith e Bonnie haviam colocado a escrava estupefata de pé, mas ela parecia sentir muita dor para decidir se elas queriam ajudá-la ou matá-la.

Elena se lembrou de como a mulher se agachara em sua sombra. Pôs a mão no braço ensanguentado dela e disse em voz baixa:

— Agora está segura. Vai ficar bem. Este homem... Seu... seu senhor... está morto e eu *prometo* que ninguém vai machucá-la novamente. Eu juro.

A mulher a olhou, incrédula, como se o que Elena dizia fosse impossível. Como se viver sem ser espancada constantemente — mesmo com todo o sangue, Elena podia ver cicatrizes antigas, algumas como cordões, na pele da mulher — fosse algo distante demais da realidade dela para sequer ser imaginado.

— Eu *juro* — disse Elena de novo, sem sorrir, mais seriamente. Ela entendeu que este era um fardo que ela tomava para toda a vida.

Está tudo bem, pensou ela, e percebeu que havia algum tempo enviava seus pensamentos a Damon. *Eu sei o que estou fazendo. Posso assumir a responsabilidade disso.*

Tem certeza?, a voz de Damon chegou a ela, insegura, como Elena nunca ouvira. *Porque eu não vou cuidar de uma bruxa velha quando você se cansar dela. Nem mesmo sei se estou preparado para lidar com o que vai me custar ter matado esse cretino do chicote.*

Elena se virou para ele. Damon falava sério. *Bom, então por que você o matou?*, ela o desafiou.

Está brincando? Damon lhe provocou um choque com a veemência e a malignidade daquele pensamento. *Ele feriu você. Eu o devia ter matado mais devagar*, acrescentou ele, ignorando um dos carregadores que se ajoelhava ao lado dele, sem dúvida perguntando o que fazer. Os olhos de Damon, porém, estavam fixos no rosto de Elena, no sangue que ainda escorria do corte. *Il figlio de cafone*, pensou Damon, os lábios se repuxando nos dentes enquanto ele olhava o cadáver. Até o carregador fugiu às pressas, engatinhando.

— Damon, não os deixe ir embora! Traga-os aqui, agora... — começou Elena, e depois, com uma espécie de ofegar coletivo a seu redor, continuou sem falar: *Não deixe os carregadores partirem. Nós precisamos de uma liteira para levar esta pobre mulher ao médico. E por que todo mundo está me encarando?*

Porque você é uma escrava e está fazendo coisas que nenhum escravo faz e agora está dando ordens, a mim, *seu amo*. A voz telepática de Damon era amarga.

Isso não é uma ordem. É um... Olha, qualquer cavalheiro ajudaria uma dama com problemas, não é? Bom, somos quatro aqui e uma tem mais problemas do que você pode imaginar. Não, são três. Acho que vou precisar de umas suturas e Bonnie está a ponto de desmaiar. Elena espicaçava os pontos fracos e sabia que Damon entendia o que ela estava fazendo. Mas ele ordenou que um dos grupos de carregadores pegasse a escrava e que o outro levasse as meninas.

Elena ficou com a mulher e terminou numa liteira com as cortinas fechadas. O cheiro de sangue era cúprico e lhe dava vontade de chorar. Mesmo que não quisesse olhar as lesões da escrava de perto, o sangue escorria pela liteira. Ela se viu tirando a blusa e a combinação e vestindo apenas a blusa, usando a combinação para estancar um corte no peito da mulher. Sempre que a mulher erguia os olhos castanho-escuros e assustados para ela, Elena tentava sorrir para lhe dar coragem. Elas estavam em algum lugar nos fossos da comunicação, onde um olhar e um toque significavam mais do que as palavras.

Não morra, pensava Elena. Não morra, você tem algo por que viver. Viva para ser livre e por seu filho.

E talvez parte do que ela pensava estivesse chegando à mulher, porque ela relaxou contra as almofadas da liteira, segurando a mão de Elena.

17

— O nome dela é Ulma — disse uma voz que fez Elena olhar para baixo e avistar Lakshmi puxando as cortinas da liteira, colocando a mão na cabeça da mulher. — Todo mundo conhece o Velho Drohzne e seus escravos. Ele bate neles até que desmaiem, então espera que eles peguem o riquixá e saiam levando uma carga. Ele mata cinco ou seis por ano.

— Esta ele não conseguiu matar — murmurou Elena. — Ele teve o que mereceu. — Ela apertou a mão de Ulma.

Elena ficou imensamente aliviada quando a liteira parou e Damon apareceu, no momento em que ela estava prestes a negociar com um dos carregadores para levar Ulma nos braços até o médico. Sem ligar para a própria roupa, Damon ainda conseguira, de alguma forma, transmitir desinteresse enquanto pegava a mulher — Ulma — e assentia para Elena segui-lo. Lakshmi pulava em volta dele e caminhou na frente, entrando em um pátio de pedra de desenho intrincado, descendo um corredor enviesado com algumas portas sólidas, de aparência respeitável. Por fim, bateu em uma porta e um homem enrugado, com uma cabeça imensa e o mais leve vestígio de barba, abriu-a com cautela.

— Não tenho nenhum *ketterris* aqui! Nem *hexen*, nem *zemeral*! E não gosto de feitiços! — Depois, espiando, com os olhos meio fechados, como se fosse míope, ele pareceu focalizar no pequeno grupo.

— Lakshmi? — disse ele.

— Trouxemos uma mulher que precisa de ajuda — disse Elena rispidamente. — E que está grávida. O senhor é médico, não é? Um curandeiro?

— Um curandeiro de capacidade um tanto limitada. Entrem, entrem.

O médico se apressava para uma sala dos fundos. Todos o seguiram, Damon ainda carregando Ulma. Depois de entrar, Elena viu que o curandeiro estava no canto do que parecia um santuário mágico, onde havia vodu e bruxaria de médico.

Elena, Meredith e Bonnie se olharam, nervosas, mas Elena ouviu um barulho de água e percebeu que o médico estava no canto porque havia uma bacia de água ali, onde ele lavava bem as mãos, enrolando as mangas até os cotovelos e fazendo bastante espuma. Ele podia se considerar "curandeiro", mas entendia os princípios básicos da higiene, pensou Elena.

Damon colocara Ulma no que parecia uma mesa de exames, forrada com um lençol branco e limpo. O médico assentiu para ele. Depois, com um muxoxo, puxou uma bandeja de instrumentos e mandou que Lakshmi pegasse panos para limpar os cortes e estancar o sangue. Também abriu várias gavetas de onde tirou alguns sacos de cheiro forte e subiu numa escada para pegar molhos de ervas medicinais que pendiam do teto. Por fim abriu uma pequena caixa e se serviu de um pouco de rapé.

— Rápido, por favor — disse Elena. — Ela perdeu muito sangue.

— E você não, né? — disse o homem. — Meu nome é Kephar Meggar... E esta é escrava do chefe Drohzne, não? — Ele os olhou como alguém que usava óculos, mas no momento não os tinha. — E vocês também devem ser escravas, não? — Ele olhou a corda que Elena ainda trazia, depois virou-se para Bonnie e Meredith, cada uma delas com uma corda igual.

— Sim, mas... — Elena parou. Ela era a invasora. Quase disse, "mas não de verdade; apenas para cumprir com as convenções". Em vez disso, contentou-se em dizer: — Mas *nosso* amo é muito diferente do dela. — Eles eram realmente muito diferentes, pensou Elena. Para começar, Damon não tinha o pescoço quebrado. E depois, por mais cruel e mortal que pudesse ser, ele jamais bateria numa mulher, muito menos faria algo como o que aquele homem fez a Ulma. Ele parecia ter uma espécie de bloqueio interno contra isso — a não ser quando estava possuído por Shinichi e não conseguia controlar os próprios músculos.

— E no entanto Drohzne permitiu que trouxessem esta mulher a um curandeiro? — O homenzinho estava cheio de suspeitas.

— Não, ele não nos deixaria fazer isso, disso eu tenho certeza — disse Elena categoricamente. — Mas por favor... Ela está sangrando e vai ter um bebê...

As sobrancelhas do Dr. Meggar subiram e desceram. Mas sem pedir a ninguém para sair enquanto a tratava, ele pegou um estetoscópio antiquado e auscultou atentamente o coração e os pulmões de Ulma. Cheirou seu hálito, depois gentilmente apalpou seu abdome abaixo da combinação ensanguentada de Elena, tudo com um ar extremamente profissional. Depois colocou uma garrafa marrom nos lábios da mulher, da qual ela tomou alguns goles, e então afundou de novo, de olhos fechados, respirando lentamente.

— Agora — disse o homenzinho — ela vai descansar confortavelmente. Vai precisar de muitas suturas, assim como você, mas imagino que só se o seu amo quiser. — O Dr. Meggar disse a palavra *amo* com uma implicação clara de antipatia. — Mas posso praticamente garantir que ela não vai morrer. Quanto ao bebê, eu já não sei. Pode nascer marcado como resultado do que acabou de acontecer... Marcas de nascença, talvez... Ou pode ter uma saúde perfeita. Mas com *boa alimentação* e *repouso* — as sobrancelhas do Dr. Meggar subiram e desceram novamente, como se o médico quisesse dizer isso na cara do senhor Drohzne —, ela vai se recuperar.

— Cuide de Elena primeiro, então — disse Damon.

— Não, *não!* — disse Elena, empurrando o médico. Ele parecia um bom homem, mas obviamente, por aqui, os senhores eram os senhores, e Damon era mais senhorial e intimidador do que a maioria.

Mas não neste momento, para Elena. Ela não se importava consigo mesma. Fez uma promessa — as palavras do médico implicavam que ela podia cumpri-la. Era com isso que se importava.

Subindo e descendo diversas vezes, as sobrancelhas do Dr. Meggar pareciam duas lagartas em uma corda elástica. Uma se atrasava um pouco em relação à outra. Não havia dúvida de que o comportamento que ele via era anormal, inclusive passível de ser seriamente punido. Mas Elena só o percebia perifericamente, assim como notava a presença de Damon.

— *Ajude-a* — disse ela com veemência; e viu as sobrancelhas do médico subirem como se ele mirasse o teto.

Ela deixou sua aura escapar. Não inteiramente, graças a Deus, mas sem dúvida descarregara uma onda, como um clarão de raio na sala.

E o médico, que não era vampiro, apenas um cidadão comum, percebeu. Lakshmi percebeu; até Ulma se agitou na mesa de exames, inquieta.

Terei que ser muito mais cuidadosa, pensou Elena. Ela lançou um rápido olhar a Damon, que estava prestes a explodir — ela tinha certeza disso. Emoções demais, sangue demais na sala e a adrenalina de matar ainda pulsam em sua corrente sanguínea.

Como Elena sabia disso tudo?

Porque Damon também não estava completamente controlado, percebeu Elena. Ela sentia coisas diretamente da mente dele. Era melhor tirá-lo dali, e bem rápido.

— Vamos esperar lá fora — disse ela, pegando o braço de Damon, para choque evidente do Dr. Meggar. As escravas, mesmo as bonitas, não agiam dessa maneira.

— Esperem no pátio, então — disse o médico, controlando cuidadosamente seu rosto para não se dirigir especialmente a Elena. — Lakshmi, dê umas ataduras para que eles possam estancar o sangramento da jovem. Depois volte; vou precisar de sua ajuda.

— Só uma pergunta — acrescentou ele enquanto Elena e os outros saíam da sala. — Como você sabe que esta mulher está grávida? Que tipo de feitiço pode afirmar isso?

— Não é feitiço — respondeu Elena. — Qualquer mulher que a visse saberia. — Ela viu Bonnie lhe lançar um olhar ofendido, mas Meredith continuou inescrutável.

— Aquele escravagista horrível... Drogsie... sei lá o nome dele... a estava chicoteando perto do abdome — disse Elena. — E veja esses cortes. — Ela estremeceu, olhando dois rasgos que atravessavam o esterno de Ulma. — Qualquer mulher tentaria proteger os seios, mas ela tentava cobrir a barriga. Isso quer dizer que ela está grávida, e há tempo suficiente para saber disso.

As sobrancelhas do Dr. Meggar desceram — depois ele olhou para Elena, como se espiasse por cima dos óculos, e assentiu devagar.

— Pegue as ataduras e estanque o sangramento — disse ele a Elena, não a Damon. Ao que parecia, escrava ou não, ela havia conquistado o respeito dele.

Por outro lado, Elena parecia ter perdido pontos com Damon — ou, pelo menos, ele desligou sua mente da dela muito deliberadamente, deixando-a de frente para um muro branco. Na sala de espera do médico, ele acenou imperiosamente para Bonnie e Meredith.

— Esperem nesta sala — disse ele, ou melhor, ordenou. — *Não* saiam antes que o médico venha. *Não* deixem ninguém entrar pela porta da frente... Tranquem-na agora e a mantenham fechada. Elena virá comigo até a cozinha... Pela porta de trás. Não quero ser incomodado por *ninguém*, a não ser que uma multidão furiosa ameace incendiar a casa, entenderam? As duas?

Elena podia ver Bonnie prestes a explodir, "Mas Elena ainda está sangrando!", e os olhos e a testa de Meredith indicavam que estava avaliando se deviam acionar recursos da irmandade velociraptor. Todas sabiam que o Plano A era este: Bonnie se atiraria nos braços de Damon, chorando copiosamente ou beijando-o com paixão, o que mais combinasse com a situação, enquanto Elena e Meredith se aproximavam pelo lado e... Bom, faziam o que devia ser feito.

Elena, com um olhar sério, vetou categoricamente isto. Era verdade que Damon estava furioso, mas ela podia sentir que era mais com Drohzne do que com ela. O sangue o agitara, sim, mas ele estava acostumado a manter o controle em situações sangrentas. E ela precisava de alguém para ajudá-la a cuidar dos ferimentos, que começaram a doer muito, desde que ouvira que a mulher que tinha resgatado viveria e que até poderia ter o bebê. Mas se Damon estava pensando em alguma coisa, ela queria saber o que era... agora.

Com um último olhar reconfortante para Bonnie, Elena seguiu Damon pela porta da cozinha. Havia uma tranca. Damon olhou para ela e abriu a boca; Elena a fechou. Depois olhou para seu "amo".

Ele estava parado junto à pia, bombeando água metodicamente, com uma das mãos na testa. O cabelo caía nos olhos e a água espirrava nele, molhando-o todo, mas ele não pareceu se importar.

— Damon? — disse Elena, insegura. — Você está... bem?

Ele não respondeu.

Damon?, tentou telepaticamente.

Eu deixei que você se ferisse. Sou bem rápido, podia ter matado aquele cretino do Drohzne com apenas um golpe de Poder. Mas não imaginava que você poderia se machucar. Sua voz telepática era ao mesmo tempo cheia do tipo mais sombrio de ameaça que podia existir e uma calma estranha, quase gentil. Como se ele tentasse manter toda a ferocidade e raiva longe dela.

Eu nem mesmo disse a ele... Nem mesmo lhe enviei palavras para dizer o que ele era. Não conseguia pensar. Ele era telepata; teria me ouvido. Mas eu não tinha o que dizer. Só consegui gritar... Em minha mente.

Elena ficou meio tonta — um pouco mais tonta do que já estava. Damon estava angustiado desse jeito... por causa dela? Ele não estava irritado porque ela quebrava todas as regras na frente de uma multidão, talvez estragando seu disfarce? Ele não se importava por ter sido *difamado*?

— Damon — disse ela. Ele se surpreendeu quando ela falou em voz alta. — Isso... Isso... não importa. Não é culpa sua. Você jamais teria me deixado fazer...

— *Mas eu devia saber que você não pediria!* Pensei que você ia atacá-lo, pular nos ombros dele e montar no homem, e estava pronto para ajudá-la nisso, a derrubá-lo como se fôssemos dois lobos pegando um alce. Mas você não é uma espada, Elena. Pense o que quiser, mas você é um escudo. Eu devia saber que você mesma levaria o golpe seguinte. E por minha causa, você recebeu...

— Seus olhos vagaram para o rosto de Elena e ele estremeceu. Depois ele pareceu se recompor um pouco.

— A água está fria, mas é pura. Precisamos limpar esses cortes e estancar o sangramento agora.

— Será que tem algum Black Magic por aqui? — disse Elena, meio de brincadeira. Aquilo ia doer.

Damon, porém, imediatamente começou a abrir armários.

— Tome — disse ele, depois de vasculhar em apenas três, erguendo triunfante uma garrafa de Black Magic pela metade. — Muitos médicos usam isso como remédio e anestésico. Não se preocupe; vou pagar bem por isso.

— Então acho que devia tomar também — disse Elena com ousadia. — Vamos, vai fazer bem a nós dois. E não seria a primeira vez.

Ela sabia que a última frase afetaria Damon. Seria uma forma de recuperar parte do que Shinichi tirara dele.

Ainda não sei como, mas vou recuperar todas as lembranças que Shinichi tirou de Damon, decidiu Elena, fazendo o máximo para esconder seus pensamentos dele com ruído branco. Não sei como, e não sei quando terei essa chance, mas *eu juro que vou. Eu juro*.

Damon encheu duas taças com o vinho encorpado e de cheiro inebriante e entregou uma a Elena.

— Comece bebericando — disse ele, cedendo ao papel de instrutor. — É de uma boa safra.

Elena bebericou, em seguida bebeu o restante de uma só vez. Estava com sede e o vinho Clarion Loess Black Magic não tinha álcool algum — *per se*. Certamente o sabor não era de vinho comum. Tinha gosto de uma água de fonte extraordinariamente refrescante e efervescente, aromatizada com uvas doces, escuras e aveludadas.

Damon, pelo que Elena percebeu, também se esquecera de bebericar. E ela aceitou de bom grado quando ele lhe ofereceu uma segunda taça para acompanhá-lo.

A aura de Damon havia se acalmado muito, pensou ela, quando ele pegou um pano molhado e começou, delicadamente, a limpar o corte que quase seguia a linha da maçã do rosto de Elena. Foi o primeiro a parar de sangrar, mas agora ele precisou refazer o fluxo de sangue, para limpá-lo. Com duas taças de Black Magic e sem comer nada desde o café da manhã, Elena se viu relaxando no encosto da cadeira, deixando a cabeça pender um pouco para trás, fechando os olhos. Ela não viu o tempo passar, enquanto ele esfregava o corte suavemente. E ela perdeu o controle estrito de sua aura.

Quando abriu os olhos, não foi em resposta a nenhum som ou estímulo visual. Foi um clarão na aura de Damon, de determinação repentina.

— Damon?

Ele estava de pé ao lado dela. Sua figura escura reluzia atrás dele como uma sombra, alta, larga e quase hipnótica. Sem dúvida assustadora.

— Damon? — disse ela de novo, insegura.

— Não estamos fazendo isso direito — disse ele, e os pensamentos de Elena lampejaram num átimo a sua desobediência como escrava e as infrações menos graves de Bonnie e Meredith. Mas a voz dele era como veludo negro, e o corpo de Elena reagiu com mais precisão do que sua mente. De repente ela estava tremendo.

— Como... vamos fazer isso direito? — perguntou ela, depois cometeu o erro de abrir os olhos. Descobriu que ele estava se curvando sobre ela, sentada na cadeira, e afagava — não, apenas tocava — seu cabelo com tal suavidade que ela nem havia sentido.

— Os vampiros sabem cuidar de feridas — disse ele confiante, e seus olhos grandes, que pareciam reter todo o universo de estrelas, se fixaram nos dela. — Podemos limpá-las. Podemos recomeçar o sangramento... Ou detê-lo.

Já senti isso antes, pensou Elena. Ele já falou comigo desse jeito, mesmo que não se lembre. E eu... Eu estava assustada demais. Mas isso foi antes...

Antes do hotel. Na noite em que ele disse para ela fugir, mas ela se recusou. A noite que Shinichi tirou dele, como tirou a primeira vez que eles dividiram o vinho Black Magic.

— Mostre-me — sussurrou Elena. E ela sabia que algo em sua mente também sussurrava, mas eram palavras diferentes. Palavras que ela jamais diria se, por um segundo que fosse, pensasse em si mesma como escrava.

Eu sou sua...

Foi quando ela sentiu os lábios de Damon roçando de leve os dela.

E depois ela só pensou, *Oh* e *Ah, Damon*... Até que ele passou a tocar gentilmente seu rosto com a língua macia e sedosa, manipulando substâncias, primeiro para formar um fluxo sanguíneo de limpeza e, finalmente, quando as impurezas tinham sido varridas com tanta suavidade, conseguiu parar o sangramento e curar a ferida. Ela podia sentir o Poder de Damon, o Poder sombrio que ele usara em mil lutas, infligindo centenas de feridas letais, sendo refreado para se concentrar nesta tarefa simples e humilde, curar a marca de uma chibatada no rosto de uma menina. Elena pensou que aquilo era como ser afagada pelas pétalas daquela rosa Black Magic, as pétalas frias e suaves gentilmente aliviando toda a dor, até que ela tremeu de prazer.

E parou. Elena sabia que, mais uma vez, tinha bebido demais. Mas desta vez não sentiu náuseas. A bebida enganosamente leve subira para sua cabeça, deixando-a embriagada. Tudo tinha um caráter irreal, de sonho.

— Agora vou terminar de curar você — disse Damon, tocando seu cabelo novamente, com tanta suavidade que ela mal sentia. Mas desta vez ela sentiu, porque mandou dedos de Poder para encontrar a sensação e desfrutar cada momento. E mais uma vez ele a beijou — tão de leve —, os lábios mal roçando os dela. Quando a cabeça de Elena tombou para trás, porém, ele não a acompanhou, mesmo quando, decepcionada, ela tentou puxar a nuca dele, Damon simplesmente esperou que Elena se desligasse... lentamente.

Não devíamos estar nos beijando. Meredith e Bonnie estão bem aqui do lado. Por que eu só me meto em encrenca? Mas Damon nem está tentando me beijar... E a gente devia... Oh!

As outras feridas.

Elas agora realmente doíam. Que pessoa cruel pensaria em usar um chicote daquele jeito, pensou Elena, com uma ponta fina como navalha, que corta tão fundo que nem dói no começo — ou não dói tanto... Mas fica cada vez pior com o tempo? E não para de sangrar... Temos que estancar o sangramento até que o médico possa me ver...

Mas sua outra ferida, aquela que agora ardia como fogo, atravessava a clavícula em diagonal. E a terceira ficava perto do joelho...

Damon começou a se levantar para pegar outro pano na pia e limpar o corte com água.

Elena o deteve.

— Não.

— Não? Tem certeza?

— Tenho.

— Só quero limpar isso...

— Eu sei. — Ela sabia. A mente de Damon estava aberta a ela, todo o Poder turbulento correndo com clareza e tranquilidade. Ela não sabia por que estava aberta desse jeito, mas estava.

— Preste atenção, Elena, não dê seu sangue a nenhum vampiro moribundo; não deixe ninguém prová-lo. Pode ser pior do que Black Magic...

— Pior? — Ela sabia que ele a estava elogiando, mas não entendeu.

— Ele vicia. Quanto mais se tem, mais se quer — respondeu Damon e, por um momento, havia Elena viu a turbulência que de fato causado naquelas águas calmas. — E quanto mais se bebe, mais Poder se pode absorver — acrescentou ele, sério. Elena percebeu que nunca pensara nisso como um problema, mas era. Ela se lembrou da agonia que foi tentar absorver sua própria aura antes de aprender a mantê-la em movimento com a corrente sanguínea.

— Não se preocupe — acrescentou ele, ainda sério. — Sei em quem está pensando. — Ele fez um movimento para pegar o pano. Mas sem saber, tinha falado demais, presumido demais.

— *Você* sabe em que estou pensando? — perguntou Elena com brandura, e ficou surpresa ao ver como sua própria voz podia soar perigosa, como o bater suave das patas pesadas de um tigre.

— Sem me perguntar?

Damon tentou se safar sutilmente:

— Bom, eu deduzi...

— *Ninguém* sabe o que estou pensando — disse Elena. — Até que eu diga. — Ela se mexeu e o fez se ajoelhar para olhá-la, indagativamente. Faminto.

E então, assim como o fizera ajoelhar, foi ela que o puxou para seu ferimento.

18

Com muito esforço, Elena voltou aos poucos para o mundo real. Cravou as unhas no couro da jaqueta de Damon, viu-se perguntando brevemente se aquilo estaria incomodando, depois seu estado de espírito foi quebrado novamente por aquele som — uma batida imperativa e ríspida.

Damon levantou a cabeça e rosnou.

Nós *somos* mesmo uma dupla de lobos, não é?, pensou Elena. Lutando com unhas e dentes.

Mas outra parte de sua mente arrematou, Isso não está fazendo as batidas pararem. Ele avisou àquelas meninas...

Aquelas meninas! Bonnie e Meredith! E ele disse para não interromper a não ser que a casa estivesse pegando fogo!

Mas o médico — ah, Deus, algo aconteceu com a pobre coitada da mulher! Ela está morrendo!

Damon ainda rosnava, com um vestígio de sangue nos lábios, mas era só um vestígio, já que a segunda ferida de Elena fora tão bem curada como a primeira, aquela que atravessava a maçã do rosto. Elena não fazia ideia de quanto tempo se passara desde que puxou Damon para beijar seu corte. Mas agora, com o sangue dela nas veias e seu prazer interrompido, ele parecia uma pantera negra indomada nos braços dela.

Ela não sabia se podia fazê-lo parar ou reduzir o ritmo dele sem recorrer ao seu Poder.

— Damon! — disse ela em voz alta. — Lá fora... São nossos amigos. Lembra? Bonnie, Meredith e o curandeiro.

— Meredith — disse Damon, e novamente seus lábios recuaram, expondo caninos longos e apavorantes. Ele ainda não havia voltado para a realidade. Se visse Meredith agora, não ficaria assustado, pensou Elena, e, ah, sim, ela sabia como sua amiga mais racional e ponderada deixava Damon inquieto. Eles viam o mundo por óticas diferentes. Ela o irritava como uma pedra no sapato. Mas agora ele podia lidar com essa inquietação de uma forma que faria de Meredith um cadáver dilacerado.

— Deixe-me ver o que é — disse ela, quando escutou outra batida; será que não podiam *parar* com isso? Ela já não tinha problemas suficientes?

Os braços de Damon meramente se estreitaram em Elena. Ela sentiu um lampejo de calor, porque sabia que, mesmo enquanto a restringia, ele estava reprimindo grande parte de sua força. Apenas um décimo do Poder nos músculos da mão era suficiente para esmagá-la. Mas ele tomava todo o cuidado para não fazer isso.

A onda de sentimento que a banhou a fez fechar os olhos brevemente, indefesa, mas ela sabia que aquilo era a voz da sanidade.

— Damon! Eles podem estar tentando nos avisar algo importante... Ou Ulma pode ter morrido.

A *morte* o fez acordar. Seus olhos eram fendas, a luz sangrenta das cortinas da cozinha lançando grades de escarlate e preto pelo seu rosto, deixando-o muito mais bonito — e mais demoníaco — do que nunca.

— Você fica aqui — disse Damon categoricamente, sem ter ideia de estar se comportando como um "amo" ou um "cavalheiro". Era como uma fera selvagem protegendo a parceira, a única criatura no mundo que não era concorrência ou alimento.

Não havia como discutir com ele, não neste estado. Elena ficaria ali. Damon faria o que fosse preciso e pelo tempo que ele julgasse necessário.

Elena não sabia se esses últimos pensamentos tinham vindo dele ou dela. Eles ainda tentavam separar suas emoções. Ela decidiu observá-lo e só se ele realmente não conseguisse se controlar...

Você não iria querer me ver descontrolado.

Senti-lo saltar do puro instinto animal para o domínio mental gélido e perfeito era ainda mais assustador do que seu lado animal. Ela não sabia se Damon era a pessoa mais sã que conhecera ou só a que melhor encobria sua selvageria. Ela fechou a blusa e o viu caminhar com uma elegância tranquila até a porta e, então, de repente e com violência, quase arrancá-la das dobradiças.

Ninguém caiu; ninguém estava ouvindo sua conversa particular. Mas Meredith estava ali, refreando Bonnie com uma das mãos e a outra erguida, pronta para bater de novo.

— Sim? — disse Damon num tom glacial. — Pensei ter dito a vocês...

— Você disse, e tem mesmo — disse Meredith, interrompendo *este* Damon, numa tentativa incomum de cometer suicídio.

— Tem o quê? — rosnou Damon.

— Tem uma multidão do lado de fora ameaçando colocar fogo no prédio. Não sei se estão aborrecidos por Drohzne ou por trazermos Ulma, mas estão definitivamente enfurecidos e trouxeram tochas. Não queria interromper o "tratamento" de Elena, mas o Dr. Meggar disse que eles não vão lhe dar ouvidos. Ele é humano.

— E já foi escravo — acrescentou Bonnie, libertando-se da mão sufocante de Meredith. Ela olhou para Damon com os olhos castanhos se derramando e as mãos estendidas. — Só você pode nos salvar — disse ela, traduzindo a mensagem de seu olhar em voz alta, o que significava que as coisas estavam realmente feias.

— Muito bem, muito bem. Vou cuidar deles. Vocês cuidem de Elena.

— Claro, mas...

— Não. — Damon ou ficara impiedoso com o sangue, e as lembranças que ainda impediam que Elena formasse uma frase coerente, ou de algum modo perdera todo o medo de Meredith. Ele pôs as mãos nos ombros dela e, como era apenas uns cinco centímetros mais alto do que ela, então não teve problemas para olhar fixamente em seus olhos. — Cuide você de Elena. Por aqui tragédias acontecem o todo instante: coisas imprevisíveis, horríveis, *mortais*. E *não* quero que aconteça uma delas com Elena.

Meredith ficou olhando para ele por um bom tempo e pela primeira vez não consultou Elena com os olhos antes de responder a uma pergunta sobre um assunto que a envolvia. Simplesmente disse "Vou protegê-la" numa voz baixa e sem emoção. Pela postura que tinha, por seu tom de voz, quase se podia ouvir um acréscimo mudo, "com a minha vida" — e isso nem parecia melodramático.

Damon a soltou, andou até a porta e, sem olhar para trás, desapareceu da vista de Elena. Mas a voz mental dele era cristalina em sua mente: *Você ficará segura se houver alguma maneira de salvá-la. Eu juro.*

Se houver alguma maneira de ser salva. Ótimo. Elena tentou fazer o cérebro funcionar novamente.

Meredith e Bonnie a olhavam. Elena respirou fundo, automaticamente atraída a um passado longínquo, quando uma menina recém-saída de um encontro romântico podia esperar um interrogatório longo e sério.

— Seu rosto... está muito melhor! — foi só o que Bonnie disse.

— É — disse Elena, usando as duas pontas da blusa para amarrar um top improvisado. — O problema é a minha perna. Nós ainda não... terminamos.

Bonnie abriu a boca, mas a fechou, decidida, o que, vindo dela, era uma demonstração de heroísmo semelhante à promessa de Meredith a Damon. Quando a abriu de novo, foi para dizer:

— Pegue meu cachecol e amarre na perna. Vai ajudar a estancar o sangue.

— Acho que o Dr. Meggar terminou com Ulma — disse Meredith. — Talvez ele possa ver você.

Na outra sala, o médico mais uma vez lavava as mãos, usando uma bomba grande para colocar mais água na bacia. Havia panos sujos de sangue numa pilha e um cheiro que Elena ficou grata ao médico por ter camuflado com ervas. Em uma cadeira grande que parecia confortável, sentava-se uma mulher que Elena não reconheceu.

Elena sabia que o sofrimento e o terror podiam mudar uma pessoa, mas nunca teria percebido o quanto — nem o quanto o alívio e a libertação da dor podiam alterar um rosto. Ela havia salvado uma mulher que, em sua mente, se enroscou até ficar quase do tamanho de uma criança, e cuja face pequena e arruinada, retorcida por uma agonia e um pavor implacáveis, parecera quase uma espécie de desenho abstrato de um duende. A pele era de um tom cinzento doentio, o cabelo fino mal parecia suficiente para cobrir a cabeça e pendia em mechas como algas marinhas. Tudo nela gritava que era uma escrava, das pulseiras de ferro nos pulsos, a nudez e o corpo com cicatrizes e sangue, a seus pés descalços e cheios de ferrugem. Elena nem sabia dizer a cor dos olhos da mulher, porque pareciam tão cinzentos como o resto do corpo.

Agora Elena estava diante de uma mulher que talvez estivesse na casa dos 30 anos. Tinha um rosto magro, bonito e um tanto aristocrático, com um nariz marcante e nobre, olhos escuros que pareciam perspicazes e belas sobrancelhas que pareciam asas de uma ave em pleno voo. Estava relaxada na poltrona, com os pés num divã, escovando lentamente o cabelo, que era escuro com alguns fios grisalhos que emprestavam um ar de dignidade ao roupão azul-escuro e simples que usava. Seu rosto tinha rugas que lhe davam personalidade, mas, em geral, observava-se nela uma espécie de ternura nostálgica, talvez devido ao leve volume na barriga, em que agora gentilmente colocava a mão. Quando fez isso, seu rosto corou e todo o seu semblante pareceu brilhar.

Por um instante Elena pensou que devia ser a esposa ou a empregada do médico e quase perguntou se Ulma, a pobre escrava, tinha morrido.

Depois viu o que um punho do roupão azul-escuro não podia esconder: um vislumbre de uma pulseira de ferro.

Esta mulher aristocrática, morena e magra era Ulma. O médico operara um milagre.

Um curandeiro, como ele se nomeava. Era evidente que, como Damon, ele podia curar feridas. Ninguém que tivesse sido açoitado como Ulma podia aparecer neste estado sem uma magia poderosa. Obviamente seria impossível tentar simplesmente suturar a confusão sangrenta que Elena trouxera, e ainda assim o Dr. Meggar a curou.

Elena estivera em uma situação dessas, então recorreu às boas maneiras com que fora criada na Virginia.

— É bom ver a senhora. Meu nome é Elena — disse ela, estendendo a mão.

A escova caiu na cadeira. A mulher estendeu as duas mãos para Elena. Aqueles olhos escuros e penetrantes pareciam devorar seu rosto.

— É você — disse ela, depois, tirando os pés com chinelos do divã, colocou-se de joelhos.

— Ah, não, senhora! Por favor! O médico lhe disse para descansar. Agora é melhor ficar sentada e quieta.

— Mas *é* você. — Por algum motivo, a mulher parecia precisar de confirmação. E Elena estava disposta a fazer qualquer coisa para tranquilizá-la.

— Sou eu — disse Elena. — E agora acho que a senhora deve se sentar de novo.

Ela obedeceu imediatamente e, no entanto, havia uma leveza alegre em tudo o que Ulma fazia. Elena entendeu isso depois de algumas horas de escravidão. Obedecer quando se tinha alternativa era inteiramente diferente de obedecer porque a desobediência podia significar a morte.

Mas mesmo enquanto se sentava, Ulma permaneceu com os braços estendidos.

— Olhe para mim! Serafim, deusa, Guardiã... quem quer que seja: olhe para mim! Depois de três anos vivendo como um animal eu me tornei humana de novo... Graças a você! Você apareceu como um anjo de luz e se postou entre mim e a chibata. — Ulma começou a chorar, mas suas lágrimas pareciam de alegria. Seus olhos procuraram o rosto de Elena, demorando-se na maçã do rosto marcada. — Mas você não é Guardiã; eles têm feitiços que os protegem, mas nunca interferem. Por três anos, nunca interferiram. Eu vi todos os meus amigos, meus companheiros escravos, caírem ao chicote *dele* e à fúria *dele*. — Ela balançou a cabeça, como se fosse fisicamente incapaz de dizer o nome de Drohzne.

— Eu lamento muito... Lamento tanto... — Elena estava atrapalhada. Olhou para trás e viu que Bonnie e Meredith estavam igualmente abaladas.

— Não importa. Soube que seu companheiro o matou na rua.

— Eu contei a ela — disse Lakshmi com orgulho. Tinha entrado na sala sem que ninguém percebesse.

— Meu companheiro? — Elena gaguejou. — Bom, ele não é meu... Quero dizer, ele e eu... Nós...

— Ele é nosso dono — disse Meredith com franqueza, de trás de Elena.

Ulma ainda olhava para Elena com os olhos cheios de emoção.

— Vou rezar todo dia para que sua alma ascenda daqui.

Elena ficou surpresa.

— As almas podem ascender daqui?

— Mas é claro. O arrependimento e as boas ações podem resultar nisto, e as orações dos outros sempre são levadas em consideração, eu creio.

Ela não fala como escrava, refletiu Elena. Ela tentou pensar numa maneira de abordar o assunto com delicadeza, mas estava confusa, sua perna doía e suas emoções estavam num turbilhão.

— A senhora não parece... Bom, com o que eu esperaria de uma escrava — disse ela. — Ou estou só sendo muito ingênua? Ela podia ver as lágrimas se formarem nos olhos de Ulma.

— Ah, Deus! Por favor, esqueça o que eu perguntei. Por favor...

— Não! Não há ninguém a quem eu queira mais contar. Se quiser ouvir como cheguei a este estado de degradação... — Ulma esperou, olhando Elena — estava claro que esse último desejo de Elena era para Ulma uma ordem.

Elena olhou para Meredith e Bonnie. Não ouvia mais gritos da rua e o prédio certamente não parecia estar pegando fogo.

Felizmente, nesse momento, o Dr. Meggar entrou de novo.

— Já fizeram as apresentações? — perguntou ele, as sobrancelhas agora em movimentos contrários: uma subia e outra descia. Ele estava com a garrafa de Black Magic nas mãos.

— Sim — disse Elena —, mas eu estava me perguntando se devemos evacuar o prédio ou coisa assim. Parece que tem uma multidão...

— O companheiro de Elena vai dar trabalho a eles — disse Lakshmi com satisfação. — Todos foram para o Ponto de Reunião para resolver a história da propriedade de Drohzne. Aposto que *ele* vai esmurrar algumas cabeças e voltar logo — acrescentou ela animada, sem deixar dúvidas de quem *ele* era. — Queria ser um menino para estar lá.

— Você foi mais corajosa do que qualquer menino; foi você quem nos mostrou como chegar aqui — disse-lhe Elena. Depois consultou Meredith e Bonnie com os olhos. Parecia que a comoção tinha se transferido a outro lugar e Damon era um mestre em se safar de comoções. Ele podia também... *precisar* lutar, livrar-se da energia excessiva do sangue de Elena. Uma comoção podia fazer bem a ele, pensou Elena.

Ela olhou para o Dr. Meggar.

— Acha que meu... que nosso amo está bem?

As sobrancelhas do Dr. Meggar subiram e desceram.

— Talvez ele tenha de pagar aos parentes do Velho Drohzne com sangue, mas não deve ser grande coisa. Depois ele pode fazer o que quiser com a propriedade daquele velho canalha — disse ele. — Eu diria que o lugar mais seguro para vocês agora é aqui, longe do Ponto de Reunião. — Ele reforçou sua opinião servindo a todos em taças de licor, percebeu Elena, vinho Black Magic. — Faz bem aos nervos — disse ele, e tomou um gole.

Ulma abriu seu sorriso bonito e caloroso para ele, enquanto o médico circulava a bandeja.

— Obrigada... E obrigada... E obrigada — disse ela. — Não vou incomodá-las com minha história...

— Não, conte... Conte, por favor! — Agora que não havia perigo imediato para elas ou para Damon, Elena estava ansiosa para ouvir a história. Todos os outros assentiram.

Ulma corou um pouco, mas começou calmamente:

— Nasci no reinado de Kelemen II — disse ela. — Sei que isso não significa nada para vocês, apenas para os que conheceram a ele e suas... indulgências. Estudei com minha mãe, que se tornou uma estilista muito popular. Meu pai era um designer de joias quase tão famoso quanto ela. Tinham uma propriedade nos arredores da cidade e podiam pagar uma casa tão elegante quanto a de muitos de seus clientes mais ricos... Mas tinham o cuidado de não ostentar sua riqueza. Eu era Lady Ulma na época, e não Ulma, a bruxa. Meus pais fizeram o máximo para me manter fora de vista, para minha própria segurança. Mas...

Ulma — Lady Ulma, pensou Elena, tomando um bom gole do vinho. Seus olhos mudaram; ela estava vendo o passado e tentava não aborrecer seus ouvintes. Mas quando Elena estava prestes a pedir que parasse, pelo menos até se sentir melhor, ela continuou:

— Mas apesar de todos os cuidados de meus pais... alguém... me viu e exigiu minha mão em casamento. Não Drohzne, ele era apenas um vendedor de peles estrangeiro, eu só o vi há três anos. Era o senhor feudal, o general, um demônio que tinha uma fama terrível... Meu pai se recusou a ceder, mas eles nos visitaram à noite. Eu tinha 14 anos quando aconteceu. E foi assim que me tornei escrava.

Elena descobriu que sentia a dor emocional diretamente da mente de Lady Ulma. Ah, meu Deus, eu fiz isso de novo, pensou ela, apressadamente tentando controlar seus sentidos paranormais.

— Por favor, não precisa nos contar isso. Talvez em outra hora...

— Quero contar a você... a *você*... para que saiba o que fez. E eu preferia contar tudo de uma vez. Mas, se não quer mais ouvir... Era uma guerra de educação.

— Não, não, se preferir contar... continue. Eu... só queria que soubesse o quanto lamento. — Elena olhou o médico, que esperava por ela pacientemente perto da mesa com a garrafa marrom nas mãos. — E se não se importa, gostaria de ter minha perna... curada, sim? — Ela sabia que disse a última palavra em dúvida, perguntando-se como alguém podia ter o poder de curar Ulma daquele jeito. Ela não se surpreendeu quando ele balançou a cabeça. — Ou suturada, enquanto a senhora fala, se não se importa — disse ela.

Vários minutos se passaram antes de Lady Ulma superar o choque e a aflição de ter deixado sua salvadora esperando, mas por fim Elena foi à mesa e o médico a estimulou a beber da garrafa, que tinha cheiro de xarope de cereja para tosse.

Ah, bom, ela podia muito bem experimentar a versão de anestésico da Dimensão das Trevas — em especial porque a sutura podia doer, pensou Elena. Ela tomou um gole da garrafa e sentiu a sala girar. Acenou, rejeitando a oferta de um segundo gole.

O Dr. Meggar desamarrou o cachecol arruinado de Bonnie da perna dela e começou a cortar o jeans ensanguentado logo acima do joelho.

— Bom... Você é uma boa ouvinte — disse Lady Ulma. — Mas eu já sabia que era boa. Vou poupar vocês dos detalhes dolorosos de minha escravidão. Talvez baste dizer que passei de um senhor a outro ao longo dos anos, sendo sempre uma escrava, sempre decaindo. Por fim, como piada, alguém disse: "Dê-lhe ao Velho Drohzne. Ele vai espremer a última gota útil que se pode arrancar dela."

— Meu Deus! — disse Elena, e teve esperanças de que todos soubessem que ela se referia à história e não à picada da solução desinfetante que o médico passava em sua perna inchada. Damon era muito melhor nisso, pensou ela. Eu nem percebi a sorte que tive antes. Elena procurou não estremecer quando o médico começou a usar a agulha, mas sua mão apertou a de Meredith até que Elena teve medo de quebrar seus ossos. Ela tentou afrouxar o aperto, mas Meredith apertou mais. Sua mão longa e macia era quase como a de um menino, apenas mais suave. Elena ficou feliz por apertar com a maior força que pôde.

— Minhas forças ultimamente me abandonaram — disse Lady Ulma com brandura. — Pensei que fosse aquilo — aqui ela usou uma expressão particularmente rude para seu dono — que estava me levando à morte. Depois percebi a verdade. — De repente todo o brilho mudou seu rosto, de modo que Elena podia ver como Ulma deve ter sido na adolescência e a beleza que um demônio desejava como esposa. — Eu sabia que uma nova vida se agitava em mim... E sabia que Drohzne a mataria se tivesse a oportunidade...

Ela não pareceu reconhecer as expressões de espanto e pavor no rosto das três meninas. Elena, porém, teve a sensação de que estava em um pesadelo, à beira de um abismo, e que teria de ficar tateando no escuro, por fissuras traiçoeiras e invisíveis no gelo da Dimensão das Trevas até chegar a Stefan e conseguir libertá-lo desse lugar. Esta referência casual à abominação não era o primeiro de seus passos em volta de um abismo, mas era o primeiro que ela reconhecia e considerava.

— Vocês, jovens, são muito novas aqui — disse Lady Ulma, enquanto o silêncio se estendia infinitamente. — Eu não pretendia dizer nada inadequado...

— Aqui somos escravas — respondeu Meredith, pegando uma corda. — Acho que quanto mais soubermos, melhor.

— Seu amo... Nunca vi ninguém tão rápido com o Velho Drohzne. Muita gente ficou espantada, mas ninguém se atreveu a fazer nada. Mas seu amo...

— *Nós* o chamamos de Damon — intrometeu-se Bonnie incisivamente.

Foi de pronto aceito por Lady Ulma.

— O amo Damon... Acham que ele pode ficar comigo? Depois de pagar o preço de sangue aos... parentes de Drohzne, ele escolherá o que quiser de seus bens. Sou uma das poucas escravas que ele não matou. — A esperança no rosto da mulher era quase dolorosa demais para Elena.

Foi só então que ela percebeu quanto tempo tinha se passado desde que vira Damon. Quanto tempo os negócios de Damon iam durar? Ela olhou com angústia para Meredith.

Meredith entendeu exatamente o que aquele olhar significava e balançou a cabeça, impotente. Mesmo que pedissem a Lakshmi que as levasse ao Ponto de Reunião, o que poderiam fazer?

Elena reprimiu um tremor de dor e sorriu para Lady Ulma.

— Por que não nos conta de quando era criança? — disse ela.

19

Damon não teria pensado que haveria um amigo para um velho tolo e sádico que era capaz de açoitar uma mulher a chicotadas por não conseguir puxar uma carroça no lugar de um cavalo. E o Velho Drohzne, na verdade, podia não ter nenhum. Mas a questão não era essa.

Nem o assassinato, o que era estranho. Assassinatos eram corriqueiros nos cortiços, e o fato de Damon começar uma briga e a vencer não era surpresa para os que transitavam por essas vielas perigosas.

A questão estava em fugir com uma escrava. Ou talvez fosse algo mais profundo. A questão era como Damon tratava as próprias escravas.

Uma multidão de homens — todos homens, nenhuma mulher, pelo que Damon notou — havia se reunido diante do prédio do médico, e de fato traziam tochas.

— Vampiro louco! Vampiro louco à solta!

— Tire-o daí para que a justiça seja feita!

— Queime o lugar se não o entregarem!

— Os anciãos disseram para o levar a eles!

Isto pareceu ter o efeito que a multidão desejava, livrando as ruas de mais gente decente e deixando apenas os de mentalidade sanguinária, que se detinham aos menores problemas e adoravam uma briga. A maioria, é claro, era de vampiros. E de vampiros *fortes*. Mas nenhum deles, pensou Damon, abrindo um sorriso reluzente pelo círculo que se fechava nele, tinha o interesse de saber que a vida de três jovens humanas dependia dele

— e que uma delas era a joia da coroa da humanidade, Elena Gilbert.

Se ele, Damon, fosse despedaçado nessa luta, as três meninas teriam uma vida de inferno e degradação.

Mas mesmo este pensamento não pareceu ajudá-lo a vencer, uma vez que Damon foi chutado, mordido, cabeceado, esmurrado e perfurado com adagas de madeira — do tipo que corta a carne de um vampiro. No início ele pensou que tinha uma chance. Vários vampiros mais novos e mais fortes caíram como presas de seus golpes rápidos como botes de serpente e seus súbitos ataques de Poder. Mas a verdade era que simplesmente eles eram muitos, pensou Damon, enquanto quebrava o pescoço de um demônio cujas presas longas já haviam cortado seu braço, quase atravessando o músculo. E lá vinha um vampiro imenso, certamente em treinamento, com uma aura que fez Damon sentir a bile no fundo da garganta. Este caiu com um chute na cara, mas não ficou no chão; levantou-se, agarrando-se à perna de Damon e deixando que vários vampiros menores com adagas de madeira avançassem e cortassem seu tendão. Damon sentiu-se desfalecer enquanto suas pernas não mais respondiam a seu cérebro.

— Que o sol os condene — rosnou ele através de uma bolha de sangue enquanto outro demônio de presas e pele vermelha o esmurrava na boca. — Vão todos para o mais baixo dos infernos...

Isso não foi bom. Vagarosamente, ainda lutando, ainda usando poderosas ondas de Poder para mutilar e matar o máximo que pudesse, Damon percebeu isso. Depois tudo foi como num sonho, indistinto — não como seu sonho com Elena, que ele parecia ver constantemente pelo canto do olho, chorando. Mas num sonho no sentido febril, como se fosse um pesadelo. Ele não podia mais usar seus músculos com eficiência. Seu corpo estava surrado e, enquanto ele curva as pernas, outro vampiro abria um grande corte em suas costas. Parecia-lhe cada vez mais que estava num pesadelo em que só conseguia se mexer em câmera lenta. Ao mesmo tempo, algo em seu cérebro sussurrava para ele descansar. Descansar... E tudo isso acabaria.

Por fim, em grande número, eles o derrubaram e alguém apareceu com uma estaca.

— A liberdade para a nova escória — dizia o portador da estaca, o hálito fedendo a sangue choco, a face maliciosa e grotesca, ao usar os dedos de leproso para abrir a camisa de Damon e não fazer um buraco na seda preta e refinada.

Damon cuspiu nele e em troca levou um tabefe no rosto.

Ele viu tudo escuro por um instante e depois, lentamente, a dor voltou.

E o barulho. A multidão animada de vampiros e demônios, bêbada de crueldade, batia os pés, ritmadamente, numa dança improvisada em volta de Damon, rindo ao lançarem estacas imaginárias, entrando em frenesi.

Foi quando Damon percebeu que realmente ia morrer.

Foi um choque, embora ele soubesse o quanto esse mundo era muito mais perigoso do que aquele que deixara; mesmo no mundo humano, ele algumas vezes só escapou da morte por um fio. Mas agora não tinha amigos poderosos, nenhum ponto fraco da multidão a explorar. Parecia-lhe que os segundos de repente se estendiam em minutos, cada um deles de extensão incalculável. O que era importante? Dizer a Elena...

— Cegue-o primeiro! Deixe essa estaca em brasa!

— Eu pego as orelhas! Alguém me ajude a segurar a cabeça dele!

Dizer a Elena... Alguma coisa. Algo... Desculpe...

Ele desistiu. Outro pensamento tentava romper sua consciência.

— Não se esqueça de arrancar os dentes! Prometi um colar novo a minha namorada!

Pensei que estava preparado para isso, refletiu Damon lentamente, cada palavra vindo separadamente. Mas... não tão cedo.

Pensei que encontraria minha paz... mas não com a única pessoa que importava... Sim, a que mais importava.

Ele não se deu tempo de pensar mais no assunto.

Stefan, ele enviou a onda mais poderosa e clandestina de Poder que podia invocar nesse estado obscuro. *Stefan, escute! Elena está indo até você... Ela vai salvá-lo! Ela tem Poderes que minha morte libertará. E eu estou... Estou...*

Neste momento houve uma brecha na dança em volta dele. O silêncio caiu nos inebriados participantes daquela festa. Alguns baixaram a cabeça apressadamente ou viraram a cara.

Damon ficou imóvel, perguntando-se o que poderia ter parado a multidão frenética no meio de sua orgia.

Alguém andava em sua direção. O recém-chegado tinha cabelos cor de bronze que pendiam em mechas desordenadas, separadas pela cintura. Também estava nu até a cintura, expondo um corpo de causar inveja ao demônio mais forte. Um peito que parecia ter sido entalhado em uma pedra de bronze cintilante. Bíceps extraordinariamente esculpidos. Abdome perfeitamente esculpido. Não havia um grama a mais de gordura em toda a sua compleição alta e leonina. Vestia calças pretas e simples, com os músculos ondulando sob o tecido a cada passo.

Em um braço despido, dava para ver nitidamente a tatuagem de um dragão negro devorando um coração.

E não estava sozinho. Não segurava uma cadeira, mas ao seu lado havia um cão preto, lindo, de expressão misteriosamente inteligente, que parecia alerta sempre que ele parava. Devia pesar perto de 100 quilos, mas não havia um grama de gordura nele também.

E num ombro ele trazia um grande falcão.

Não estava encapuzado, como a maioria das aves de caça nas investidas de suas cavalariças. Também não estava em nada almofadado. Segurava-se no ombro nu do jovem de bronze, cravando as três garras da frente na carne e gerando filetes de sangue que desciam por seu peito. Ele não pareceu perceber. Havia filetes semelhantes e secos ao lado dos novos, sem dúvida de jornadas anteriores. Nas costas, uma garra produzia uma trilha vermelha e solitária.

Um silêncio absoluto caiu na multidão e saíram do caminho os últimos demônios entre o homem alto e a figura prostrada e ensanguentada no chão.

Por um momento, o homem leonino ficou imóvel. Não disse nada, não fez nada, não emanou nenhum vestígio de Poder. Depois assentiu para o cão, que avançou com as patas pesadas e farejou os braços e o rosto ensanguentados de Damon. Em seguida, farejou sua boca e Damon podia ver os pelos se eriçando em seu corpo.

— Cachorro bonzinho — disse Damon, sonhador, enquanto o focinho úmido e frio fazia cócegas em seu pescoço.

Damon conhecia este animal em particular e também sabia que ele não se encaixava no estereótipo popular do "cachorro bonzinho". Era uma fera acostumada a pegar vampiros pelo pescoço e sacudi-los até que suas artérias jorrassem sangue a 2 metros de altura.

Esse tipo de coisa podia manter você tão ocupado que ter uma estaca entrando pelo seu coração pareceria não importar muito, refletiu Damon, mantendo-se imóvel.

— *Arrêtez-le!* — disse o jovem de cabelos cor de bronze.

O cão recuou, obedientemente, sem desviar os olhos pretos e brilhantes dos de Damon, que também não os desviou até que ele estivesse a certa distância.

O jovem de cabelos cor de bronze olhou a multidão brevemente. Depois, sem nenhuma veemência, disse:

— *Laissez-le seul.* — Claramente, não era necessária nenhuma tradução aos vampiros, e eles começaram a se afastar imediatamente. Os de menor sorte foram os que não saíram com rapidez suficiente e ainda estavam ali quando o jovem de bronze deu outra olhada lenta em volta. Para onde olhasse, encontrava olhos baixos e corpos encolhidos, paralisados no ato de se afastar, mas aparentemente transformados em pedra, numa tentativa de não chamar atenção.

Damon se viu relaxando. Seu Poder estava voltando, permitindo que se curasse. Ele percebeu que o cachorro ia de um indivíduo a outro e farejava cada um deles com interesse.

Quando conseguiu levantar a cabeça de novo, Damon deu um sorriso fraco para o recém-chegado.

— Sage. E por falar no diabo...

O breve sorriso do homem de bronze foi macabro.

— Elogia-me, *mon cher*. Não vê? Estou corando.

— Eu devia saber que você estaria aqui.

— O espaço é infinito para os andarilhos, *mon petit tyran*. Mesmo que eu deva fazer isso sozinho.

— Ah, que lástima. Agora os violinos, por favor... — De repente Damon não conseguia mais. Simplesmente não podia. Talvez fosse por ter estado com Elena ou porque esse mundo horrendo o deprimia indizivelmente. Mas quando voltou a falar, sua voz era completamente diferente: — Eu nunca pensei que me sentiria tão grato. Você salvou cinco vidas, embora não saiba disso. Mas como nos encontrou...

Sage se agachou, olhando-o preocupado.

— O que aconteceu? — disse num tom sério. — Você bateu a cabeça? Sabe como são as coisas: as notícias correm por aqui. Soube que chegou com um harém...

"*É isso mesmo! Chegou sim*", os ouvidos de Damon pegaram um sussurro na margem da rua onde sofreu a emboscada. "*Se pegarmos as meninas como reféns... Se as torturarmos...*"

Os olhos de Sage encontraram os de Damon brevemente, demonstrando que ele também tinha ouvido o sussurro.

— Sabber — disse ele ao cão. — Apenas o que falou. — Ele apontou com a cabeça para a direção do sussurro.

De imediato, o cachorro preto saltou para a frente e, mais rápido do que Damon podia imaginar, cravou os dentes no pescoço daquele que sussurrou, virou-o uma vez provocando um estalo distinto e saltou de volta, arrastando o corpo entre as pernas.

As palavras *Je vous ai informé au sujet de ceci!* explodiram numa onda de Poder que fez Damon estremecer. E Damon pensou, sim, ele já avisara — mas não falou quais seriam as consequências.

Laissez lui et ses amis dans la paix! Enquanto isso, Damon se levantou devagar, feliz em aceitar a proteção de Sage para si e as amigas.

— Bem, isto sem dúvida deu resultado — disse ele. — Por que não volta para um drinque amistoso comigo?

Sage olhou para Damon como se ele fosse louco.

— Sabe que a resposta é não.

— E por que não?

— Já lhe disse: não.

— Isso não é motivo.

— O motivo para eu não voltar para um drinque amistoso... *mon ange...* é que não somos amigos.

— Já estivemos em algumas trapaças juntos.

— *Il y a longtemps.* — Abruptamente, Sage pegou mão de Damon. Tinha um arranhão profundo e sangrento, que Damon ainda não havia curado. Sob o olhar de Sage, o corte se fechou, a carne ficou rosada e se curou.

Damon deixou que Sage continuasse segurando sua mão por um momento, e depois, sem urgência, a retirou.

— Não faz *tanto* tempo assim — disse ele.

— Longe de você? — Um sorriso sarcástico se formou nos lábios de Sage. — Contamos o tempo de formas muito diferentes, *mon petit tyran.*

Damon estava cheio de uma alegria estonteante.

— E aquele drinque?

— Junto com seu harém?

Damon tentou imaginar Meredith e Sage juntos. Sua mente hesitou.

— Mas agora você é responsável por elas, de alguma forma — disse ele. — E a verdade é que nenhuma delas é minha. Dou minha palavra. — Ele sentiu uma pontada quando pensou em Elena, mas o que dizia era a verdade.

— Responsável por elas? — Sage pareceu pensar em voz alta. — Você jurou salvá-las. Mas eu só herdo seu juramento se você morrer. Mas se morrer... — O homem alto fez um gesto de impotência.

— Você precisaria viver, salvar Stefan, Elena e as outras.

— Minha resposta seria não, mas isso deixaria você infeliz. Então direi sim...

— E se não conseguir, juro que vou voltar para caçá-lo.

Sage o olhou por um momento.

— Não acho que já fui acusado de ser incapaz de conseguir alguma coisa — disse ele. — Mas é claro que isso foi antes de eu me tornar *un vampire*.

Sim, pensou Damon, o encontro entre o "harém" e Sage podia ser interessante. Pelo menos seria, se as meninas descobrissem quem Sage realmente era.

Mas talvez ninguém contasse a elas.

20

Elena sentiu o maior alívio de sua vida quando ouviu Damon bater na porta do Dr. Meggar.

— O que aconteceu no Ponto de Reunião? — perguntou ela.

— Não fui para lá. — Damon explicou sobre a emboscada, enquanto as outras meninas, disfarçadamente, examinavam Sage com variados graus de aprovação, gratidão ou simplesmente desejo. Elena percebeu que havia bebido Black Magic demais, pois quase desmaiou em vários momentos — embora tivesse certeza de que o vinho tinha ajudado Damon a sobreviver ao ataque da multidão, que poderia tê-lo matado.

Elas, por sua vez, explicaram a história de Lady Ulma o mais breve possível. No final, a mulher estava pálida e trêmula.

— Espero — disse ela timidamente a Damon — que, já que herdou os bens do Velho Drohzne — ela parou para engolir em seco —, o senhor tenha decidido ficar comigo. Sei que as escravas que trouxe são bonitas e jovens... Mas posso ser muito útil como costureira e coisas assim. Minhas costas perderam as forças, mas minha mente não...

Damon ficou imóvel por um momento. Depois andou até Elena, que por acaso era a mais próxima dele. Estendeu a mão para o pulso dela e desfez o último laço da corda que ainda estava em seu pulso e o atirou com força pelo quarto. A corda se agitou e se retorceu como uma serpente.

— Por mim, todas que estiverem usando uma dessas podem fazer o mesmo — disse ele.

— Menos o arremesso — disse Meredith rapidamente, vendo as sobrancelhas do médico se unindo enquanto ele olhava os muitos bécheres de vidro junto às paredes. Mas ela e Bonnie logo se levaram de qualquer vestígio de corda que ainda restasse.

— Receio que a minha seja... permanente — disse Lady Ulma, afastando o tecido do pulso e expondo as pulseiras de ferro soldadas. Ela pareceu envergonhada por ser incapaz de obedecer à primeira ordem de seu novo senhor.

— Pode suportar um instante de frio? Tenho Poder suficiente para congelá-las, e assim elas se quebrarão — disse Damon.

Ouviu-se um murmúrio suave de Lady Ulma. Elena nunca notara tanto desespero em uma voz humana antes.

— Eu seria capaz de ficar enterrada na neve até o pescoço por um ano para me livrar dessas coisas — disse Lady Ulma.

Damon pôs as mãos sobre a pulseira e Elena sentiu a onda de Poder que emanava dele. Ouviu-se um estalo agudo. Damon afastou as mãos e ergueu dois pedaços de metal.

Depois fez o mesmo do outro lado.

O olhar de Lady Ulma provocou mais humildade do que orgulho em Elena. Ela salvou uma mulher da degradação terrível. Mas quantos ainda restavam? Jamais saberia, muito menos seria capaz de salvar todos, se os encontrasse. Não com seu Poder como estava agora.

— Acho que Lady Ulma realmente precisa descansar um pouco — disse Bonnie, esfregando a testa sob os cachos arruivados. — E Elena também. Você devia ter visto quantas suturas ela levou na perna, Damon. Mas o que vamos fazer, procurar um hotel?

— Podem ficar na minha casa — disse o Dr. Meggar, com uma sobrancelha erguida e outra arriada. Obviamente, ele se envolvera na história, levado por seu mero poder e beleza... e pela brutalidade. — Só peço que não destruam nada e, se virem um sapo, não o beijem, nem o matem. Tenho muitos lençóis, poltronas e sofás.

Ele não aceitou um aro que fosse da pesada corrente de ouro que Damon trouxera para usar como moeda de troca.

— Eu... agora tenho de ajudar vocês todos a se prepararem para dormir — murmurou Lady Ulma para Meredith com uma voz fraca.

— É você quem está mais machucada e deve ficar com a melhor cama — respondeu Meredith com tranquilidade. — E *nós* vamos ajudar *você* a se deitar.

— A cama mais confortável seria a do antigo quarto de minha filha. — O Dr. Meggar mexeu em um molho de chaves. — Ela se casou com um porteiro... Odiei vê-la partir. E essa jovem, a Srta. Elena, pode ficar com a antiga câmara nupcial.

Por um instante, o coração de Elena ficou dividido por emoções conflitantes. Ela estava com medo — sim, tinha certeza de que era medo o que sentia — de que Damon a pegasse nos braços e fosse para a suíte nupcial com ela. Por outro lado...

Neste momento, Lakshmi a olhou, insegura.

— Quer que eu vá embora? — perguntou ela.

— Você tem para onde ir? — Elena quis saber.

— As ruas, eu acho. Eu costumo dormir num barril.

— Fique aqui então. Venha comigo, uma cama nupcial parece grande o bastante para duas pessoas. Agora você é uma de nós.

O olhar que Lakshmi lhe deu era de uma profunda gratidão. Não por ter onde ficar, pelo que Elena entendeu. Pela declaração, "*Agora você é uma de nós*". Elena podia sentir que Lakshmi nunca pertencera a nenhum grupo antes.

As coisas estavam tranquilas até quase o "amanhecer" do "dia" seguinte, como diziam os habitantes da cidade, embora a luz não variasse a noite toda.

Desta vez havia uma multidão diferente na frente do prédio do médico. Era composta principalmente de homens idosos, que usavam mantos esfarrapados mas limpos — mas havia também algumas mulheres mais velhas. Eram liderados por um homem de cabelos prateados que tinha um estranho ar de dignidade.

Damon, com Sage ao seu lado, saiu do prédio do médico e falou com eles.

Elena já estava vestida, mas esperava no segundo andar, na tranquila suíte nupcial.

> *Querido Diário,*
> *Ah, meu Deus, eu preciso de ajuda! Oh, Stefan... Eu preciso de <u>você</u>. Preciso que me perdoe. Preciso que me mantenha sã. Estou há tempo demais com Damon e completamente emotiva, pronta para matá-lo ou... ou... não sei. <u>Eu não sei</u>!!! Somos como madeira e sílex juntos — meu Deus! Somos como gasolina e um lança-chamas! Por favor, me ouça, me ajude e me salve... de mim mesma. Sempre que ele diz meu nome...*

— Elena.

A voz atrás de Elena a fez saltar. Ela fechou o diário rapidamente e se virou.

— Sim, Damon?

— Como está se sentindo?

— Ah, ótima. Estou bem. Até a minha perna está... Quero dizer, estou bem. E você?

— Eu... estou muito bem — disse ele, e sorriu, e era um sorriso verdadeiro, não um esgar que se distorcia em algo diferente no último segundo, nem uma tentativa de manipulação. Era apenas um sorriso, embora preocupado e triste.

Elena só percebeu a tristeza nele quando se lembrou daquele momento mais tarde. De repente sentiu que não tinha peso nenhum; que se não se segurasse podia voar por quilômetros antes que alguém pudesse detê-la — quilômetros, talvez até as luas deste lugar louco.

Ela conseguiu abrir um sorriso trêmulo para Damon.

— Que bom.

— Vim conversar com você — disse ele. — Mas... Primeiro...

De algum modo, no instante seguinte, Elena estava nos braços de Damon.

— Damon... Não podemos continuar com isso... — Ela tentou se afastar gentilmente. — Não podemos mesmo continuar assim, você sabe disso.

Mas Damon não a soltou. Havia algo no modo como ele a abraçava que a deixou um tanto apavorada, e ao mesmo tempo lhe deu vontade de chorar de alegria, mas ela reprimiu as lágrimas.

— Está tudo bem — disse Damon com tranquilidade. — Pode chorar. Temos um problema e tanto nas mãos.

Algo na voz dele assustou Elena. Não do jeito meio alegre com que sentiu medo um minuto antes. Aquilo era definitivamente mais sério.

Isto porque *ele* tinha medo, pensou Elena subitamente, admirada. Ela vira Damon colérico, melancólico, frio, desdenhoso, sedutor — até subjugado, envergonhado — mas nunca o vira com medo de *nada*. Elena mal conseguia que sua mente aceitasse aquele conceito. Damon... com medo... por *ela*.

— É por causa do que eu fiz ontem, não é? — perguntou ela. — Eles vão me matar? — Ela ficou surpresa com a calma com que disse isso. Não sentia nada, somente uma vaga aflição e o desejo de fazer com que Damon não tivesse mais medo.

— Não! — Ele a manteve à distância de um braço, olhando para ela. — Pelo menos não sem matar a mim e Sage... Além de todas as pessoas nesta casa, se bem os conheço. — Ele parou, aparentemente sem fôlego, o que era impossível, lembrou Elena. Ele está ganhando tempo, pensou ela.

— Mas é o que eles querem fazer — disse ela. Elena não sabia por que tinha tanta certeza. Talvez estivesse captando alguma coisa telepaticamente.

— Eles fizeram... ameaças — disse Damon devagar. — Não por causa do Velho Drohzne; acho que sempre há assassinos por aqui e o vencedor leva tudo. Mas ao que parece, a notícia do que você fez se espalhou da noite para o dia. Os escravos das propriedades próximas estão se recusando a obedecer a seus senhores. Todo este quarteirão de cortiços está em polvorosa... E eles temem o que possa acontecer se outros setores souberem disso. Algo precisa ser feito assim que possível ou toda a Dimensão das Trevas pode explodir como uma bomba.

Enquanto Damon falava, Elena podia ouvir os ecos do que ele lhe contara pela multidão lá fora. *Eles* também tinham medo.

Talvez aquilo pudesse ser o começo de algo importante, pensou Elena, a mente se afastando de seus próprios problemas. Nem a morte era um preço tão alto para libertar esses miseráveis de seus senhores demoníacos.

— Mas não é o que vai acontecer! — disse Damon, e Elena percebeu que devia estar projetando seus pensamentos. Havia uma angústia genuína na voz de Damon. — Se tivéssemos planejado as coisas, se houvesse líderes que pudessem ficar aqui para controlar a revolução... Se pudéssemos *encontrar* líderes fortes o bastante para fazer isso... Então haveria uma chance. Mas *todos* os escravos estão sendo castigados, em todos os lugares onde a notícia se espalhou. Estão sendo torturados e mortos pela mera suspeita de simpatia por você. Seus senhores estão fazendo deles exemplos para toda a cidade. E as coisas só vão piorar.

O coração de Elena, que decolara num sonho de realmente fazer a diferença, espatifou-se no chão e ela olhou, apavorada, nos olhos negros de Damon.

— Mas precisamos impedir isso. Mesmo que eu tenha que morrer...

Damon a puxou de volta para ele.

— Você... Bonnie e Meredith. — Sua voz era rouca. — Muita gente viu as três juntas. Muita gente agora vê as três como desordeiras.

O coração de Elena parou. Talvez o pior fosse que ela podia entender, do ponto de vista da economia escravagista, que se um incidente de tal insolência passasse sem punição e a história se espalhasse... E quem conta um conto aumenta um ponto...

— Ficamos famosos da noite para o dia. Seremos lendas amanhã — murmurou ela, olhando, mentalmente, um dominó cair em outro, atingindo o seguinte até que uma longa fila tombava, formando a palavra "heroína".

Mas ela não queria ser uma heroína. Só viera aqui para resgatar Stefan. E embora pudesse dar a própria vida para impedir que os escravos fossem torturados ou mortos, ela mesma mataria qualquer um que tentasse encostar um dedo em Bonnie ou Meredith.

— Elas sentem o mesmo — disse Damon. — Ouviram o que a congregação tinha a dizer. — Ele segurou os braços dela com força, como se tentasse escorá-la. — Uma jovem chamada Helena foi espancada e enforcada esta manhã porque tinha um nome parecido com o seu. E ela tinha 15 anos.

As pernas de Elena cederam, como frequentemente acontecia quando estava nos braços de Damon... Mas nunca antes por este motivo. Ele arriou junto com ela. Esta era uma conversa que precisavam ter sentados.

— Não foi culpa sua, Elena! Você é o que é, as pessoas a amam pelo que você é!

A pulsação de Elena acelerou. A situação já era bem ruim... E ela conseguira piorar. Por não ter pensado antes. Por imaginar que apenas a sua vida estava em risco. Por agir antes de avaliar as consequências.

Mas se pudesse voltar no tempo, faria tudo de novo. Ou... com vergonha, pensou ela, faria algo parecido. Se eu soubesse que colocaria em perigo todos a quem amo, teria implorado a Damon para negociar com aquele verme senhor de escravos. Comprar a mulher por um preço exorbitante... Se tivéssemos o dinheiro. Se ele tivesse ouvido... Se outro golpe do chicote não matasse Lady Ulma...

De repente seu cérebro parou também.

Isto era passado.
E este é o presente.
Trate de lidar com isso.
— O que faremos? — Ela tentou se soltar e sacudiu Damon; estava furiosa. — Deve haver alguma coisa que possamos fazer! Eles podem matar Bonnie e Meredith... E Stefan morrerá se não o encontrarmos!

Damon a apertou com mais força. Mantinha a mente protegida dela, percebeu Elena. Isso podia ser bom ou ruim, ela não sabia. Podia haver uma solução que ele relutava em lhe apresentar. Ou podia significar que a morte das três "escravas rebeldes" era a única coisa que os líderes da cidade aceitariam.

— Damon. — Ele a segurava com força demais, que a impedia de se libertar, então Elena não pôde olhá-lo no rosto. Mas podia imaginá-lo e tentava se dirigir a ele diretamente, através de sua mente.

Damon, se houver alguma coisa — um jeito de salvarmos Bonnie e Meredith — você precisa me dizer. Tem que me contar. Eu ordeno que me conte!

Nenhum deles estava disposto a ver graça nesta última frase ou notar que a "escrava" dava ordens a seu "senhor". Mas por fim Elena ouviu a voz telepática de Damon.

Eles dizem que se eu a levar de volta ao Jovem Drohzne e você pedir desculpas, pode se livrar disso *com apenas seis golpes.* De algum lugar Damon tirou uma vara flexível, feita de uma madeira clara. Provavelmente freixo, pensou Elena, surpresa com a própria calma. Era um material que funcionava com todos: até com vampiros — até nos Antigos, que sem dúvida existiam por aqui.

Mas deve ser feito em público para que eles possam dar início a boatos diferentes. Eles acham que o tumulto vai parar, se você — que começou isso tudo — admitir seu status de escrava.

Os pensamentos de Damon pareciam sufocados, assim como o coração de Elena. Quantos de seus princípios ela estaria traindo se fizesse isso? Quantos escravos estaria condenando a uma vida de servidão?

De repente a voz mental de Damon era colérica. *Nós não viemos aqui para reformar a Dimensão das Trevas*, lembrou-lhe ele, num tom que fez Elena estremecer. Damon a sacudiu de leve. *Viemos resgatar Stefan, lembra? Não preciso dizer que nunca mais teremos outra chance de fazer isso se tentarmos bancar o Spartacus... se começarmos uma guerra que nós sabemos que não podemos vencer. Nem os Guardiões podem vencer essa guerra.*

Uma luz surgiu na mente de Elena.

— É claro — disse ela. — Por que não pensei nisso antes?

— Pensou no quê? — disse Damon, desesperado.

— Não faremos a guerra... pelo menos por enquanto. Eu nem mesmo dominei meus Poderes básicos ainda, e muito menos o Poder das Asas. Assim, eles nem imaginam que elas existem.

— Elena?

— Vamos voltar — explicou Elena a ele, animada. — Quando eu puder controlar meus Poderes. E traremos aliados... Aliados fortes que recrutaremos no mundo humano. Isso pode levar muitos anos, mas um dia vamos voltar e terminar o que começamos.

Damon a olhava como se ela tivesse enlouquecido, mas isso não importava. Elena podia sentir o Poder correndo pelo seu corpo. Era uma promessa, pensou, que ela cumpriria, mesmo que lhe custasse a vida.

Damon engoliu em seco.

— Agora podemos falar... do presente? — perguntou ele.

Era como se ele tivesse acertado na mosca.

O presente. Agora.

— Sim. Sim, é claro. — Elena olhou a vara de freixo com desdém. — É claro, eu vou fazer isso, Damon. Não quero que mais ninguém se machuque por minha causa antes de eu estar preparada para lutar. O Dr. Meggar é um bom curandeiro. Se me permitirem voltar a ele.

— Sinceramente, não sei — disse Damon, sustentando seu olhar. — Mas de uma coisa eu tenho certeza. Você não sentirá um único golpe, eu lhe prometo — disse ele rápida e sinceramente, os olhos negros crescendo. — Vou cuidar disso; tudo será canalizado para fora. E você nem mesmo verá um vestígio de marca no dia seguinte. Mas — concluiu mais lentamente — você terá de me pedir desculpas de joelho, a mim, seu senhor, e àquele velho sujo, abominável e degenerado... — As imprecações de Damon o distraíram por um momento e ele resvalou no italiano.

— A quem?

— Ao líder dos cortiços, e talvez também ao irmão do Velho Drohzne, o Jovem Drohzne.

— Tudo bem. Diga a eles que me desculparei com quantos os Drohzne quiserem. Mas diga logo, para não corrermos o risco de perdermos nossa chance.

Elena podia ver o olhar que ele lhe lançava, mas sua mente estava voltada para dentro. Será que ela deixaria Meredith e Bonnie fazerem isso? Não. Será que permitiria que acontecesse com Caroline, se tivesse algum meio de impedir? De novo, não. Não, não e não. Os sentimentos de Elena em relação a brutalidade com meninas e mulheres sempre foram extraordinariamente fortes. Seus sentimentos para com a condição secundária das mulheres em todo o mundo se tornaram muito claros desde que voltou do além. Se ela voltara ao mundo com algum propósito, decidira Elena, era ajudar a libertar as meninas e mulheres da escravidão que muitas nem mesmo conseguiam perceber.

Mas este caso não era de um ciclo vicioso de mulheres e homens anônimos oprimidos e escravizados. Tratava-se de Lady Ulma, e de manter a mulher e o bebê em segurança... E tratava-se de Stefan. Se ela cedesse, seria apenas uma escrava insolente que provocara um pequeno tumulto pelo caminho, mas fora colocada em seu lugar com firmeza pelas autoridades.

Caso contrário, se seu grupo passasse por uma inspeção minuciosa... Se alguém percebesse que estavam aqui para libertar

Stefan... Se Elena desafiasse as autoridades: "Passe-o para a segurança mais severa — livrem-se daquela coisa idiota de chave kitsune..."

Sua mente ardia de imagens dos variados castigos que Stefan poderia sofrer, de como podia ser levado, ou *perdido* se este incidente nos cortiços ganhasse proporções indevidas.

Não. Ela não abandonaria Stefan agora para travar uma guerra que não podia ser vencida. Mas também não se esqueceria dela.

Vou voltar por todos vocês, prometeu Elena. E depois a história terá um final diferente.

Ela percebeu que Damon ainda não a soltara. Olhava-a nos olhos, penetrante como um falcão.

— Eles me mandaram levar você — disse Damon em voz baixa. — Não aceitam um não como resposta... — Elena podia sentir brevemente a ferocidade de sua fúria para com eles e pegou a mão de Damon, apertando-a.

— Voltarei com você no futuro, pelos escravos — disse ele. — Você sabe que pode contar comigo, não é?

— Claro que sei — disse Elena, e seu beijo rápido tornou-se um beijo mais demorado. Ela não absorvera realmente o que Damon disse sobre canalizar a dor para fora. Sentia que devia apenas um beijo pelo que estava prestes a suportar; Damon afagou seu cabelo e o tempo nada significou até Meredith bater na porta.

O amanhecer vermelho-sangue assumira um caráter bizarro, quase onírico, quando Elena foi levada à estrutura ao ar livre onde os chefes dos cortiços que mandavam naquela área estavam sentados em pilhas de almofadas que há muito eram elegantes, mas agora estavam surradas. Eles passavam de um lado a outro garrafas e frascos incrustados de joias, cheios de Black Magic, o único vinho que os vampiros realmente desfrutavam, fumando narguilés e de vez em quando cuspindo nas sombras mais escuras. Isto sem levar em consideração o povaréu atraído pela novidade da punição pública de uma humana jovem e bonita.

Elena havia ensaiado sua fala. Foi obrigada a andar, amordaçada e algemada diante das autoridades que soltavam pigarros e cuspiam. O Jovem Drohzne estava sentado em certa glória desconfortável num sofá dourado, e Damon estava de pé entre ele e as autoridades, parecendo estar tenso. Elena nunca ficara tão tentada a improvisar um papel desde sua atuação na peça que participou quando estava no ginásio, quando atirou um vaso de flores em Petrúquio e derrubou a casa na última cena de *A megera domada*.

Mas este assunto era mortalmente sério. A liberdade de Stefan e as vidas de Bonnie e Meredith dependiam disso. Elena passou a língua pelo interior da boca, que estava seca como osso.

E, estranhamente, encontrou os olhos de Damon, o homem com o bastão, animando-a. Ele parecia dizer a ela, *coragem e indiferença*, sem usar a telepatia. Elena se perguntou se ele mesmo já estivera em situação parecida.

Ela levou um chute de alguém de sua escolha e se lembrou de onde estava. Pegara emprestado um traje "adequado" do guarda-roupa que a filha casada do Dr. Meggar deixara para trás. O tom que entre quatro paredes, parecia perolado, ficava malva sob o eterno sol carmim do lugar. Mais importante, sem a combinação de seda por baixo, descia até abaixo da linha da cintura de Elena, deixando suas costas completamente nuas. Agora, segundo os costumes, ela se ajoelhou diante dos anciãos e se curvou até que a testa tocasse um tapete decorado e muito sujo aos pés deles, mas vários degraus abaixo. Um dos homens cuspiu nela.

Houve uma gritaria animada, e murmúrios, e a multidão começou a atirar coisas em Elena. Aqui, as frutas eram preciosas demais para desperdiçá-las. Mas excremento seco não era, e Elena descobriu as primeiras lágrimas vindo a seus olhos ao perceber o que estavam lhe atirando.

Coragem e indiferença, disse Elena a si mesma, sem se atrever a olhar para Damon.

Agora, quando a multidão sentira que já tivera diversão suficiente, um dos anciãos civis que fumavam narguilé levantou-se. Elena não conseguiu entender o que ele lia em um pergaminho amassado. Pareceu durar uma eternidade. Elena, de joelhos, com a testa encostada no tapete sujo, achou que ia sufocar.

Por fim o pergaminho foi colocado de lado e o Jovem Drohzne saltou, descrevendo numa voz aguda e quase histérica, e numa linguagem ostentosa, a história de uma escrava que desafiou seu próprio senhor (Damon, notou Elena mentalmente) para se libertar de sua supervisão, depois atacou o chefe de sua família (o Velho Drohzne, pensou Elena) e seu pobre meio de vida, sua carroça, e sua escrava inútil, insolente e preguiçosa, e como tudo isso resultou na morte de seu irmão. Aos ouvidos de Elena, no início, ele parecia estar culpando Lady Ulma por todo o incidente, porque ela desabara sob a carga que levava.

— Todos vocês conhecem o tipo de escrava a que me refiro... Ela não se incomodaria em afugentar uma mosca que estivesse em seu olho — gritou ele, apelando à multidão, que reagiu com novos insultos e uma artilharia renovada sobre Elena, uma vez que Lady Ulma não estava ali para ser castigada.

Por fim, o Jovem Drohzne terminou contando desta atrevida vil (Elena) que, vestida como homem, pegara a imprestável escrava de seu irmão (Ulma), carregara essa propriedade valiosa (tudo isso sozinha?, perguntou-se Elena ironicamente) e a levara para a casa de um curandeiro altamente suspeito (Dr. Meggar), que agora se recusava a devolver a escrava original.

— Quando soube disso, entendi que jamais veria meu irmão ou sua escrava de novo — gritou, no gemido estridente que ele, de algum modo, conseguira sustentar por toda a narrativa.

— Se a escrava era tão preguiçosa, devia ficar feliz com isso — gritou um piadista na multidão.

— Entretanto — disse um homem muito gordo cuja voz fazia Elena se lembrar de Alfred Hitchcock: a dicção lúgubre e as mesmas pausas antes de pronunciar palavras importantes, acentuando o estado de espírito mais macabro e dando a história um caráter mais sério do que qualquer um tivesse pensado até então. Este era um homem poderoso, percebeu Elena. As obscenidades, o bombardeio, até os pigarros e cusparadas tinham parado. O grandalhão sem dúvida era o equivalente local de um "chefão" para esses pobres moradores dos cortiços. Seria sua palavra que determinaria o destino de Elena.

— E desde então —dizia ele lentamente, mastigando, a cada poucas palavras um doce de formato irregular e dourado, que tirava de uma tigela reservada para ele —, o jovem vampiro Damien fez a reparação... e mais generosamente também... pelos danos à propriedade. — Aqui houve uma longa pausa enquanto ele fitava o Jovem Drohzne. — Portanto, sua escrava, Aliana, que começou toda essa confusão, não será presa ou colocada em leilão público, mas fará sua reverência e rendição humilde aqui e, pela própria vontade, receberá a punição que sabe merecer.

Elena se viu muito confusa. Não sabia se era por causa de toda aquela fumaça que flutuava para seu nível antes de subir em espirais, mas as palavras "colocada em leilão público" provocaram um choque que quase a fez desmaiar. Ela não sabia que *isso* podia acontecer — e as imagens que lhe vinham à mente eram extremamente desagradáveis. Ela também percebeu seu novo apelido, e o de Damon. Aquilo na verdade era ótimo, pensou ela, uma vez que Shinichi e Misao jamais saberiam dessa pequena aventura.

— Traga-nos a escrava — concluiu o gordo, sentando-se numa grande pilha de almofadas.

Elena foi colocada de pé e levada rispidamente para cima até ver as sandálias douradas do homem, e os pés incrivelmente limpos, enquanto mantinha os olhos baixos como uma escrava obediente.

— Ouviu todo o protocolo? — O Chefão ainda mastigava suas iguarias e uma lufada de brisa trouxe um cheiro forte ao nariz de Elena; de repente, toda a saliva que podia reunir inundou seus lábios secos.

— Sim, senhor — disse ela, sem saber que título dar a ele.

— Dirija-se a mim como Sua Excelência. Você tem algo a acrescentar em sua defesa? — perguntou o homem, para espanto de Elena. Sua resposta automática era, "Por que pergunta, já que tudo foi arranjado de antemão?", ficou presa nos lábios. Este homem era algo — *mais* — do que qualquer um dos outros que havia conhecido na Dimensão das Trevas — ou melhor, em toda a sua vida. Ele ouvia as pessoas. Ele ouviria a mim se eu lhe contasse sobre Stefan, pensou Elena de repente. Mas, pensou ela, recuperando seu equilíbrio mental, o que ele faria a respeito disso? Nada, a não ser que lhe desse algo em troca *e* ele lucrasse alguma coisa com isso — ou aumentasse poder, ou derrubasse um inimigo.

Ainda assim, ele podia ser um aliado quando ela voltasse a este lugar para libertar os escravos.

— Não, Sua Excelência. Nada a acrescentar — disse ela.

— E está disposta a se prostrar e implorar meu perdão e o do amo Drohzne?

Esta era a primeira fala do roteiro de Elena.

— Sim — disse ela, e conseguiu pronunciar suas desculpas pré-fabricadas com clareza e com o engolir em seco no momento certo no final. No alto, Elena podia ver pontos dourados no rosto do gordo, em seu colo, na barba.

— Muito bem. Determino uma pena de dez chibatadas de vara de freixo nesta escrava, como exemplo a outros baderneiros. A pena será aplicada por meu sobrinho Clewd.

21

Bandemônio. Elena levantou rapidamente a cabeça, confusa, sem saber se ainda devia agir como a escrava arrependida. Os líderes da comunidade tagarelavam entre si, apontando dedos, lançando as mãos para cima. Damon restringira fisicamente o Chefão, que parecia considerar concluída sua parte na cerimônia.

A multidão uivava e gritava. Parecia que haveria outra briga; desta vez entre Damon e os homens do Chefão, em especial aquele que se chamava Clewd.

A cabeça de Elena girava. Ela só conseguia pegar algumas frases desconexas.

"... só seis chibatadas e que *eu* aplique...", Damon gritava.

"... acha realmente que esses caluniadores dizem a verdade?", gritava outra pessoa — provavelmente Clewd.

Mas o Chefão não era exatamente isso também? Apenas um caluniador maior, mais assustador e, sem dúvida, mais eficiente que se reportava a algum superior e não toldava a mente com fumaça tóxica?, pensou Elena; depois abaixou a cabeça apressadamente quando o gordo olhou para ela.

Ela podia ouvir Damon novamente, desta vez acima da algazarra. Ele estava junto do Chefão.

— Eu achava que mesmo aqui haveria algum respeito depois de firmado um acordo. — Sua voz deixava evidente que já não seria mais possível negociar e que ele estava prestes a partir para o ataque. Elena estava apavorada. Nunca ouvira tão abertamente uma ameaça de Damon, em voz alta.

— Espere. — O tom do Chefão estava relaxado, mas fez da balbúrdia um silêncio. O gordo, tendo retirado a mão de Damon de seu braço, virou a cabeça para Elena.

— Abro mão da participação de meu sobrinho Clewd. Diarmund, ou quem quer que seja, está livre para castigar sua escrava com os próprios instrumentos.

De súbito, surpreendentemente, o velho espanava pedaços de ouro da barba e falava diretamente com Elena. Seus olhos eram experientes, cansados e surpreendentemente sagazes.

— Clewd é um mestre nas chibatadas, como deve saber. Tem sua própria invençãozinha. Chama-se bigodes de gato e um só golpe é capaz de esfolar a pele do pescoço aos quadris. A maioria dos homens morre com dez chibatadas. Mas receio que ele ficará decepcionado hoje. — Depois, expondo dentes surpreendentemente brancos e regulares, o Chefão sorriu. Estendeu para ela a tigela de doces dourados que estivera comendo. — Pode provar um antes de sua Disciplina. Pegue.

Com medo de experimentar e, ao mesmo tempo, receosa de não provar, Elena pegou um dos pedaços irregulares e colocou-o na boca. Seus dentes mastigaram o doce de sabor agradável. A metade de uma noz! Era esse o misterioso doce. Uma meia noz deliciosa, mergulhada em uma espécie de xarope doce de limão, com pedaços de pimenta ou algo dourado que se grudava nela, com aquela coisa comestível que parecia ouro. Ambrosia!

O Chefão dizia a Damon:

— Aplique sua própria "disciplina", rapaz. Mas não deixe de ensinar a menina a encobrir seus pensamentos. Ela é inteligente demais para ser desperdiçada num bordel de cortiço. Mas então por que não acho que ela quer se tornar uma cortesã famosa?

Antes que Damon pudesse responder ou Elena conseguisse levantar a cabeça, ainda de joelhos, ele se foi, levado pelos carregadores de palanquim para a única carruagem puxada por cavalos que Elena vira nos cortiços.

Agora os líderes civis que discutiam e gesticulavam, incitados pelo Jovem Drohzne, com muito custo, chegaram a um acordo.

— Dez chibatadas, ela não precisa se despir e você mesmo pode aplicá-las — disseram. — Mas nossa última palavra é esta: dez. O homem que negociou com você já não pode mais discutir.

Quase despreocupadamente, alguém ergueu, por um tufo de cabelo, uma cabeça sem corpo. O absurdo era estar coroada de folhas poeirentas, na expectativa do banquete depois da cerimônia.

Os olhos de Damon lampejaram de uma fúria genuína, fazendo com que todos os objetos em volta vibrassem. Elena podia ver o Poder dele como uma pantera recuando contra uma trela. Ela sentiu como se estivesse falando a um furacão, que devolvia cada palavra que dizia para dentro de sua garganta.

— Concordo com isso.

— O quê?

— Acabou, Da... Amo Damon. Chega de gritaria. Eu concordo.

Agora, enquanto se prostrava no tapete diante de Drohzne, ouviu repentinas lamentações de mulheres e crianças e uma fuzilaria de projéteis que miravam — às vezes mal — o senhor da escrava, com seu sorriso desdenhoso.

A cauda da roupa se espalhava atrás de Elena como de um vestido de noiva, a saia perolada deixando a anágua borgonha reluzente na eterna luz vermelha. O cabelo tinha se soltado do alto, caindo como uma nuvem por seus ombros, Damon teve de separá-los com as mãos. Ele tremia, de fúria. Elena não se atreveu a encará-lo, pois sabia que as mentes dos dois se conectariam. Então se lembrou de fazer seu discurso formal diante dele e do Jovem Drohzne como parte da farsa.

Fale com sentimento, a professora de teatro, a Srta. Courtland, sempre dizia para a turma. Se não houver sentimento em você, não poderá haver na plateia.

— Amo! — gritou Elena, numa voz alta o bastante para ser ouvida por sobre as lamentações das mulheres. — Amo, não passo de uma escrava, não sou apta a me dirigir ao senhor. Mas cometi um erro grave e aceito minha punição avidamente... Sim, avidamente, se isto restaurar no senhor um fio da respeitabilidade de que desfrutava antes de minha transgressão indesejada. Imploro que castigue esta escrava em desgraça, que se prostra como tripas jogadas em seu piedoso caminho.

O discurso, que ela gritara num tom invariável e vítreo de alguém que decorou cada vírgula, não precisava passar de quatro palavras, "Amo, imploro seu perdão". Mas ninguém pareceu ter reconhecido a ironia que Meredith havia colocado nele, muito menos o achou engraçado. O Chefão o aceitara; o Jovem Drohzne o ouvira, e agora era a vez de Damon.

Mas o Jovem Drohzne ainda não havia terminado. Sorrindo maliciosamente para Elena, ele disse:

— É o que terá, mocinha. Mas quero ver essa vara de freixo primeiro! — dirigindo-se a Damon. Deu alguns golpes nas almofadas em volta deles (que encheram o ar de uma poeira cor de rubi) e ficou satisfeito, mostrando que aquela vara era tudo o que ele podia querer.

Com a boca visivelmente salivando, ele se acomodou no sofá dourado, olhando Elena da cabeça aos pés.

Finalmente chegou a hora. Damon não suportava mais. Lentamente, como se cada passo estivesse no roteiro de uma peça que ele não ensaiou direito, ele se postou ao lado de Elena para acertar o ângulo. E, enfim, enquanto a multidão reunida ficava cada vez mais impaciente e as mulheres mostravam sinais de que iriam se perder na embriaguez, em vez de lamentar aquilo, ele escolheu o local.

— Eu peço seu perdão, amo — disse Elena numa voz inexpressiva. Se deixasse por conta dele, pensou ela, Damon nem teria se lembrado dessas exigências.

Agora era a hora. Elena sabia o que Damon lhe prometera. Ela também tinha consciência que muitas promessas já tinham sido quebradas naquele dia. Primeiro, dez eram quase o dobro de seis.

Ela não estava ansiando por isso.

Mas quando veio o primeiro golpe, ela sabia que Damon não quebraria sua promessa. Sentiu um baque surdo, um torpor, e curiosamente uma umidade que a fez olhar as nuvens através da grade de ripas acima deles. Era desconcertante perceber que a umidade era seu próprio sangue, derramado sem dor, escorrendo pela lateral do corpo.

— Comece a contagem — rosnou o Jovem Drohzne com a voz arrastada e Elena automaticamente disse "Um", antes que Damon pudesse discutir.

Elena continuou contando na mesma voz clara e inabalável. Em sua mente ela não estava ali, naquela sarjeta horrível e fedida. Estava deitada sobre os cotovelos para apoiar o rosto, e fitava os olhos de Stefan — aqueles olhos verdes e vivos como a primavera, olhos que jamais envelheceriam, por mais que ele vivesse por séculos e séculos. Ela contava sonhadoramente para ele, e no *dez* os dois pulariam para disputar uma corrida. Caía uma chuva suave, mas Stefan lhe dava uma vantagem, e muito em breve ela se separaria dele e correria pela relva luxuriante. Faria uma corrida justa e realmente se esforçaria, mas Stefan, é claro, a alcançaria. Depois eles se deitariam na relva juntos, rindo sem parar, como se estivessem tendo um ataque histérico.

Até os ruídos vagos e distantes de expressões rapaces e rosnados embriagados gradualmente mudavam. Tudo tinha a ver com algum sonho bobo sobre Damon e uma vara de freixo. No sonho, Damon açoitava com força suficiente para satisfazer o mais exigente dos espectadores, e os golpes, que Elena podia ouvir no silêncio crescente, pareciam fortes, deixando-a meio nauseada quando refletiu que aquele era o som da sua pele se rasgando, mas ela não sentiu mais do que leves tapas nas costas. E Stefan lhe mandava um beijo!

"Serei sempre seu", dizia Stefan. "Somos um do outro sempre que você sonha."

Eu sempre serei sua, disse-lhe Elena em silêncio, sabendo que ele receberia a mensagem. Posso não conseguir sonhar com você o tempo todo, mas sempre estarei com você.

Sempre, meu anjo. Estou esperando por você, disse Stefan.

Elena ouviu a própria voz dizer "dez", e Stefan lhe mandou outro beijo e se foi. Piscando, desnorteada e confusa com o súbito fluxo de ruídos, ela se sentou cautelosamente, olhando em volta.

O jovem Drohzne estava agachado, cego de fúria, decepção e mais bebida do que podia suportar. As mulheres que gemiam há muito haviam se silenciado, pasmas. As crianças eram as únicas que ainda faziam barulho, subindo e descendo as ripas, cochichando com as outras e correndo se Elena por acaso olhasse na direção delas.

Em seguida, sem qualquer cerimônia, tudo havia acabado.

Quando Elena se levantou, o mundo deu duas voltas em torno dela e suas pernas se dobraram. Damon a segurou e chamou os poucos jovens ainda conscientes, que se inclinaram para ele.

— Dê-me uma capa. — Não era um pedido, e o mais bem-vestido dos homens, que parecia fazer turismo nos cortiços, atirou-lhe uma capa pesada e preta, forrada de azul esverdeado, e disse:

— Fique com ela. O espetáculo foi maravilhoso. É um ato de hipnose?

— Não foi um espetáculo — rosnou Damon, numa voz que deteve os outros visitantes no ato de estender cartões de visita.

— Pegue-os — sussurrou Elena.

Damon pegou os cartões de uma das mãos, sem a menor elegância. Mas Elena se obrigou a tirar o cabelo do rosto e sorrir lentamente, com as pálpebras pesadas, para os jovens. Eles sorriram timidamente para ela.

— Quando vocês... Se apresentarem de novo...

— Vocês saberão — disse-lhes Elena. Damon já a carregava de volta ao Dr. Meggar, cercado pela inevitável comitiva de crianças que puxavam os mantos. Foi só então que ocorreu a Elena perguntar-se por que Damon pedira uma capa a um estranho, quando ele, na verdade, estava vestindo uma.

* * *

— Eles farão cerimônias em algum lugar, agora que são tantos — disse a Sra. Flowers com certa agonia. Ela e Matt estavam sentados, bebendo chá de ervas na sala de estar do pensionato. Era hora do jantar, mas ainda estava muito claro lá fora.

— Cerimônias para fazer o quê? — perguntou Matt. Ele não fora à casa dos pais desde que deixou Damon e Elena, havia mais de uma semana, para voltar a Fell's Church. Passou na casa de Meredith, que ficava na periferia da cidade, e ela o convenceu a procurar a Sra. Flowers primeiro. Depois da conversa que os três tiveram com Bonnie, Matt decidiu que era melhor ficar escondido. Sua família ficaria mais segura se ninguém soubesse que ele estava em Fell's Church. Ele moraria no pensionato, mas nenhuma daquelas crianças possuídas perceberia isso. Depois, com Bonnie e Meredith partindo em segurança para encontrar Damon e Elena, Matt podia ser uma espécie de agente secreto.

Agora ele desejava ter ido com as meninas. Tentar ser agente secreto num lugar onde todos os inimigos pareciam capazes de ouvir e ver melhor do que você, e se movimentar muito mais rápido, não se mostrou tão útil quanto parecia. Ele passava a maior parte do tempo lendo blogs na internet, que Meredith havia indicado, procurando dicas que pudessem ajudar-lhes de alguma maneira.

Mas não leu sobre a necessidade de nenhuma cerimônia. Ele se virou para a Sra. Flowers enquanto ela bebericava o chá pensativa.

— Cerimônias para quê? — repetiu Matt.

Com o cabelo branco e macio, o rosto gentil e os olhos azuis bondosos e vagos, a Sra. Flowers parecia a velhinha mais inofensiva do mundo. Mas não era. Bruxa de nascença e jardineira por vocação, ela sabia tanto sobre toxinas vegetais de magia negra quanto de cataplasmas curativas de magia branca.

— Ah, para fazer coisas desagradáveis — respondeu ela com tristeza, olhando as folhas de chá na xícara. — Eles são em parte como um encontro de torcidas, sabe?, para animar a todos. Provavelmente também fazem alguma magia negra lá. Talvez com alguma chantagem e lavagem cerebral... Eles podem dizer a qualquer novo convertido que ele é culpado por simplesmente comparecer às reuniões. Eles podem também se render e se tornar plenamente iniciados... Esse tipo de coisa. Muito desagradável.

— Mas desagradável como? — insistiu Matt.

— Na verdade eu não sei, querido. Nunca fui a uma dessas cerimônias.

Matt refletiu. Eram quase 19h, hora do toque de recolher para menores de 18 anos. Jovens até 18 anos corriam o risco de ficar possuídos.

É claro que não era um toque de recolher oficial. A polícia parecia não fazer ideia de como lidar com aquela curiosa doença que atingia os jovens de Fell's Church. Dar-lhes um susto, talvez? Mas era a polícia que estava assustada. Um jovem xerife saiu correndo da casa de Ryan para vomitar depois de ver Karen Ryan arrancar a dentadas a cabeça de seu camundongo de estimação e dar um fim no que restou dele.

Trancafiá-las? Mas isso os pais não queriam, por pior que fosse o comportamento de seus filhos, por mais evidente que fosse sua necessidade de ajuda. Algumas crianças eram levadas à cidade vizinha para uma sessão com o psiquiatra. Elas se comportavam normalmente, falavam com calma e de maneira racional... Durante os 50 minutos de consulta. Depois, ao voltar para casa, vingavam-se dos pais, repetindo tudo o que eles diziam numa imitação perfeita, fazendo ruídos assustadores que pareciam sons de animais, travando conversas consigo mesmas em línguas que pareciam asiáticas ou falando de trás para a frente.

Nenhuma ciência comum ou médica parecia ter uma resposta para o problema das crianças.

Mas o que mais assustava os pais era quando seus filhos desapareciam. No início, supunha-se que as crianças fossem para o cemitério, mas quando os adultos tentaram segui-las a uma das reuniões secretas, encontraram o cemitério vazio — inclusive a cripta secreta de Honoria Fell. As crianças pareciam ter simplesmente... sumido.

Matt pensou que sabia a resposta para este mistério. Aquela mata no antigo bosque ainda ficava perto do cemitério. Ou os poderes de purificação de Elena não chegaram tão longe, ou o lugar era tão maligno que conseguiu resistir à limpeza que ela fizera.

E Matt sabia muito bem que os antigos bosques agora estavam sob domínio dos kitsune. Se você desse dois passos para a mata corria o risco de passar o resto da vida tentando sair de lá.

— Mas talvez eu seja jovem o suficiente para segui-los — disse ele agora à Sra. Flowers. — Sei que Tom Pierler vai com elas e ele tem a minha idade. E tem aqueles que começaram tudo: Caroline passou a Jim Bryce, que passou a Isobel Saitou.

A Sra. Flowers parecia distraída.

— Precisamos pedir à avó de Isobel mais daquelas proteções xintoístas que ela abençoou — disse ela. — Acha que pode dar um pulinho lá qualquer dia desses, Matt? Pelo que sei, logo teremos de nos preparar para uma emboscada.

— É o que dizem as folhas de chá?

— Sim, querido, e é o mesmo que minha pobre cabeça diz. Avise à Dra. Alpert para ela tirar a filha e os netos da cidade antes que seja tarde demais.

— Vou dar o recado a ela, mas acho que vai ser muito difícil separar Tyrone de Deborah Koll. Ele realmente gosta dela... Mas talvez a Dra. Alpert possa convencer os Koll a partir também.

— Boa ideia. Isso significaria menos crianças para nos preocuparmos — disse a Sra. Flowers, pegando a xícara de Matt para dar uma olhada.

— Eu farei isso. — Era estranho, pensou Matt. Naquele momento, ele tinha três aliados em Fell's Church e todos eram mulheres de mais de 60 anos. A Sra. Flowers, ainda forte o bastante para acordar toda manhã para dar uma caminhada e cuidar de suas plantas; Obaasan — confinada ao leito, pequenina como uma boneca, com o cabelo preto preso num coque —, que sempre estava pronta com ótimos conselhos, devido à experiência adquirida nos anos que passou como donzela do santuário; e a Dra. Alpert, a médica de Fell's Church, que tinha cabelos grisalhos, pele morena lustrosa e uma atitude absolutamente pragmática com relação a tudo, inclusive a magia. Ao contrário da polícia, ela se recusava a negar o que acontecia diante de seus olhos e fazia o máximo que podia para aliviar os temores das crianças e aconselhar os pais apavorados.

Uma bruxa, uma sacerdotisa e uma médica. Matt imaginou que estava pisando em terreno firme, especialmente porque ele também conhecia Caroline, menina que havia começado tudo aquilo — quer fosse por possessão de raposas, lobos ou as duas coisas — ou mais.

— Vou à reunião esta noite — disse ele com firmeza. — O pessoal esteve cochichando e se falando o dia todo. Vou me esconder em algum lugar à tarde, onde possa vê-los entrando na mata. Depois vou segui-los... Desde que Caroline ou... Deus nos livre, Shinichi ou Misao... não esteja com eles.

A Sra. Flowers lhe serviu outra xícara de chá.

— Estou muito preocupada com você, Matt, querido. Parece-me ser um dia de mau agouro. Não é um dia para se correr riscos.

— Sua mãe tem algo a dizer sobre isso? — perguntou Matt, genuinamente interessado. A mãe da Sra. Flowers morreu em algum momento por volta do início dos anos 1900, mas isso não a impedia de se comunicar com a filha.

— O problema é justamente este. Não ouvi uma palavra dela o dia todo. Vou tentar mais uma vez. — A Sra. Flowers fechou os olhos e Matt pôde ver as pálpebras enrugadas se mexendo enquanto ela presumivelmente procurava pela mãe, tentando entrar em transe ou coisa assim. Matt tomou seu chá e, cansado de esperar, começou a jogar no celular.

Por fim a Sra. Flowers abriu os olhos de novo e suspirou.

— Hoje a querida ma*ma* (ela sempre falava assim, com a tônica na segunda sílaba) está sendo rebelde. Ela não quer me dar uma resposta clara. Ela diz que a reunião será muito turbulenta, e depois muito silenciosa. E está claro que ela acha que será muito perigosa também. Acho melhor eu ir com você, meu querido.

— Não, não! Se sua mãe acha que é perigoso, nem eu vou — disse Matt. As meninas o esfolariam vivo se acontecesse alguma coisa com a Sra. Flowers, pensou ele. Melhor agir com cautela.

A Sra. Flowers se recostou na cadeira, parecendo aliviada.

— Bem — disse ela por fim —, acho melhor cuidar das minhas plantas. Também tenho que colher e secar artemísia. E os mirtilos devem estar maduros. Como o tempo voa.

— Bom, a senhora está cozinhando para mim e tudo — disse Matt. — Gostaria de pagar pela hospedagem.

— Eu jamais me perdoaria! Você é meu hóspede, Matt. E também meu amigo, assim espero.

— Mas é claro que sim. Sem a senhora, eu estaria perdido. Vou dar uma caminhada, preciso queimar calorias. Eu queria... — Ele se interrompeu. Ia dizer que queria poder bater uma bola com Jim Bryce. Mas Jim não bateria bola de novo, nunca mais. Não com as mãos mutiladas.

— Só vou dar uma caminhada — disse ele.

— Sim — disse a Sra. Flowers. — Por favor, Matt querido, tenha cuidado. Lembre-se de levar um agasalho.

— Sim, senhora. — Era início de agosto, estava quente e úmido o bastante para se andar de sunga de natação. Mas Matt era educado o suficiente para respeitar os mais velhos, mesmo que fossem bruxas e, em muitos aspectos, tão perigosas como a faca que ele colocou no bolso ao sair do pensionato.

Ele pegou uma estrada que dava no cemitério.

Agora, se fosse para *lá*, onde o chão descia abaixo da mata, ele teria uma ótima visão de quem estivesse entrando no que restava do antigo bosque, ao passo que ninguém no caminho abaixo conseguiria vê-lo.

Ele correu para o esconderijo escolhido sem fazer barulho, abaixando-se atrás das lápides, mantendo-se atento a qualquer mudança no canto dos passarinhos, que indicaria que as crianças estavam chegando. Mas o único canto era o guincho rouco de corvos na mata e ele não viu ninguém...

... até entrar de mansinho em seu esconderijo.

E de repente ele se viu cara a cara com uma arma e, atrás dela, a face do xerife Rich Mossberg.

As primeiras palavras que saíram da boca do xerife pareciam ser parte de um discurso decorado, como se alguém tivesse puxado uma cordinha num boneco falante do século XX.

— Matthew Jeffrey Honeycutt, o senhor está preso por atacar e espancar Caroline Beula Forbes. Tem o direito de permanecer calado...

— E o senhor também — sibilou Matt. — Mas não por muito tempo! Ouve os corvos voando ao mesmo tempo? Eles estão chegando no antigo bosque! Já estão perto!

O xerife Mossberg era uma daquelas pessoas que nunca paravam de falar até que realmente tivessem terminado, então agora ele dizia:

— Entendeu seus direitos?

— Não, senhor! *Mi ne komprenas* balela!

Uma ruga apareceu entre as sobrancelhas do xerife.

— Está tentando me enrolar com italiano?

— É esperanto... Não temos tempo! Lá vêm elas... E, ah, meu Deus, *Shinichi* está com elas! — A última frase foi dita no mais leve dos sussurros enquanto Matt abaixava a cabeça, espiando pelo mato alto à beira do cemitério sem se mexer.

Sim, era Shinichi, de mãos dadas com uma garotinha de uns 12 anos. Matt a reconhecia vagamente, sabia que ela morava perto de Ridgemont. Qual era mesmo o nome dela? Betsy, Becca...?

Matt ouviu um ruído fraco e angustiado do xerife Mossberg.

— Minha sobrinha — sussurrou ele, surpreendendo Matt por falar com tanta suavidade. — É *minha sobrinha*, Rebecca!

— Muito bem, agora fique quieto — cochichou Matt. Havia uma fila de crianças seguindo Shinichi como se ele fosse uma espécie de Flautista de Hamelin satânico, com o cabelo preto de pontas vermelhas brilhando e os olhos dourados risonhos sob o sol do fim de tarde. As crianças riam e cantavam, algumas tinham vozes doces de jardim de infância, uma versão muito distorcida de uma cantiga popular. Matt sentiu a boca seca. Era uma agonia ver as crianças marcharem para a mata; era como ver cordeiros subindo uma rampa para um matadouro.

Ele teve que pedir ao xerife para não atirar em Shinichi. Isso provocaria um inferno na terra. Mas assim que Matt viu a última criança entrar na mata, ele levantou a cabeça.

O xerife Mossberg se preparava para se levantar.

— Não! — Matt segurou o pulso dele.

O xerife o afastou.

— Tenho de entrar lá! Ele pegou minha sobrinha!

— Ele não vai matá-la. *Eles não matam as crianças.* Não sei por que, mas não matam.

— Você ouviu as obscenidades que ele estava ensinando a elas. Ele vai cantar uma música diferente quando vir uma Glock semiautomática apontada para cabeça dele.

— Escute — disse Matt —, o senhor tem que me prender, não é? Eu exijo que me prenda. *Mas não entre naquele bosque!*

— Não vejo nenhum bosque — disse o xerife com desdém. — Mal tem espaço entre aquele grupo de três carvalhos para todas as crianças se sentarem. Se quiser ser de alguma ajuda, pode pegar uma ou duas das pequenas quando elas saírem correndo.

— Saírem correndo?

— Quando me virem, elas vão correr. Provavelmente vão se espalhar, mas algumas pegarão o caminho pelo qual vieram. Você vai ajudar ou não?

— *Não*, senhor — disse Matt com lentidão e firmeza. — E... e escute... Olha, estou *implorando* para que o senhor não entre lá! Acredite, eu sei o que estou falando!

— Não sei que tipo de droga tomou, rapaz, mas de fato não tenho tempo para essa conversa. E se tentar me impedir de novo...

— ele girou a Glock para Matt — ...vou indiciá-lo por outra acusação, de obstrução à justiça. Entendeu?

— Tá, entendi — disse Matt, desistindo. Ele arriou em seu esconderijo enquanto o policial, praticamente sem fazer barulho, foi para a mata. Depois o xerife Rich Mossberg andou entre as árvores e saiu do campo de visão de Matt.

Matt ficou sentado no esconderijo, preocupado, por uma hora. Estava quase cochilando quando ouviu um barulho na mata e Shinichi saiu, liderando as crianças risonhas que cantavam.

O xerife Mossberg não saiu com eles.

22

Na tarde seguinte à "disciplina" de Elena, Damon pegou um quarto no prédio onde o Dr. Meggar morava. Lady Ulma ficou na sala do médico até que eles, Sage, Damon e o Dr. Meggar, a curassem completamente.

Ela agora não falava mais sobre coisas tristes. Contou-lhes várias histórias da casa em que cresceu que eles sentiam que poderia andar por ela e reconhecer cada cômodo, por maior que fosse.

— Imagino que a casa agora seja lar de ratos e camundongos — disse ela tristonha ao concluir uma história. — E aranhas e traças.

— Mas por quê? — disse Bonnie, sem ver os sinais que Meredith e Elena lhe faziam para não perguntar nada.

Lady Ulma tombou a cabeça para trás e olhou o teto.

— Por causa... do general Verantz. O demônio de meia-idade que me viu quando eu tinha apenas 14 anos. Quando ele mandou o exército atacar minha casa, matou cada ser vivo que encontraram lá dentro... Menos a mim e meu canário. Meus pais, meus avós, minhas tias e tios... Meus irmãos e irmãs mais novos. Até meu gato, que dormia no peitoril da janela. O general Verantz me colocou diante dele, eu ainda pequenina, de camisola e descalça, com o cabelo despenteado, com a trança se desfazendo, e ao lado dele estava meu canário com a cobertura noturna da gaiola. Ainda estava vivo e saltava com a mesma animação de sempre. E isso fez com que todo o resto que aconteceu parecesse pior... No entanto, também parecia um sonho. É difícil de explicar.

"Dois dos homens do general me seguraram e me levaram diante dele. Na verdade mais me escoravam do que me impediam de correr. Eu era jovem demais, entendam, e tudo aparecia e sumia diante de mim. Mas lembro exatamente o que o general me disse. Ele falou, 'Eu mandei esse passarinho para cantar e ele cantou. Disse a seus pais que queria lhe dar a honra de ser minha esposa e eles recusaram meu pedido. Agora pense bem. Você fará como o canário, ou como seus pais?' E ele apontou para um canto escuro da sala — é claro que tudo era iluminado por tochas, e as tochas tinham sido apagadas naquela noite. Mas havia luz suficiente para que eu visse que havia um amontoado de coisas, coberto com palha ou mato de um lado. Pelo menos foi o que imaginei — é verdade. Eu era inocente e creio que o choque fez alguma coisa com minha mente."

— Por favor — disse Elena, afagando gentilmente a mão de Lady Ulma. — Não precisa falar mais nada. Nós entendemos...

Mas Lady Ulma não pareceu ouvi-la.

— Depois um dos homens do general ergueu uma espécie de coco com uma palha muito comprida no alto, com tranças. Ele o balançou despreocupadamente... De repente vi o que era aquilo. Era a cabeça de minha mãe.

Elena engasgou involuntariamente. Lady Ulma olhou as três meninas com os olhos firmes e secos.

— Vocês devem me achar muito insensível por falar dessas coisas sem cair no choro.

— Não, não... — Elena começou apressadamente. Ela mesma tremia, mesmo depois de baixar os sentidos paranormais ao mínimo. Torcia para Bonnie não desmaiar.

Lady Ulma falava novamente.

— A guerra, a violência fortuita e a tirania são tudo o que conheço desde que minha infância inocente foi destruída naquele momento. Agora é a gentileza que me assombra, que deixa meus olhos ardendo de lágrimas.

— Ah, não chore — pediu Bonnie, abraçando a mulher impulsivamente. — Por favor, não chore. *Nós* estamos aqui com a senhora.

Enquanto isso Elena e Meredith se olhavam com as sobrancelhas unidas e um dar de ombros rápido.

— Sim, por favor, não chore — intrometeu-se Elena, sentindo-se um tanto culpada, mas decidida a tentar o Plano A. — Mas conte, por que a propriedade de sua família acabou em condições tão ruins?

— Por culpa do general. Ele foi enviado a terras longínquas para travar guerras tolas e insignificantes. Quando partiu, levou a maior parte de seu séquito... Inclusive os escravos preferidos naquela época. Quando partiu de vez, três anos depois de ter atacado nossa casa, eu não era mais uma de suas favoritas e não fui escolhida para ir com ele. Tive sorte. Todo seu batalhão foi eliminado; os criados que foram com ele foras aprisionados ou abatidos. Ele não tinha herdeiros e suas propriedades foram revertidas para a Coroa, que não via utilidade nelas. Permaneceu desocupada por todos esses anos... Foi saqueada muitas vezes, é claro, mas ninguém soube de seu verdadeiro segredo, o segredo das joias... Até onde eu sei.

— O Segredo das Joias — sussurrou Bonnie, claramente colocando em maiúsculas, como se fosse uma história de mistério. Ela ainda abraçava Lady Ulma.

— Que segredo das joias? — perguntou Meredith com mais calma. Elena não conseguia falar, pois sentira arrepios de ansiedade. Era como fazer parte de uma peça mágica.

— Nos tempos de meus pais, era comum esconder sua riqueza em algum lugar em sua propriedade... E só os donos sabiam onde era o esconderijo. É claro que meu pai, como ourives e comerciante de joias, tinha mais a esconder do que a maioria das pessoas poderia imaginar. Ele tinha uma sala maravilhosa que me fazia pensar na caverna do Aladim. Era a oficina dele, onde mantinha as gemas brutas e as peças prontas que haviam sido encomendadas, ou as que ele criava e desenhava para minha mãe.

— E ninguém jamais a encontrou? — quis saber Meredith. Havia um leve tom de ceticismo em sua voz.

— Se encontraram, nunca soube disso. É claro que na época eles podiam ter arrancado a informação do meu pai ou da minha mãe.... Mas o general não era um vampiro ou um kitsune meticuloso e paciente, era um demônio rude e impaciente. Matou meus pais enquanto assaltava a casa. Nunca ocorreu a ele que eu, uma criança de 14 anos, podia ter essa informação.

— Mas a senhora sabia... — sussurrou Bonnie, fascinada, estimulando Lady Ulma.

— Mas eu sabia. E ainda sei.

Elena engoliu em seco. Tentava continuar calma, ser mais parecida com Meredith, manter a cabeça fria. Mas assim que abriu a boca para demonstrar tranquilidade, Meredith disse, "O que estamos esperando?", e se colocou de pé.

Lady Ulma parecia ser a pessoa mais tranquila no ambiente. Também parecia um tanto confusa e quase tímida.

— Quer dizer que devemos pedir uma audiência a nosso amo?

— Quero dizer que devemos ir até lá e pegar essas joias! — exclamou Elena. — Mas sim, Damon será de grande ajuda se tivermos de levantar alguma coisa pesada. Sage também. — Ela não entendia por que Lady Ulma não estava mais animada.

— Não entende? — disse Elena, a mente disparando. — A senhora pode ter sua casa de volta! Podemos tentar deixá-la do jeito que era em sua infância. Quero dizer, se é o que deseja fazer com o dinheiro. Mas eu adoraria, enfim, *ver* a caverna de Aladim!

— Mas... Bem... — Lady Ulma de repente ficou angustiada. — Eu teria de pedir outro favor ao amo Damon... Embora o dinheiro das joias possa ajudar nisso.

— É o que a senhora quer? — disse Elena com a maior gentileza que pôde. — E não precisa chamá-lo de amo Damon. Ele a libertou há alguns dias, lembra?

— Mas certamente foi apenas... o calor do momento, não foi? — Lady Ulma ainda estava confusa. — Ele não oficializou na Chefatura de Escravos nem nada.

— Se não fez isso, foi por que não sabia! — exclamou Bonnie ao mesmo tempo em que Meredith dizia:
— Não sabemos nada desse protocolo. E o que ele precisa fazer?"
Lady Ulma pareceu capaz apenas de assentir. Elena ficou mortificada. Imaginou que esta mulher, que havia sido escrava por mais de 22 anos, devia achar difícil acreditar que estava realmente livre.
— Era o que Damon queria quando disse que estávamos todas livres — disse ela, ajoelhando-se perto da cadeira de Lady Ulma.
— Ele só não sabia tudo o que precisava fazer. Se nos contar, podemos dizer a ele, depois podemos todos ir para sua antiga propriedade.
Ela estava prestes a se levantar de novo quando Bonnie falou.
— Tem alguma coisa errada. Ela não está feliz como antes. Temos de descobrir o que é.
Ao abrir um pouco sua percepção paranormal, Elena entendeu que Bonnie tinha razão. Ela permaneceu ajoelhada ao lado da cadeira de Lady Ulma.
— O que é? — perguntou ela. A mulher parecia desnudar ainda mais sua alma quando Elena fazia as perguntas.
— Eu tinha esperanças — disse Lady Ulma lentamente — de que o amo Damon pudesse comprar... — Ela corou, mas continuou com esforço. — Pudesse ter a generosidade de comprar mais um escravo. O... O pai do meu filho.
Houve um momento de completo silêncio, depois as três meninas falaram. As três, pensou Elena, tentando freneticamente fazer o mesmo que ela, não mencionar que achavam que o Velho Drohzne era o pai.
Mas é claro que não podia ser ele, Elena se repreendeu. Ela estava *feliz* com a gravidez — e quem ficaria feliz por ter um filho de um monstro como o Velho Drohzne? Além disso, ele não tinha a menor ideia de que ela estava grávida — e não se importava.
— Pode ser mais fácil falar do que fazer — disse Lady Ulma, quando a tagarelice para tranquilizá-la e as perguntas tinham esmo-

recido um pouco. — Lucen é um joalheiro, um homem renomado que cria peças que... que me lembram as de meu pai. Ele será caro.

— Mas temos a caverna de Aladim para explorar! — disse Bonnie alegremente. — Quero dizer, a senhora terá o bastante para isso se vender as joias, não é? Ou precisa de mais?

— Mas as joias são do amo Damon — disse Lady Ulma, apavorada. — Talvez ele não tenha se dado conta disso, mas herdou todos os bens do Velho Drohzne, e se tornou meu dono e o dono de tudo que possuo...

— Vamos tratar de sua liberdade e vamos dar um passo de cada vez — disse Meredith em sua voz mais firme e mais racional.

Querido Diário,

Bom, ainda estou escrevendo em você como escrava. Hoje libertamos Lady Ulma, mas decidimos que Meredith, Bonnie e eu devemos continuar como "assistentes pessoais" de Damon. Isto porque Lady Ulma disse que seria estranho e fora de moda se ele não tivesse várias meninas bonitas como cortesãs.

Na verdade há uma vantagem nisso, a de que, como cortesãs, precisamos usar roupas bonitas e joias o tempo todo. Como estive vestindo a mesma calça jeans desde que o sacana do Velho Drohzne rasgou a calça com que entrei neste lugar, você pode imaginar como estou animada.

Mas não estou animada só por causa das roupas bonitas. Tudo o que aconteceu desde que libertamos Lady Ulma e depois, quando fomos a sua antiga casa, foi um sonho maravilhoso. A casa estava em ruínas e obviamente abrigava animais selvagens. Até achamos rastros de lobos e outros animais no segundo andar, o que nos levou a perguntar se os lobisomens habitavam este mundo. Ao que parece, sim, e alguns em posições muito elevadas sob a tutela de vários senhores feudais. Talvez Caroline gostasse de passar umas férias aqui para aprender sobre os verdadeiros lobisomens — dizem que odeiam tanto os humanos que nem têm escravos humanos ou vampiros (que antigamente eram humanos).

Mas de volta à casa de Lady Ulma. Sua fundação é de pedra e ela é revestida de madeira de lei, então a estrutura básica está ótima. As cortinas e tapeçarias estão arruinadas, é claro, então é meio sinistro entrar com tochas e ver tudo pendurado no alto e em volta da gente. Para não falar das teias das aranhas gigantescas. Odeio aranhas mais do que qualquer coisa no mundo.

Mas entramos, com nossas tochas parecendo versões menores daquele sol carmim gigante que está sempre se pondo no horizonte, tingindo tudo da cor do sangue, fechamos as portas e acendemos um fogo numa lareira imensa no que Lady Ulma chama de Grande Salão. Acho que é onde as refeições são servidas ou se onde dá festas — de um lado, tem uma mesa enorme numa plataforma, e um espaço para menestréis acima do que deve ser a pista de dança. Lady Ulma disse que era onde os criados dormiam à noite também (o Grande Salão, não a galeria dos menestréis).

Depois subimos e encontramos — eu juro — dezenas de quartos com camas de dossel enormes que vão precisar de novos colchões, lençóis, cobertas e cortinas, mas não ficamos para olhar. Havia morcegos dormindo no teto.

Fomos ao ateliê da mãe de Lady Ulma. Era uma sala muito grande onde pelo menos quarenta pessoas podiam se sentar e costurar as roupas que a mãe dela desenhava. Mas aqui vem a parte boa!

Lady Ulma foi a um dos armários da sala e afastou todas as roupas esfarrapadas e roídas por traças que estavam ali. Em seguida, apertou uns lugares diferentes no fundo do armário, e toda aquela parte deslizou para fora! Lá dentro havia uma escada muito estreita que descia direto!

Lembrei-me da cripta de Honoria Fell e me perguntei se algum vampiro sem-teto podia ter morado nesta sala do segundo andar, mas eu sabia que aquilo era tolice, porque havia teias de aranha bem do lado de dentro da porta. Damon ainda insistiu em descer primeiro porque enxergava melhor no escuro, mas acho que a verdade é que ele estava curioso para ver o que havia lá embaixo.

Cada um de nós o seguiu, um de cada vez, tentando ter cuidado com as tochas e... Bom, não tenho palavras para descrever o que descobrimos. Por alguns minutos fiquei decepcionada, porque tudo na enorme mesa lá embaixo era poeira, e não brilhava, mas Lady Ulma começou a espanar as joias delicadamente com um tecido especial e Bonnie achou vários sacos e os virou — e era como despejar um arco-íris! Damon achou um armário cheio de gavetas e mais gavetas de colares, pulseiras, anéis, braceletes, tornozeleiras, brincos, anéis de nariz, grampos e enfeites para cabelo!

Nem acreditei no que vi. Virei uma bolsa e parecia que tinha um punhado imenso de diamantes brancos e gloriosos caindo pelos meus dedos, alguns grandes, do tamanho de meu polegar. Vi pérolas brancas e negras, ambas menores e combinando perfeitamente, e formas imensas e maravilhosas: quase do tamanho de damascos, com um brilho rosado, dourado ou cinza. Vi safiras do tamanho de moedas grandes, com estrelas que podíamos ver quase do outro lado da sala. Segurei punhados de esmeraldas, peridotito, opalas, rubis, turmalinas e ametistas — e <u>muito</u> lápis-lazúli, para um vampiro exigente, é claro.

E as joias que já estavam prontas eram tão lindas que senti um aperto na garganta. Lady Ulma soltou um gritinho, mas acho que foi de felicidade enquanto todos nós a elogiávamos por <u>suas</u> joias. Em apenas alguns dias, ela deixou de ser uma escrava que nada tinha e passou a ser uma mulher incrivelmente rica, dona de uma casa e de todos os meios necessários para viver em grande estilo. Decidimos que embora ela fosse se casar com o namorado, era melhor que Damon primeiro o comprasse e o libertasse sem alarde, para bancar o "Dono da Casa" pelo tempo que ficássemos aqui. Durante esse tempo, nós trataríamos Lady Ulma como se ela fosse da família e colocaríamos o joalheiro Lucen de volta ao trabalho até que partíssemos. Assim, ele e Lady Ulma, aos poucos, assumiriam o lugar de Damon. Os senhores feudais por aqui não são mais demônios, e sim vampiros, e eles não se opõem tanto a ter humanos como proprietários de terras.

Já contei sobre Lucen? É um artista de jóias maravilhoso! Tem uma necessidade ardente de criar — em seus primeiros dias como escravo, criava com lama e mato, imaginando que fazia joias. Depois teve sorte e trabalhou como aprendiz de um joalheiro. Ele lamentou durante muito tempo por Lady Ulma, e a amava há tanto tempo, que é um pequeno milagre eles verdadeiramente ficarem juntos — e mais o importante, como cidadãos livres.

Estávamos com medo de que Lucen não gostasse da ideia de nós o comprarmos como escravo e não o libertarmos antes de irmos embora, mas ele <u>nunca</u> achou que seria libertado — devido ao seu talento. Ele é um homem calmo, gentil e generoso, com uma barba pequena e elegante e olhos cinzentos que me lembram os de Meredith. E ele ficou tão maravilhado por ser tratado com dignidade e não trabalhar 24 horas por dia que teria aceitado qualquer coisa, só para ficar perto de Lady Ulma. Acho que ele era um aprendiz, quando o pai dela era joalheiro, e se apaixonou por Lady Ulma, mas ele achava que nunca, <u>jamais</u> conseguiria ficar com ela, porque ela era uma jovem dama de estirpe e ele, apenas um escravo. Agora eles são tão felizes juntos!

A cada dia Lady Ulma fica mais bonita e mais jovem. Ela pediu permissão a Damon para tingir o cabelo de preto, e ele disse que ela podia tingir de rosa, se quisesse, e agora ela está incrivelmente bonita. Nem acredito que cheguei a pensar nela como uma bruxa velha, mas é o que a agonia, o medo e a falta de esperança fazem com uma pessoa. <u>Cada um dos fios grisalhos de seu cabelo</u> estava ali por ela ser uma <u>escrava</u>, sem bens, sem perspectiva de futuro, sem segurança, sem capacidade nem mesmo de sustentar seus filhos, se ela os tivesse.

Esqueci de contar a outra vantagem de Meredith, Bonnie e eu sermos "assistentes pessoais" por um tempo. É que podemos empregar <u>muitas</u> mulheres pobres que ganham a vida costurando, e Lady Ulma na verdade <u>quer</u> desenhar e mostrar a elas como fazer roupas mais refinadas. Dissemos a ela que podia relaxar, mas ela respondeu que a vida toda quis ser costureira como a mãe e agora estava <u>morrendo de vontade</u> de fazer isso — com três tipos completamente diferentes de meninas para vestir. <u>Eu</u> estou louca para <u>ver</u> o que ela vai aprontar: ela já tinha desenhado alguma coisa e amanhã o vendedor de tecidos virá e ela escolherá o material.

Enquanto isso, Damon contratou umas duzentas pessoas (é sério!) para limpar a propriedade de Lady Ulma, pendurar cortinas novas, renovar o encanamento, polir os móveis que ainda estavam em bom estado e comprar móveis que ainda faltavam. Ah, e plantar flores já crescidas e árvores adultas nos jardins, e instalar fontes e todo tipo de coisas. Com tanta gente trabalhando, devemos nos mudar em questão de <u>dias</u>.

Tudo isso tinha apenas um propósito, além de fazer Lady Ulma feliz. Para que Damon e suas "assistentes pessoais" sejam aceitas na alta sociedade na temporada de festas que começa este ano. Lady Ulma e Sage podem identificar de imediato as pessoas das charadas que Misao nos deu!

Isso só prova o que pensei antes, que Misao nunca imaginou que realmente chegaríamos aqui, ou que conseguiríamos entrar nos lugares onde eles esconderam as duas metades da chave de raposa.

Mas há uma maneira muito fácil de conseguir convite para as casas nas quais precisamos entrar. Se formos os mais recentes e mais espalhafatosos nouveau riche (como se faz o plural mesmo?) por aqui, e se espalharmos a história de que Lady Ulma foi recolocada em seu lugar de direito, e se todo mundo quiser saber dela — seremos convidados para as festas! E é assim que vamos entrar nas duas mansões que temos de visitar, à procura das metades da chave que precisamos para libertar Stefan! E temos uma sorte incrível, porque esta é a época do ano em que todo mundo começa a dar festas, e as duas casas que queremos visitar estão promovendo as primeiras comemorações: uma é um baile de gala, e outra uma soirée de primavera para comemorar as primeiras flores.

Sei que agora minha letra está tremida. Eu mesma estou tremendo ao pensar que realmente vamos procurar as duas metades da chave de raposa que nos permitirá libertar Stefan.

Ah, diário, está tarde — e não posso — não posso escrever sobre Stefan. Estar aqui, na mesma cidade que ele, saber onde fica a prisão... E não poder ir lá para vê-lo. Meus olhos estão tão embaçados que nem enxergo o que estou escrevendo. Queria dormir um pouco para me preparar para outro dia de correria, supervisão e ver a casa de Lady Ulma florescer como uma rosa — mas agora tenho medo de ter pesadelos com a mão de Stefan lentamente escorregando da minha.

23

Naquela "noite" eles se mudaram, escolhendo a hora em que as outras casas por onde passassem estivessem escuras e silenciosas. Elena, Meredith e Bonnie ficaram em quartos vizinhos no segundo andar. Perto havia um luxuoso banheiro, com um piso de mármore azul-claro e branco e uma banheira na forma de uma rosa gigante, tão grande que parecia uma piscina, aquecida a carvão. Na casa havia uma criada de aparência animada, pronta para servi-los.

Elena ficou deliciada com o que aconteceu em seguida. Damon comprou discretamente vários escravos numa venda privativa de um negociante respeitável, depois prontamente os libertou e lhes ofereceu salários e horas de folga. Quase todos os ex-escravos gostaram da proposta e concordaram em ficar, apenas alguns preferiram ir embora ou fugiram, principalmente as mulheres que estavam em busca de suas famílias. Os outros continuaram lá e logo seriam a criadagem de Lady Ulma depois que Damon, Elena, Bonnie e Meredith partissem para libertar Stefan.

Lady Ulma ficou com o melhor quarto do primeiro andar, embora Damon quase tivesse de usar a força bruta para instalá-la ali. Ele mesmo escolheu um quarto que, durante o dia, era usado como escritório, uma vez que não passava muito tempo da noite na casa.

Houve um leve constrangimento em relação a isso. A maioria da criadagem sabia como os senhores vampiros viviam, e as jovens meninas e mulheres que iam costurar ou as que moravam e trabalhavam na propriedade pareciam esperar uma espécie de rodízio, no qual cada uma delas se revezaria para ser doadora.

Damon explicou isso a Elena, que vetou a ideia antes que pudesse ser implementada. Ela sabia que Damon contava com um fluxo constante de meninas, daquelas em botão às rechonchudas de cara rosada, que ficariam felizes em ser "bebidas" como se fossem barris de cerveja em troca das pulseiras e bugigangas que tradicionalmente recebiam.

Elena também descartou a ideia de caça de aluguel. Segundo Sage, havia até boatos de uma possível ligação com o mundo exterior: um curso de treinamento muito avançado de SEALs da Marinha, o corpo de Mergulhadores de Combate.

— E eles só podem sair deste mundo com um selo vampiro — disse Elena sarcasticamente, desta vez diante de um grupo de escravos homens. — Depois vão poder morder uns tubarões. Certamente vocês, homens, podem sair e caçar os humanos como um par de corujas caça camundongos... Mas não se deem ao trabalho de voltar para casa, porque as portas estarão trancadas... Permanentemente. — Ela sustentou o olhar de Sage até que sua expressão tornou-se uma encarada vítrea, e ele se foi, em busca de algo para se ocupar.

Elena não se importava com a movimentação informal de Sage entre eles. E depois de saber que ele salvara Damon da multidão que o emboscara a caminho do Ponto de Reunião, ela decidira que se Sage quisesse o sangue *dela*, ela o daria sem hesitar. Depois de alguns dias, ele tinha ficado na casa perto da do Dr. Meggar e se mudou com eles para a propriedade de Lady Ulma —, Elena se perguntou se sua aura reduzida e a relutância de Damon não o estavam privando de algo que ele devia saber. Então ela começou a provocá-lo até que uma vez, depois dele ter se dobrado de rir e com lágrimas nos olhos (será que eram apenas de riso?), ele se aproximou dela e disse que os americanos tinham um ditado... *Pode levar um cavalo para a água, mas não pode obrigá-lo a beber.* Neste caso, disse ele, você podia levar uma pantera negra e furiosa — a imagem mental icônica que Elena tinha de Damon — à água, se tivesse estimuladores elétricos de gado e *ankusha* para elefante, mas que depois disso seria uma tola em dar as costas a ele. Elena riu até começar a chorar também, mas ainda insistira que, se ele quisesse, uma parcela razoável de seu sangue seria dele.

Agora ela simplesmente estava feliz por tê-lo por perto. Seu coração já estava cheio, com Stefan, Damon — e até Matt, apesar de sua aparente deserção — para ela correr o risco de se apaixonar por outro vampiro, por mais bem-apessoado que ele fosse. Ela gostava de Sage como amigo e protetor.

Elena ficou surpresa com o quanto passou a depender de Lakshmi a cada dia. Lakshmi começou como uma espécie de faz tudo, mas aos poucos tornou-se a dama de companhia de Lady Ulma e a fonte de informações de Elena sobre este mundo. Lady Ulma ainda estava oficialmente de cama e ter Lakshmi pronta para mandar recados a qualquer hora do dia e da noite era maravilhosamente conveniente. Além disso, ela era alguém a quem Elena podia fazer perguntas que fariam com que outras pessoas a olhassem como se ela fosse louca. Eles precisavam usar pratos ou a comida era servida em um grande naco de pão seco, que fazia as vezes de guardanapo para dedos gordurosos? (Os pratos foram introduzidos há pouco tempo, junto com garfos, que agora estavam na moda.) Quanto os homens e as mulheres da casa deveriam receber de salário? (Que tinha de ser calculado do zero, uma vez que nenhuma casa pagava a seus escravos um geld que fosse, apenas os vestiam com um uniforme padrão, permitindo que eles tivessem um ou dois "dias de festa" por ano.) Embora fosse jovem, Lakshmi era ao mesmo tempo sincera e ousada, e Elena a preparava para ser o braço direito de Lady Ulma, depois que ela estivesse pronta para ser a dona da casa.

24

*Querido Diário,
É noite, véspera da noite de nossa primeira festa — ou melhor, baile de gala. Mas não me sinto nada festiva. Sinto muita saudade de Stefan.
Também estive pensando em Matt. Em como ele foi embora, com raiva de mim, sem nem mesmo olhar para trás. Ele não entendeu que eu podia... gostar... de Damon, e ainda amar tanto Stefan que parecia que meu coração estava se despedaçando.*

Elena baixou a caneta e olhou o diário, entediada. A mágoa se manifestou em dores verdadeiras no peito que a teriam assustado se ela não tivesse certeza do que realmente era. Ela sentia tanto a falta de Stefan que mal conseguia comer e até dormir. Ele era como uma parte de sua mente que estava constantemente em chamas, como um membro fantasma que nunca desaparecia.

Nem mesmo escrever no diário ajudaria esta noite. Ela só conseguiria escrever sobre lembranças torturantes dos bons tempos que ela e Stefan partilharam. Como era bom quando podia virar a cabeça e saber que o *veria* — que privilégio Elena teve! Mas acabou, e agora havia a tortura da confusão, da culpa e da ansiedade. O que estaria acontecendo com ele, agora, quando ela não tinha mais o privilégio de virar a cabeça e vê-lo? Será que eles... o machucavam?

Ah, meu Deus, se ao menos...

Se eu o tivesse obrigado a trancar as janelas de seu quarto no pensionato...

Se eu tivesse desconfiado mais de Damon...
Se eu tivesse adivinhado que ele tinha alguma coisa em mente naquela noite...
Se... Se...
Tornou-se um refrão que martelava no compasso do seu coração. Ela se viu respirando aos soluços, de olhos bem fechados, agarrada ao ritmo da respiração e com os punhos cerrados.

Se eu continuar me sentindo assim — se deixar que isso me esmague —, vou me tornar um ponto infinitesimal no espaço. Serei esmagada até o nada — e mesmo isso será melhor do que precisar tanto dele.

Elena levantou a cabeça... E viu sua cabeça pousada no diário. Ela ofegou.

Mais uma vez sua primeira reação foi imaginar que tivesse morrido. Depois, aos poucos, confusa de tantas lágrimas, ela percebeu que tinha conseguido de novo.

Estava fora do corpo.

Desta vez nem tomou conhecimento de uma decisão consciente sobre aonde ir. De repente estava voando tão rápido que não sabia que rumo tomava. Era como se estivesse sendo puxada, como se ela fosse a cauda de um cometa que disparava rapidamente para baixo.

Em um determinado momento, Elena percebeu, com um pavor familiar, que atravessava as coisas, depois se desviava, como se estivesse na ponta de um chicote que se agitava no ar, e foi lançada para a cela de Stefan.

Ela ainda soluçava quando pousou na cela, sem saber se tinha forma sólida ou gravidade e sem se importar com isso. A única coisa que teve tempo de ver foi Stefan, muito magro, dormindo, mas com um sorriso no rosto, depois Elena caiu em cima dele, nele, chorando enquanto se balançava, leve como uma pluma. Stefan acordou.

— Ah, não pode me deixar dormir em paz por alguns minutos? — perguntou Stefan, acrescentando algumas palavras em italiano que Elena não queria nem tentar entender.

De imediato Elena teve um dos ataques de Bonnie, soluçando tanto que mal conseguia ouvir — não conseguia *escutar* — nenhum conforto que lhe oferecessem. Eles faziam coisas horríveis com Stefan e estavam usando a imagem *dela*, de Elena, para torturá-lo. Era cruel demais. Eles condicionavam Stefan a *odiá-la*. Ela se odiava. *Todos* em todo o *mundo* a odiavam...

— Elena! Elena, não chore, meu amor!

Num torpor, Elena se levantou, conseguindo uma breve visão anatômica do peito de Stefan antes de cair em prantos de novo, tentando enxugar o nariz no uniforme da prisão de Stefan, que dava a impressão de que só melhoraria se ela fizesse alguma coisa com ele.

É claro que não podia; assim como não conseguia sentir o braço que tentava envolvê-la com delicadeza. Ela não havia levado o corpo.

Mas de algum modo conseguiu segurar suas lágrimas, e uma voz fria e dura feito arame dentro dela disse: *Não as desperdice, idiota! Use-as. Se vai chorar, chore sobre o rosto ou as mãos dele. E, aliás, todo mundo odeia você.*

Até Matt odeia você, e olha que Matt gosta de todo mundo, a vozinha cruel e criativa continuava e Elena cedeu a uma nova onda de choro, percebendo, distraída, o efeito de cada lágrima. Cada gota transformava a pele sob ela em rosa, e a cor se espalhava em ondas, como se Stefan fosse um lago e ela descansasse nele, água na água.

Só que suas lágrimas caíam com tamanha rapidez que pareciam uma tempestade num lago tranquilo. E isso só a fez pensar na vez em que Matt se atirou no lago para resgatar uma garotinha que havia escorregado pelo gelo, e que Matt agora a odiava.

— Não, ah, não; não, meu lindo amor — pedia Stefan com tanta sinceridade que qualquer um teria acreditado nele. Mas como ele podia? Elena sabia como devia estar, o rosto inchado e deformado pelas lágrimas: não havia "lindo amor" aqui! E ele tinha de estar louco para querer que ela parasse de chorar: as lágrimas lhe davam uma nova vida sempre que tocavam sua pele — e talvez a tempestade tenha dado resultados em seu íntimo, porque sua voz telepática era forte e segura.

Elena, me perdoe — ah, Deus, só me dê um momento com ela! Posso suportar qualquer coisa depois, até a verdadeira morte. Só quero um momento para tocá-la!

E talvez Deus tenha olhado para baixo por um instante, apiedado. Os lábios de Elena pairavam acima dos de Stefan, tremendo, como se de algum modo, ela pudesse, roubar um beijo, como costumava fazer quando ele ainda dormia. Mas só por um instante pareceu a Elena ter sentido a carne quente abaixo da dela e o bater das pálpebras de Stefan contra seus cílios enquanto os olhos dele se abriam de surpresa.

De imediato eles ficaram paralisados, de olhos arregalados, nenhum dos dois ousou se mexer um milímetro que fosse. Mas Elena não conseguiu evitar, enquanto o calor dos lábios de Stefan provocava um fluxo de calor por todo seu corpo, ela derreteu, mantendo o corpo cuidadosamente na mesma posição e sentindo o olhar ficar desfocado e as pálpebras se fecharem.

Quando seus cílios roçaram em alguma coisa com substância, o momento terminou silenciosamente. Elena tinha duas opções: podia gritar e brigar telepaticamente com *Il Signore* por lhes dar apenas o que Stefan pedira, ou podia criar coragem e sorrir, e talvez reconfortar Stefan.

Sua melhor natureza venceu e quando Stefan abriu os olhos, ela pairava sobre ele, fingindo estar pousada nos cotovelos e no peito de Stefan, sorrindo-lhe enquanto tentava ajeitar o cabelo.

Aliviado, Stefan sorriu para ela também. Era como se ele pudesse suportar tudo, desde que ela não estivesse sofrendo.

— Agora, Damon teria sido prático — provocou ela. — Ele teria me mantido chorando, porque, no fim, a saúde dele seria a coisa mais importante. E ele teria rezado para... — Ela parou e finalmente começou a rir, o que fez Stefan sorrir. — Não faço ideia — disse Elena por fim. — Acho que Damon não reza.

— Provavelmente não — disse Stefan. — Quando éramos jovens... e humanos... o padre da cidade andava com uma bengala que ele gostava de usar em jovens delinquentes mais do que como instrumento de apoio.

Elena pensou na criança delicada acorrentada ao imenso e pesado rochedo de segredos. Será que a religião é uma das coisas que estão trancadas, colocada atrás de várias portas fechadas e em segredo ali, como um náutilo com sua concha, até que quase tudo de que ele gostasse estivesse lá dentro?

Ela não perguntou isso a Stefan. Elena disse, baixando a "voz" ao menor sussurro telepático, mal perturbando os neurônios do cérebro receptivo de Stefan: *Que outras coisas práticas pode pensar que Damon teria pensado? Coisas relacionadas a uma prisão?*

— Bom... A uma prisão? A primeira coisa em que posso pensar é você saber andar pela cidade. Eu fui trazido aqui vendado, mas como eles não têm o *poder* de tirar a maldição dos vampiros e torná-los humanos, ainda tenho todos os meus sentidos. Eu diria que é uma cidade do tamanho de Nova York e Los Angeles juntas.

— Uma cidade grande — observou Elena, tomando nota mentalmente.

— Mas felizmente as únicas partes que nos interessariam aqui estão no sudoeste. A cidade devia ser governada pelos Guardiões... Mas eles são do Outro Lado e os demônios e vampiros daqui há muito tempo perceberam que as pessoas tinham mais medo *deles* do que dos Guardiões. Agora é organizada com uns 12 a 15 castelos feudais ou propriedades rurais, e cada uma dessas propriedades controla uma parte considerável das terras nos arredores da cidade. Cultivam seus produtos exclusivos e os vendem em negócios feitos por aqui. Por exemplo, são os vampiros que cultivam o Clarion Loess Black Magic.

— Sei — disse Elena, que não fazia ideia do que ele falava, mas conhecia o vinho Black Magic. — Mas tudo o que realmente precisamos saber é como chegar à Shi no Shi... À sua prisão.

— É verdade. Bom, o jeito mais fácil seria achar o setor kitsune. A Shi no Shi é um grupo de prédios, com o maior... Aquele sem o topo, mas na verdade é curvo e não dá para saber pelo chão...

— Aquele que parece um coliseu? — interrompeu Elena, ansiosa. — Tive uma vista de cima da cidade quando cheguei aqui.

— Bom, a coisa que parece um coliseu é realmente um coliseu.

— Stefan sorriu. Ele sorria verdadeiramente; agora ele se sentia bem o bastante para sorrir, e Elena alegrou-se, mas em silêncio.

— Então, para conseguir entrar e sair, basta ir da base do coliseu ao portão atrás do nosso mundo — disse Elena. — Mas para libertar você há... umas coisas que precisamos pegar... e talvez estejam em partes diferentes da cidade. — Ela tentou se lembrar se havia contado sobre as chaves gêmeas de raposa a Stefan. Talvez fosse melhor não voltar ao assunto, se ela já tivesse comentado.

— Depois eu contrataria um guia nativo — disse Stefan de imediato. — Não sei realmente nada sobre a cidade, só o que os guardas me contam... E não sei se devo confiar neles. Mas as pessoas mais simples... o povo... deve saber o que você quer.

— É uma boa ideia — disse Elena. Ela traçou desenhos invisíveis com um dedo transparente no peito de Stefan. — Acho que Damon realmente planeja fazer tudo o que puder para nos ajudar.

— Eu o respeito por vir — disse Stefan, como se estivesse pensando em voz alta. — Ele está cumprindo sua promessa, não está?

Elena assentiu. No fundo, bem no fundo de sua consciência flutuavam os pensamentos: *A palavra dele a mim de que ele cuidaria de você, e a palavra dele a você de que cuidaria de mim. Damon sempre cumpria sua palavra.*

— Stefan — disse ela, comunicando-se de novo com o que havia de mais íntimo na mente dele, onde podiam partilhar informações, assim esperava, em segredo, você devia tê-lo visto. Quando eu abri as Asas da Redenção e acabei com cada coisa ruim que o havia endurecido ou tornado cruel. E quando usei as Asas da Purificação e toda a pedra que cobria sua alma se desfez em pedaços... Não acho que possa imaginar como ele estava. Ele era tão perfeito... E tão novo. E mais tarde, quando ele chorou...

Elena podia sentir dentro de Stefan três camadas de emoção, sobrepondo-se uma à outra instantaneamente. Incredulidade por Damon chorar, apesar de tudo o que Elena lhe contara. Depois, crença e assombro enquanto ele absorvia as histórias e as lembranças que Elena contava. E por fim a necessidade de consolá-la por Elena ver Damon aprisionado para sempre. Um Damon que jamais existiria de novo.

— Ele salvou você — sussurrou Elena —, mas não salvou a si mesmo. Ele jamais negociaria com Shinichi e Misao. Simplesmente os deixou pegar todas as suas lembranças daquela época.

— Talvez sejam dolorosas demais.

— Sim — disse Elena, deliberadamente baixando as barreiras para que Stefan pudesse sentir a dor que o ser novo e perfeito que ela criara suportara ao saber que cometera atos de crueldade e traição que... Bom, que fariam até a alma mais forte se encolher.

— Stefan? Acho que ele deve se sentir muito sozinho.

— Sim, meu anjo. Acho que tem razão.

Desta vez Elena pensou muito mais antes de arriscar:

— Stefan? Não sei se ele entende como é ser amado. — E enquanto ele pensava na resposta, ela ansiosamente esperou.

Quando respondeu, foi com brandura e muito lentamente:

— Sim, meu anjo. Acho que tem razão.

Ah, ela o *amava*. Ele sempre compreende. E ele sempre era corajoso, elegante e confiável ao máximo quando ela precisava que fosse.

— Stefan? Posso ficar de novo à noite?

— É hora de dormir, meu lindo amor? Você pode ficar... A não ser que eles venham me buscar para me levar a algum lugar. — De repente Stefan ficou muito sério, sustentando o olhar de Elena.

— Mas se vierem... Você me promete que vai embora?

Elena olhou bem nos olhos verdes dele e disse:

— Se é o que você quer, eu prometo.

— Elena? Você... mantém suas promessas ou não? — De repente ele pareceu muito sonolento, não por estar esgotado, mas por estar se sentindo renovado, por estar sendo ninado num sono perfeito.

— Eu as mantenho perto de mim — sussurrou Elena. Mas mantenho você mais perto, pensou ela. Se alguém viesse feri-lo, descobriria o que uma adversária sem corpo podia fazer. Por exemplo, e se ela estendesse a mão para dentro do corpo *deles* e conseguisse contato por um instante? Por tempo suficiente para espremer um coração entre os lindos dedos brancos? Isso já seria alguma coisa.

— Eu te amo, Elena. Estou tão feliz... Por nos beijarmos...

— Não foi a última vez! Você vai ver! Eu juro! — Ela deixou cair novas lágrimas nele.

Stefan apenas sorriu gentilmente. Depois adormeceu.

Pela manhã, Elena acordou em seu quarto grandioso na casa de Lady Ulma, sozinha. Mas tinha outra lembrança, como uma rosa prensada, guardada num lugar especial dentro dela.

E em algum lugar, no fundo do coração, ela sabia que um dia essas lembranças podiam ser tudo o que teria de Stefan. Elena sabia que esses momentos frágeis e doces seriam algo a guardar com carinho — se Stefan jamais voltasse para ela.

25

— **A**h, eu só queria dar uma espiadinha — gemeu Bonnie, olhando o caderno proibido, aquele em que Lady Ulma desenhara as roupas de alta-costura das três para a primeira festa, o baile que aconteceria naquela noite. Ao lado dele, havia algumas amostras quadradas de tecido em cetim brilhante, seda ondulante, musselina transparente e veludo macio e luxuoso.

— Vocês farão a última prova daqui a uma hora... Desta vez de olhos abertos! — Elena riu. — Mas não podemos nos esquecer de que esta noite não é para nos divertirmos. Teremos de dançar algumas músicas, é claro...

— É claro! — repetiu Bonnie, extasiada.

— Mas estaremos lá para encontrar a chave. A primeira metade da chave dupla de raposa. Tudo o que a gente precisava era de uma esfera estelar que mostrasse o interior da casa esta noite.

— Bom, todos nós sabemos muito sobre isso; podemos conversar e tentar imaginar — disse Meredith.

Elena, que estivera mexendo na esfera estelar da outra casa, agora baixou o globo levemente embaçado e disse:

— Tudo bem. Vamos pôr a cabeça para funcionar.

— Posso participar também? — uma voz baixa e contida perguntou da soleira da porta. As meninas se viraram, levantando-se ao mesmo tempo para receber uma Lady Ulma sorridente.

Antes de se sentar, ela deu um abraço e um beijo particularmente afetuosos em Elena e esta não conseguiu deixar de comparar a mulher que tinham visto na casa do Dr. Meggar com a dama elegante que a agora estava na sua frente. Antes, ela mal passava de pele e ossos, com os olhos de uma criatura selvagem e assustada sob grande tensão, usando um vestido largo e comum, com chinelos de homem. Agora fazia Elena se lembrar de uma dama romana, com o rosto tranquilo e começando a se encher sob uma coroa de tranças pretas e reluzentes, presas atrás por grampos cravejados de pedras preciosas. O corpo também havia sido preenchido, especialmente a barriga, embora ela conservasse sua elegância natural ao se sentar em um sofá de veludo. Estava com um vestido de seda pura, cor de açafrão, com uma anágua damasco cheia e reluzente.

— Estamos tão animadas com a prova de roupa desta noite — disse Elena, assentindo para o caderno de desenho.

— Eu também estou animada como uma criança — admitiu Lady Ulma. — Só queria poder fazer por vocês um décimo do que fizeram por mim.

— A senhora já fez — disse Elena. — Se conseguirmos encontrar as chaves de raposa... Será apenas porque nos ajudou. E isso... Nem imagina o quanto isso significa para mim — concluiu ela quase aos sussurros.

— Mas nunca passou pela sua cabeça que eu podia ajudá-la quando infringiu a lei por uma escrava arruinada. Simplesmente quis me salvar... E sofreu muito por isso — respondeu Ulma em voz baixa.

Elena se remexeu, pouco à vontade. O corte que descia pelo rosto deixou apenas uma leve cicatriz branca e fina pela face. Antigamente — assim que ela voltou à Terra, vinda do além — ela teria eliminado a cicatriz com um simples toque de Poder. Mas agora, embora pudesse canalizar seu Poder pelo corpo e usá-lo para aprimorar seus sentidos, por mais que tentasse, não conseguia obrigá-lo a obedecer a sua vontade.

E antigamente, pensou ela, imaginando a Elena que se postava no estacionamento da Robert E. Lee School e babava por um Porsche, ela teria considerado a marca em seu rosto a maior calamidade da vida. Mas com todos os elogios que recebera, com Damon a chamando de "marca branca da honra" e sua certeza de que significaria tão pouco para Stefan quanto uma cicatriz no rosto dele significava para ela, Elena descobrira que não devia se preocupar muito com ela.

Não sou a mesma de antigamente, pensou Elena. E estou feliz com isso.

— Não importa — disse ela, ignorando a perna dolorida que às vezes ainda latejava. — Vamos falar da Rouxinol de Prata e do baile de gala.

— Muito bem — disse Meredith. — O que sabemos sobre ela? Como era mesmo a dica, Elena?

— Misao disse, "Se eu dissesse que uma das metades estaria dentro do instrumento de prata do rouxinol, isso lhe daria alguma ideia?"... ou rouxinol de prata, ou coisa assim — repetiu Elena obedientemente. Todas elas sabiam as palavras de cor, mas fazia parte do ritual sempre que discutiam o assunto.

— E "Rouxinol de Prata" é o apelido de Lady Fazina Darley, e todos na Dimensão das Trevas sabem disso! — exclamou Bonnie, batendo as mãozinhas de puro deleite.

— Decerto, este é seu apelido há tempos, desde quando ela chegou aqui e começou a cantar e tocar sua harpa com cordas de prata — acrescentou Lady Ulma com gravidade.

— E as cordas de harpa precisam ser afinadas, e são afinadas com chaves — continuou Bonnie, animada.

— Sim. — Meredith, por sua vez, falava devagar e pensativamente. — Mas não é uma chave de afinação de harpa que estamos procurando. Elas são mais ou menos assim. — Numa mesa ao lado, ela colocou um objeto feito de bordo, claro e liso, que parecia um T muito pequeno ou, se virasse de lado, uma árvore que se curvava graciosamente com um galho curto e horizontal. — Consegui esta com um dos menestréis que Damon contratou.

Bonnie olhou imponente a chave de afinação.

— Mas *pode* ser uma chave de afinação de harpa que estamos procurando — insistiu ela. — Pode ser usada para as duas coisas, de alguma maneira.

— Não sei como — disse Meredith, obstinada. — A não ser que mudem de forma de alguma maneira quando as duas metades são unidas.

— Ah, meu Deus, sim — disse Lady Ulma, como se Meredith tivesse acabado de dizer algo muito óbvio. — Se são metades mágicas de uma única chave, elas provavelmente mudarão de forma quando forem unidas.

— Viu? — disse Bonnie.

— Mas se podem assumir qualquer forma, então como diabos vamos saber quando as acharmos? — perguntou Elena com impaciência. Só o que lhe importava era encontrar o que fosse preciso para salvar Stefan.

Lady Ulma se calou e Elena se sentiu mal. Odiava usar um linguajar ríspido ou até demonstrar irritação na frente da mulher que teve uma vida de tanta submissão e horror desde o início da adolescência. Elena queria que Lady Ulma se sentisse segura, que fosse feliz.

— De qualquer maneira — disse ela rapidamente —, de uma coisa nós temos certeza. Está *no* instrumento da Rouxinol de Prata. Então o que estiver dentro da harpa de Lady Fazina, tem que ser a chave.

— Ah, mas... — começou Lady Ulma, depois se deteve quase antes de pronunciar as palavras.

— O que foi? — perguntou Elena com gentileza.

— Ah, nada — disse Lady Ulma, apressadamente. — Quero dizer, vocês gostariam de ver os vestidos agora? Esta última prova é só para ter certeza de que cada costura está perfeita.

— Ah, nos adoraríamos! — exclamou Bonnie, ao mesmo tempo mergulhando para o caderno, enquanto Meredith tocou um sino, fazendo uma criada entrar correndo e seguir apressadamente para a sala de costura.

— Só queria que o amo Damon e Lorde Sage concordassem em me deixar criar alguma coisa para eles vestirem — disse Lady Ulma com tristeza para Elena.

— Ah, Sage não vai. E tenho certeza que Damon não se importaria... Desde que desenhasse para ele uma jaqueta de couro preta, uma camisa preta, jeans pretos e botas pretas, idênticos ao que ele usa todo dia, ele ficaria feliz em usar essas roupas.

Lady Ulma riu.

— Entendi. Bem, nesta noite haverá estilos fantásticos o bastante para ele escolher caso mude de ideia no futuro. Agora vamos fechar as cortinas de todas as janelas. O baile de gala acontecerá dentro da casa, apenas com a iluminação de lâmpadas a gás, assim veremos as cores como realmente são.

— Ah, é por isso que os convites diziam "interior" — disse Bonnie. — Achei que talvez fosse por causa da chuva.

— É por causa do sol — disse Lady Ulma com seriedade. — Aquela luz carmim abominável, que muda todo azul para roxo, todo amarelo para marrom. Veja você, ninguém usaria azul-claro ou verde numa soirée ao ar livre... Nem mesmo você, com esse cabelo arruivado que ficaria ótimo com isso.

— Entendi. Dá para perceber que ter esse sol pairando aqui todo dia deixa a gente deprimida depois de algum tempo.

— Será que percebe mesmo? — murmurou Lady Ulma, depois acrescentou rapidamente: — Enquanto esperamos, posso mostrar o que criei para sua amiga alta que duvida de mim?

— Ah, por favor, sim! — Bonnie estendeu o caderno.

Lady Ulma folheou até uma página que pareceu agradá-la. Pegou canetas e lápis de cor como uma criança ansiosa para mexer novamente em seus brinquedos favoritos.

— Aqui está — disse ela, usando os lápis de cor para acrescentar uma linha aqui e um traço ali, segurando o livro para que as três meninas pudessem ver o desenho.

— Ai, meu Deus! — exclamou Bonnie, visivelmente atônita, e até Elena sentiu os olhos se arregalarem.

A menina no desenho era sem dúvida Meredith, com metade do cabelo presa e metade solta, mas com um vestido... Que vestido! Preto como ébano, sem alças, colava-se na longa figura magra perfeitamente desenhada na imagem, destacando as curvas, aprimorando-as por cima do que Elena aprendera se chamar decote "coração", pois fazia com que a frente do vestido de Meredith lembrasse exatamente isso. Era justinho até os joelhos, onde de repente se abria de novo, dramaticamente cheio.

— Um vestido de "sirena" — explicou Lady Ulma, enfim satisfeita com o desenho. — E aqui está — acrescentou ela quando várias costureiras entraram, segurando com reverência o milagroso vestido entre elas. Agora as meninas podiam ver que o tecido era um veludo preto e macio, pontilhado de retângulos dourados e metálicos. Era preto como a noite em nosso mundo, pensou Elena, com mil estrelas cadentes no céu.

— E com isso, você usará esses brincos de ônix negro e ouro bem grandes, esses grampos de ouro e ônix negro para prender o cabelo no alto e algumas lindas pulseiras e anéis do conjunto que Lucen fez para esta roupa — continuou Lady Ulma. Elena percebeu que em algum momento, nos últimos minutos, Lucen entrou na sala. Ela sorriu para ele, depois os olhos de Lady Ulma caíram na bandeja que ele trazia. Por cima, contra um fundo marfim, havia duas pulseiras de ônix negro e diamantes, assim como um anel com um diamante que quase a fez desmaiar.

Meredith olhava a sala como se tivesse numa discussão particular e não soubesse como sair. Depois olhou do vestido para as joias e para Lady Ulma. Meredith não era de perder a compostura com facilidade. Mas depois de um instante, simplesmente foi até Lady Ulma e a abraçou com força, depois foi a Lucen e muito gentilmente pôs a mão em seu braço. Estava claro que ela não conseguia falar.

Agora Bonnie examinava o desenho com os olhos de uma *connoisseur*.

— Essas pulseiras do conjunto foram feitas especialmente para este vestido, não foram? — perguntou ela com um ar de conspiração.

Para surpresa de Elena, Lady Ulma ficou pouco à vontade. Depois disse lentamente.

— A verdade é que... Bem, que a Srta. Meredith é... uma escrava. É obrigatório que todos os escravos usem uma espécie de pulseira simbólica quando saem de suas casas. — Ela baixou os olhos para o piso de madeira encerado. Seu rosto estava corado.

— Lady Ulma... Ah, por favor, não vê que isso não tem importância para nós?

Os olhos de Lady Ulma lampejaram enquanto ela erguia a cabeça.

— Não importa?

— Bem — disse Elena com orgulho —, não importa mesmo... Porque não há nada que se possa fazer a respeito disso, não agora.

— É claro que as criadas não sabiam dos segredos da relação entre Damon, Elena, Bonnie e Meredith. Nem Lady Ulma conseguia entender por que Damon não libertara as três meninas para o caso de "alguma coisa acontecer. Que os Guardiões Celestes nos livrem disso". Mas as meninas tinham formado uma falange sólida contra isso; seria como trazer má sorte a todo o empreendimento.

— Bom, de qualquer forma — Bonnie tagarelava —, achei as pulseiras lindas. Quero dizer, ela não pode achar nada mais perfeito para o vestido, não é? — continuou, afagando a sensibilidade profissional do ourives.

Lucen sorriu com modéstia e Lady Ulma o olhou amorosamente. Meredith ainda estava radiante.

— Lady Ulma, não sei como agradecer. Vou usar esse vestido... E à noite serei alguém que nunca fui na vida. É claro que a senhora desenhou meu cabelo preso no alto, ou parte dele. Em geral não o uso assim — Meredith terminou com a voz fraca.

— Esta noite... usará no alto, por cima desses lindos olhos castanhos que você tem. Este vestido é para mostrar as curvas encantadoras de seus ombros e braços. É um crime cobri-los, seja dia ou noite. E o penteado é para expor seu rosto exótico, e não para escondê-lo! — disse Lady Ulma com firmeza.

Que bom, pensou Elena. Elas saíram do assunto da escravidão simbólica.

— Vai usar um pouco de maquiagem também... Ouro claro nas pálpebras e kohl para aperfeiçoar e alongar seus cílios. Um toque de batom dourado, mas sem ruge; acho que não funciona para jovens. Sua pele morena completará a imagem de uma donzela sensual com perfeição.

Meredith olhou indefesa para Elena.

— Eu também não costumo usar maquiagem nenhuma — disse ela, mas as duas sabiam que ela não tinha como escapar. A visão de Lady Ulma ganharia vida.

— Não chame de vestido de *sirena*; ela será uma sereia — disse Bonnie com entusiasmo. — Mas é melhor colocarmos um feitiço nele para afastar todos os marinheiros vampiros.

Para surpresa de Elena, Lady Ulma assentiu com solenidade.

— Minha amiga costureira mandou uma sacerdotisa hoje para abençoar todas as roupas e evitar que vocês sejam vítimas de vampiros, é claro. Isso tem a sua aprovação? — Ela olhou para Elena, que assentiu.

— Desde que deixem Damon fora disso — acrescentou ela, brincando, e sentiu o tempo paralisar enquanto Meredith e Bonnie de imediato lhe voltaram os olhos, buscando qualquer coisa na expressão de Elena que a entregasse.

Mas Elena continuou com a expressão neutra, e Lady Ulma prosseguia:

— Naturalmente, as restrições não se aplicariam a seu... ao amo Damon.

— Naturalmente — disse Elena, séria.

— E agora tratemos de como a linda baixinha irá ao baile de gala. — Lady Ulma se dirigia a Bonnie, que mordeu o lábio, corando. — Tenho uma coisa muito especial para você. Não sei quanto tempo esperei para trabalhar com esse tecido. Eu o namorava nas vitrines ano após ano, roendo-me para comprar e criar algo com ele. Está vendo? — E em seguida o grupo de costureiras avançou, segurando um vestido menor e mais leve, enquanto Lady Ulma erguia o desenho. Elena já olhava maravilhada. O tecido era glorioso — inacreditável — mas foi especialmente inteligente como tinha sido costurado. O tecido era azul-esverdeado, com o mais maravilhoso bordado representando as plumas com olhos de um pavão se abrindo a partir da cintura.

Os olhos castanhos de Bonnie se arregalaram de novo.

— Isso é para mim? — sussurrou ela, quase temerosa de tocar o tecido.

— Sim, e vamos prender seu cabelo para trás até que você fique sofisticada como sua amiga. Ande, experimente. Acho que vai gostar. — Lucen havia se retirado e Meredith já estava sendo cuidadosamente colocada no vestido de sereia.

Bonnie começou a tirar a roupa, feliz.

E viu-se que Lady Ulma tinha razão. Bonnie adorou ver como ficaria naquela noite. Agora recebia os últimos retoques, como um borrifo delicado de citrus e água de rosas; uma fragrância feita especialmente para ela. Ela ficou diante de um espelho imenso de moldura prateada, minutos antes de eles partirem para o baile dado por Fazina, a Rouxinol de Prata em pessoa.

Bonnie virou-se um pouco, olhando, encantada, o vestido sem alças e de saia rodada. Seu corpete era feito — ou parecia ser feito — inteiramente com penas de pavão, organizados num leque que se unia na cintura, mostrando como era magra. Havia outro leque de plumas maiores que apontavam para baixo a partir da cintura, na frente e nas costas. As costas na realidade tinham uma pequena cauda de penas de pavão contra a seda esmeralda. Na frente, abaixo da rama maior que apontava para baixo, um desenho em prata e ouro, de plumas ondulantes estilizadas, todas invertidas, abria caminho para a bainha do vestido, debruada com um brocado de ouro fino.

Como se não bastasse, Lady Ulma tinha um leque feito de pluma de pavão verdadeiras incrustados em um punho de jade esmeralda, com uma franja de jade que se tinia suavemente, e pingentes de esmeraldas e citrinos na base.

No pescoço de Bonnie havia um colar também de jade, incrustado com esmeraldas, safiras e lápis-lazúli. E em cada pulso havia várias pulseiras de jade esmeralda que estalavam sempre que ela se mexia, o símbolo de sua escravidão.

Mas os olhos de Bonnie mal se demoraram nelas e ela não conseguia odiar as pulseiras. Pensava em como um cabeleireiro especial viera "alisar" os cachos arruivados de Bonnie até que, escurecidos até o vermelho verdadeiro, ficaram colados no crânio e presos com grampos de jade e esmeralda. Sua carinha de coração nunca pareceu tão madura, tão sofisticada. Às pálpebras esmeralda e aos olhos escurecidos com kohl, Lady Ulma acrescentara um batom vermelho vivo e tinha a um só tempo quebrado as regras e a sensatez, portando ela mesma a escova, retocando aqui e ali o blush para que a pele quase transparente de Bonnie desse a impressão de estar constantemente corando com algum elogio. Brincos de jade de lapidação delicada com sinos de ouro por dentro completavam o conjunto, e Bonnie se sentia uma princesa do Antigo Oriente.

— É mesmo um milagre. Em geral, eu pareço um duende tentando me fantasiar de líder de torcida ou dama de honra — confidenciou ela, beijando Lady Ulma sem parar, deliciada ao descobrir que o batom ficava nos lábios, e não transferido para o rosto de sua benfeitora. — Mas esta noite eu pareço uma *mulher* de verdade.

Ela continuaria tagarelando, incapaz de se conter, embora Lady Ulma já tentasse discretamente enxugar as lágrimas dos olhos. Mas nesse momento Elena entrou e Bonnie arfou.

O vestido de Elena tinha ficado pronto à tarde e só o que Bonnie conseguira ver dele foi o desenho. Mas de algum modo ele não transmitia o que este vestido realmente fazia por Elena.

Bonnie no fundo se perguntava se Lady Ulma estava deixando demais para a beleza natural de Elena, e tinha esperanças de que a amiga ficasse animada com o próprio vestido como todas estavam com os de Bonnie e Meredith.

Agora Bonnie entendia.

— O modelo é chamado de vestido da deusa — explicou Lady Ulma no silêncio que pairou na sala enquanto Elena entrava, e Bonnie pensava perplexa que se as deusas *tivessem mesmo* vivido no Monte Olimpo, certamente iam querer um vestido daqueles.

O truque do vestido estava em sua simplicidade. Era feito de seda branca leitosa, com uma cintura pregueada delicada (Lady Ulma chamava de pregueado irregular "em fita") que sustentavam duas tiras simples de corpete formando uma gola em V, mostrando a pele de pêssego de Elena entre eles e atrás. Essas tiras, por sua vez, eram mantidas nos ombros por dois fechos entalhados — de ouro cravejado de diamantes e madrepérolas. A partir da cintura, a saia caía reta em dobras graciosas e sedosas até as sandálias delicadas de Elena — também desenhadas em ouro, madrepérolas e diamantes. Nas costas, as duas tiras que se prendiam nos ombros transformavam-se em alças e se cruzavam, reunindo-se na cintura pregueada.

Um vestido simples, que ficava magnífico na menina certa.

No pescoço de Elena, um colar feito de ouro e madrepérolas, na forma estilizada de uma borboleta e cravejado de tantos diamantes que parecia reluzir com um fogo multicor sempre que ela se movia e a luz batia neles. Ela estava com o pingente de lápis-lazúli e diamante que Stefan lhe dera, uma vez que se recusou terminantemente a tirá-lo. Não importava. A borboleta cobria inteiramente o pingente.

Em cada braço Elena usava uma pulseira larga de ouro e madrepérola cravejada de diamantes, criações que elas acharam na sala secreta das joias, obviamente feitas para combinar com o colar.

E era só. O cabelo de Elena foi escovado e escovado e *escovado* até que formou uma cascata sedosa e dourada de ondas que pendiam nas costas abaixo dos ombros, e havia um toque de batom rosado. Mas seu rosto, com os cílios pretos e grossos e as sobrancelhas arqueadas mais claras — e agora seu olhar de empolgação que separava os lábios cor-de-rosa e trazia uma cor viva às faces — ficara inteiramente por conta própria. Brincos que caíam como cascatas de diamantes espiavam através das mechas douradas.

Ela ia enlouquecer a todos esta noite, pensou Bonnie, olhando o lindo vestido com inveja, mas no bom sentido, em vez de se alegrar com a ideia da sensação que Elena criaria. Ela estava com o vestido mais simples das três, mas ainda conseguia ofuscar Bonnie e Meredith completamente.

No entanto, Bonnie nunca vira Meredith mais bonita — nem mais exótica. Também nunca vira o corpo deslumbrante de Meredith, apesar do amplo sortimento de roupas de grife da amiga.

Meredith deu de ombros quando Bonnie lhe disse isso. Estava com um leque também, de laca preta, que dobrou. Agora o abriu e o fechou de novo, batendo no queixo pensativamente.

— Estamos nas mãos de um gênio — disse ela simplesmente. — Mas não podemos esquecer o que viemos fazer aqui.

26

— emos que manter nosso foco no resgate de Stefan — dizia Elena na sala que Damon tomara para si, a antiga biblioteca da mansão de Lady Ulma.

— Onde mais minha mente estaria? — disse Damon, sem tirar os olhos do pescoço de Elena, com seus enfeites de madrepérola e diamantes. De algum modo, o vestido branco realçava o pescoço magro e macio de Elena, e ela sabia disso.

Elena suspirou.

— Se achássemos que realmente é o que pretende, então podíamos todas relaxar.

— Quer dizer relaxar como você está fazendo agora?

Elena tremeu um pouco por dentro. Damon podia parecer completamente absorto em uma coisa e apenas nela, mas seu senso de autopreservação cuidava para que ele estivesse constantemente em guarda, e vendo não só o que queria ver, mas tudo o que o cercava.

E era verdade que Elena estava quase insuportavelmente animada. Que os outros pensem que era o vestido maravilhoso. — E *era* o vestido maravilhoso. E Elena estava profundamente grata a Lady Ulma e suas ajudantes por conseguirem fazê-lo a tempo. O que realmente animava Elena, porém, era a oportunidade — não, a certeza, disse ela a si mesma com firmeza — de que esta noite encontraria a metade da chave que lhes permitiria salvar Stefan. A lembrança do rosto dele, a ideia de vê-lo em carne e osso era...

Era apavorante. Pensando no que Bonnie dissera enquanto dormia, Elena estendeu a mão, procurando conforto e compreensão, e de algum modo descobriu que em vez de segurar a mão de Damon estava nos braços dele.

A verdadeira pergunta é: o que Stefan dirá sobre aquela noite no hotel com Damon?

O que Stefan diria? O que poderia ser dito?

— Estou com medo — ela ouviu, e um minuto tarde demais reconheceu a própria voz.

— Ora, não pense nisso — disse Damon. — Só vai piorar as coisas.

Mas eu menti, pensou Elena. Você nem se lembra disso, ou também estaria mentindo.

— O que quer que tenha acontecido, eu prometo que ficarei com você — disse Damon com brandura. — Já lhe dei a *minha* palavra, aliás.

Elena podia sentir a respiração dele perto de seus cabelos.

— E manter o foco na chave?

Sim, sim, mas não me alimentei bem hoje. Elena se sobressaltou, depois puxou Damon para mais perto. Por um instante ela sentiu não apenas uma fome voraz, mas uma dor aguda que a confundiu. Mas agora, antes que pudesse localizá-la no espaço, a dor passara e sua ligação com Damon foi abruptamente interrompida.

Damon.

— Sim?

Não me isole.

— Não estou isolando você. Apenas disse tudo o que há para dizer, é só. Você sabe que vou procurar a chave.

Obrigada. Elena tentou novamente. *Mas não pode passar fome...*

Quem disse que estou passando fome? Agora a ligação telepática de Damon voltara, mas faltava algo. Ele estava deliberadamente *escondendo* alguma coisa, concentrando-se em atacar os sentidos de Elena com outra coisa — a fome. Elena podia senti-la grassando nele, como se ele fosse um animal selvagem que andasse havia dias — havia semanas — sem matar.

A sala girou lentamente em volta de Elena.

— Está... tudo bem — sussurrou ela, surpresa por Damon ser capaz de ficar firme e abraçá-la, com seu íntimo se dilacerando daquele jeito. — O que você... precisar... tomar...

E ela sentiu a sonda mais delicada no pescoço, de dentes afiados como navalha.

Elena cedeu, rendendo-se às sensações.

Enquanto se preparavam para o baile da Rouxinol de Prata, onde iriam procurar a primeira metade da chave dupla de raposa para libertar Stefan, Meredith lera algo no impresso que enfiara na bolsa. A informação era fruto do que ela descobrira pesquisando na internet. Ela fez o máximo que pôde para descrever a Elena e aos outros tudo o que conseguira descobrir. Mas como podia ter certeza de que não deixara de fora uma pista essencial, alguma informação imensamente importante que faria toda a diferença entre o sucesso e o fracasso desta noite? Entre encontrar uma maneira de salvar Stefan e voltar derrotados para casa, enquanto ele padecia na prisão?

Não, pensou ela, parada diante do espelho de prata, quase com medo de olhar a beleza exótica que se tornara. Não, não podemos pensar na palavra *fracasso*. Pela vida de Stefan, temos de conseguir. E temos de conseguir sem que sejamos apanhados.

27

Elena estava confiante e um tanto zonza quando partiram para o baile de gala da Rouxinol de Prata. Mas quando os quatro chegaram à casa palaciana da ilustre Lady Fazina em liteiras — Damon com Elena, Meredith com Bonnie (Lady Ulma foi proibida pelo médico de ir a qualquer festividade enquanto estivesse grávida) —, Elena foi tomada por certo terror.

A casa era verdadeiramente um palácio, na melhor tradição dos contos de fadas, pensou ela. Minaretes e torres subiam ao céu, provavelmente pintados de azul, com uma generosa camada dourada, mas aparecendo na cor lavanda ao sol, e quase pareciam mais leves do que o ar. Para complementar a luz do sol, havia tochas acesas dos dois lados do caminho das liteiras, na subida da colina, e parecia que havia alguma substância nelas — ou magia —, pois as luzes brilhavam em variadas cores, e assim iam do ouro ao vermelho, ao roxo, ao azul, ao verde, ao prata, e as cores pareciam reais. Isso deixou Elena sem fôlego como as únicas coisas que não eram tingidas de vermelho em todo o mundo à sua vista. Damon trouxera uma garrafa de Black Magic e tinha o espírito quase elevado demais — sem trocadilho, pensou Elena.

Quando as liteiras pararam no alto da colina, Damon e Elena receberam ajuda para descer e andaram por um corredor que interrompia grande parte da luz do sol. Acima deles pendiam, acesas, delicadas lanternas de papel — algumas maiores do que a liteira em que estiveram minutos antes — fortemente iluminadas e com formas elegantes, conferindo um ar festivo e jovial a um palácio tão magnífico que chegava a intimidar um pouco.

Eles passaram por fontes iluminadas, algumas guardando surpresas — como a fila de sapos mágicos que constantemente saltavam dos lírios: *plop, plop, plop*, como o som de chuva no telhado, ou uma imensa serpente dourada que deslizava entre as árvores e por cima da cabeça dos visitantes, descendo sinuosa ao chão e, em seguida, subindo nas árvores novamente.

Era como se o chão se tornasse transparente, com toda sorte de cardumes mágicos de peixes, tubarões, enguias e golfinhos dando cambalhotas, enquanto assomava a figura de uma baleia gigante nas profundezas azuis. Elena e Bonnie andaram apressadamente por essa parte do caminho.

Estava claro que a dona desta propriedade podia pagar por qualquer diversão que seu coração desejasse e que, amava principalmente a música, porque tocando em cada área havia orquestras vestidas de modo esplêndido — e às vezes bizarro —, ou então apenas um solista famoso, cantando em uma gaiola de ouro no alto, a quase 10 metros do chão.

Música... Música e luzes em toda parte...

A própria Elena, embora emocionada com as visões, sons e aromas gloriosos que vinham de imensos canteiros de flores e dos convidados, homens e mulheres, sentiu um leve temor, como um frio na barriga. Quando saiu da casa de Lady Ulma, pensou em seu vestido e nos diamantes tão bem trabalhados. Mas agora que estava no palácio de Lady Fazina... Bem, havia *cômodos* demais, *gente* demais, tão elegante e lindamente vestida quanto a própria Elena e suas irmãs, ou "assistentes". Elena tinha medo de que...
Bem, de que aquela mulher ali, jorrando pedras preciosas de sua tiara delicada de diamantes e esmeraldas até os finos sapatos debruados de diamantes, fizesse seu próprio cabelo sem enfeites parecer desalinhado ou ridículo.

Sabe quantos anos ela tem? Elena quase deu um pulo ao ouvir a voz de Damon em sua mente.

Quem?, respondeu Elena, tentando ao menos esconder a inveja — a preocupação — de sua voz telepática. *Eu estou projetando alto demais?*, acrescentou ela, alarmada.

Não tão alto assim, mas é melhor abaixar o volume. E você sabe muito bem "quem": aquela girafa que estava olhando, respondeu Damon. *Para sua informação, ela tem uns duzentos anos a mais que eu e está tentando aparentar 30, isto é, dez anos mais nova do que quando se transformou em vampira.*

Elena pestanejou. *O que está querendo dizer com isso?*

Envie algum Poder a seus ouvidos, sugeriu Damon. *E pare de se preocupar!*

Obedientemente, Elena aumentou um pouco o Poder para o que ela ainda achava ser o ponto certo em seus ouvidos, e as conversas de repente ficaram audíveis.

... ah, a deusa de branco. Ela é apenas uma criança, mas que figura...

... sim, aquela de cabelo dourado. Magnífica, não é?

... Oh, por Hades, olhe aquela menina...

... Vê o príncipe e a princesa ali? Será que concordariam com um ménage... ou... ou um quarteto, querido?

Mais parecia o que Elena estava acostumada a ouvir em festas. Isso lhe deu mais confiança. E também, enquanto seus olhos varriam mais ousadamente a multidão vestida de forma opulenta, aflorou-lhe uma onda súbita de amor e respeito por Lady Ulma, que desenhara e supervisionara a feitura de três gloriosos vestidos em apenas uma semana.

Ela é um gênio, Elena informou a Damon solenemente, sabendo que através do elo mental ele saberia de quem ela falava. *Olha, Meredith já tem uma multidão em volta dela. E... E...*

E ela não está agindo como a Meredith, concluiu Damon, demonstrando certa inquietação.

Meredith não parecia nem um pouco preocupada. Tinha o rosto virado deliberadamente para mostrar o perfil clássico a seus admiradores, mas não era o perfil da Meredith Sulez equilibrada e serena. Era uma menina sensual e exótica, que parecia plenamente capaz de cantar a Habanera de *Carmen*. Tinha o leque aberto e se abanava graciosa e languidamente. A suave mas calorosa luz interior fazia seus ombros e braços nus brilharem como pérolas acima do vestido de veludo preto, que parecia ainda mais misterioso e impressionante do que em casa. Na realidade, parecia ter conquistado um devoto sincero; ele estava ajoelhado diante dela com uma rosa vermelha na mão, tão apressadamente colhida de um dos arranjos que um espinho o furara e o sangue surgia no polegar. Meredith pareceu não perceber. Elena e Damon lamentavam pelo jovem, que era louro e extremamente bonito. Elena sentiu pena... E Damon, fome.

Ela parece ter saído da concha, arriscou-se Damon.

Oh, Meredith jamais sai de concha nenhuma, respondeu Elena. *Só está atuando. Mas esta noite acho que é obra dos vestidos. Meredith está vestida como uma sereia, e por isso está com essa atitude tão sensual. O vestido de Bonnie foi feito com penas de pavão e... Veja só.*

Ela assentiu para o longo corredor que levava a um salão imenso diante deles. Bonnie, vestida por plumas, tinha sua própria multidão de seguidores — e era só isso que eles faziam: seguiam-na. Cada movimento de Bonnie era leve, como o de passarinho, e suas pulseiras de jade tilintavam nos pequenos braços macios, os brincos tiniam a cada vez que balançava a cabeça e os pés pareciam brilhar nas sandálias douradas diante da cauda de pavão.

— Sabe de uma coisa, é estranho — murmurou Elena, enquanto eles chegavam ao salão e por fim o som emudeceu para que ela conseguisse ouvir a voz de Damon. — Eu não tinha percebido, mas Lady Ulma desenhou nossos vestidos em diferentes níveis do reino animal.

— Hmmm? — Damon estava olhando o pescoço dela novamente. Mas felizmente naquele momento um homem bonito, com roupas formais da Terra, smoking, faixa e tudo que tinha direito, aproximou-se com Black Magic em grandes taças de prata. Damon secou a dele num só gole e pegou outra do garçom que se curvava com elegância. Depois ele e Elena se sentaram — na fila de trás, do lado de fora, mesmo sabendo que isso era uma grosseria com a anfitriã. Eles precisavam de espaço de manobra.

— Bom, Meredith é uma sereia, que é da mais alta ordem, e está agindo como uma sereia. Bonnie é um passarinho, que faz parte da ordem seguinte, e ela *está* agindo como uma ave: vendo todos os homens se exibirem enquanto ela ri. E eu sou uma borboleta... Então acho que esta noite devo agir como uma borboleta social. Com você ao meu lado, espero.

— Que... lindo — disse Damon com a voz embargada. — Mas o que exatamente a faz pensar que é uma borboleta?

— Ora, os vestidos, seu bobo — disse Elena, e levantou o leque de madrepérola, ouro e diamantes, dando-lhe um tapinha na testa com ele. Depois o abriu, mostrando um desenho primoroso, semelhante ao de seu colar, decorado com pontos mínimos de diamantes, ouro e madrepérola onde havia dobras.

— Está vendo? Uma borboleta — disse ela, satisfeita com a imagem.

Damon acompanhou o contorno com um dedo longo e afilado que a lembrou tanto de Stefan que sua garganta doeu, e parou nas seis linhas estilizadas acima da cabeça.

— Desde quando borboletas têm cabelo? — O dedo de Damon passou em duas linhas horizontais entre as asas. — Ou braços?

— São pernas — disse-lhe Elena, divertindo-se. — Que tipo de coisa com braços e pernas e uma cabeça tem seis pelos e asas?

— Um vampiro embriagado — sugeriu uma voz acima deles, fazendo Elena levantar a cabeça, surpresa ao ver Sage. — Permitem que me sente com vocês? — perguntou ele. — Não consegui uma camisa, mas minha avó fada conjurou um colete.

Elena, rindo, puxou uma cadeira para que Sage pudesse se acomodar ao lado de Damon. Ele estava muito mais limpo do que quando ela o vira trabalhando em casa, embora o cabelo ainda estivesse comprido, com seus cachos rebeldes. Ela, porém, notou que sua avó fada o perfumara com cedro e sândalo, e lhe dera jeans Dolce & Gabbana e colete. Ele estava... *magnífico*. Não havia sinal de seus animais.

— Pensei que você não viesse — disse-lhe Elena.

— E me diz isso? Trajada como está, de branco e ouro celestiais? Você falou no baile; tomei seu desejo como uma ordem.

Elena riu. É claro que todo mundo a tratava de um jeito diferente nesta noite. Era o vestido. Sage, murmurando algo sobre sua heterossexualidade latente, jurou que a imagem no colar e no leque eram de uma fênix. O demônio educado à direita dela, que tinha a pele malva escura e chifres pequenos, brancos e curvos, sugeriu com deferência que lhe parecia a deusa Ishtar, que aparentemente o mandara à Dimensão das Trevas, um milênio antes, por tentar as pessoas à preguiça. Mentalmente, Elena registrou aquela informação para perguntar a Meredith se isso significava tentá-los a comer bichos-preguiça, que ela sabia ser um animal selvagem que não se mexia muito ou coisa parecida.

E depois Elena pensou que Lady Ulma tinha chamado o traje de "vestido da deusa", não foi? Certamente era um vestido que só podia ser usado se seu corpo fosse muito jovem e muito próximo da perfeição, porque não havia como colocar um espartilho nele ou drapeá-lo para atenuar um corpo que não ajudasse. As únicas coisas por baixo do vestido era o próprio corpo firme de Elena e uma calcinha de renda leve, cor da pele. Ah, e um borrifo de perfume de jasmim.

Então eu pareço uma deusa, pensou ela, agradecendo ao demônio (que se levantou e fez uma mesura). As pessoas tomavam lugar para a primeira apresentação da Rouxinol de Prata. Elena tinha de admitir que estava ansiosa para ver Lady Fazina e, além disso, era cedo demais para uma ida ao toalete — Elena já percebera que havia guardas postados em todas as portas.

Havia duas harpas em uma plataforma no meio de um grande círculo de cadeiras. E de repente todos estavam de pé, aplaudindo. Elena não teria visto nada se Lady Fazina não tivesse decidido andar pelo mesmo corredor que ela e Damon tomaram. Ela parou bem ao lado de Sage para agradecer pela aclamação e Elena teve uma visão perfeita dela.

Era uma linda jovem, mas para surpresa de Elena parecia ter bem mais de 20 anos, e era quase tão baixa quanto Bonnie. Esta criatura diminuta obviamente levava seu apelido muito a sério: trajava um vestido de malha prateado. O cabelo também era prata metalizado, alto na frente e muito curto atrás. A cauda mal estava presa a ela, dois fechos simples a seguravam nos ombros. Flutuava horizontalmente as suas costas, constantemente em movimento, mais como um raio de luar ou uma nuvem do que o verdadeiro tecido até que ela chegou ao palco central e subiu, depois contornou a harpa alta e descoberta, e a essa altura a parte suspensa da capa caiu suave e graciosamente no chão em um semicírculo a sua volta.

E então veio a magia da voz da Rouxinol de Prata. Começou tocando a harpa alta, que parecia ainda mais alta em comparação com seu corpo pequeno. Era como se ela fizesse a harpa cantar sob seus dedos, levava-a a gemer como o vento ou produzir uma música que parecia descer do paraíso em glissandos. Elena chorou durante a primeira música, embora fosse cantada numa língua que desconhecia. Era de uma doçura tão penetrante que a lembrava de Stefan, de seus momentos juntos, comunicando-se somente pelas palavras e toques mais doces...

Mas o instrumento mais impressionante de Lady Fazina era sua voz. Seu corpo mínimo podia gerar um volume extraordinário quando queria. E enquanto ela cantava uma canção pungente em tom menor depois de outra, Elena podia sentir seus pelos arrepiarem, e suas pernas tremerem. Achava que a qualquer momento podia cair de joelhos com as melodias que enchiam seu coração.

Quando alguém lhe tocou nas costas, Elena tomou um violento susto. Fora arrancada rápido demais do mundo fantástico que a música tecera em torno dela. Mas era apenas Meredith que, apesar de seu amor pela música, tinha uma sugestão muito prática ao grupo.

— Não seria melhor começarmos agora, enquanto todos os outros estão ouvindo? — sussurrou ela. — Até os guardas estão desligados. Vamos em duplas, está bem?

Elena assentiu.

— Vamos ter que dar uma olhada na casa. Talvez a gente ache alguma coisa enquanto todo mundo ainda está *aqui*, ouvindo a música, por mais uma hora. Sage, talvez você possa estabelecer uma espécie de ligação telepática entre os dois grupos.

— Será um privilégio, *Madame*.

Os cinco entraram na mansão da Rouxinol de Prata.

28

Eles passaram diretamente pelos lamentáveis guardas das portas. Mas logo descobriram que, enquanto quase todo mundo ouvia Lady Fazina, havia, em cada cômodo do palácio aberto ao público, um guia de roupa preta e luvas brancas, pronto para dar informações e vigiar atentamente as posses de sua senhora.

O primeiro cômodo que lhes deu alguma esperança foi o Salão de Harpas de Lady Fazina, uma sala dedicada inteiramente à exibição dos instrumentos. Objetos antigos, em arco, de uma só corda, sem dúvida tocados por indivíduos que deviam parecer homens das cavernas, a harpas altas, douradas e orquestrais como a que Fazina tocava agora, a música audível pelo palácio. Magia, pensou Elena novamente. Eles parecem usá-la aqui, em lugar da tecnologia.

— Cada tipo de harpa tem uma chave exclusiva para afinar as cordas — cochichou Meredith, olhando o corredor. De cada lado a fila de harpas marchava ao longe. — Uma dessas chaves pode ser *a* chave.

— Mas como vamos saber? — Bonnie se abanava com o leque de penas de pavão. — Qual é a diferença entre uma chave de harpa e uma chave de raposa?

— Não sei. E também nunca ouvi falar de guardar uma chave *dentro* de uma harpa. Deve fazer barulho dentro da caixa de ressonância sempre que a harpa é tirada do lugar — admitiu Meredith.

Elena mordeu o lábio. Era uma questão simples e razoável. Ela devia ficar desanimada, devia se perguntar como encontrariam a metade pequena de uma chave neste lugar. Especialmente ao pensar que a pista que tinham — que estava *no* instrumento da Rouxinol de Prata — de repente parecia absurda.

— Espero — disse Bonnie, sem refletir muito — que o instrumento não seja a voz dela, e se enfiarmos a mão pela goela da mulher...

Elena se virou para olhar Meredith, que parecia olhar o céu — ou o que estivesse acima dessa dimensão horrenda.

— Eu sei — disse Meredith. — Chega de bebida para a avoada aqui. Mas acho possível eles darem pequenos apitos de prata ou algum instrumento como lembrança... Todas as grandes festas costumavam ter isso, sabe como é... Dar um brinde.

— Como — disse Damon num tom despreocupadamente inexpressivo — eles podem dar a chave de brinde semanas antes da festa, e como podem ter a esperança de recuperá-la? Misao podia muito bem ter dito a Elena "Nós jogamos a chave fora".

— Bom — começou Meredith —, não tenho certeza se eles quiseram dizer que as chaves podiam ser recuperadas, mesmo por eles. E Misao podia ter a intenção de dizer: "Você tem que vasculhar todo o lixo da noite desse baile de gala"... Ou de outra festa em que Fazina se apresentasse. Imagino que ela seja convidada a tocar em várias outras festas.

Elena odiava bate-boca, embora ela fosse campeã nisso. Mas esta noite era uma deusa. Nada era impossível. Se conseguisse *se lembrar...*

Algo parecido com um raio de luz atingiu sua cabeça.

Só por um instante — um instante — ela estava de volta, lutando com Misao. Misao estava em sua forma de raposa, mordendo e arranhando — e rosnando uma resposta à pergunta de Elena sobre onde estavam as duas metades da chave de raposa. *"Até parece que você poderia entender as respostas que eu daria. Se eu lhe contasse que uma metade está dentro do instrumento de prata do rouxinol, isso lhe daria alguma ideia?"*

Sim. *Estas* foram as exatas palavras, as *verdadeiras* palavras que Misao dissera. Elena ouvira em sua própria voz, repetindo-as agora distintamente.

Depois ela sentiu aquela luz deixar sua mente — para encontrar outra não muito distante. Em seguida, ela se deu conta de que seus olhos se abriam de surpresa, porque Bonnie falava daquele jeito inexpressivo que sempre usava quando fazia uma profecia:

— Cada metade da chave de raposa tem a forma de uma única raposa, com duas orelhas, dois olhos e um focinho. As duas metades da chave de raposa são de ouro, cobertas de pedras preciosas... E seus olhos são verdes. A chave que procura ainda está no instrumento da Rouxinol de Prata.

— Bonnie! — disse Elena. Ela podia ver que os joelhos da amiga tremiam, e seus olhos estavam desfocados. Depois eles se abriram e Elena observou a confusão encher o vazio.

— O que está havendo? — perguntou Bonnie, olhando em volta e vendo que todo mundo olhava para *ela*. — O que... o que aconteceu?

— Você nos disse como são as chaves de raposa! — Elena não conseguiu evitar quase gritar de alegria. Agora que sabiam o que procuravam, poderiam libertar Stefan; eles *libertariam* Stefan. Agora nada impediria Elena. Bonnie ajudara a levar a busca a um nível inteiramente diferente.

Mas enquanto Elena tremia de alegria por dentro, por causa da profecia, Meredith, com seu jeito equilibrado, cuidava da profetisa.

— Acho que ela vai desmaiar — dizia Meredith em voz baixa.

— Poderia, por favor...

Meredith não teve tempo de concluir o pedido porque os vampiros, Damon e Sage, foram rápidos e seguraram Bonnie, amparando-a de cada lado. Damon olhava a menina baixinha com surpresa.

— Obrigada, Meredith — disse Bonnie, e soltou a respiração, piscando. — Acho que não vou desmaiar — acrescentou ela e, olhando para Damon por entre as pálpebras: — Mas acho que é melhor ter certeza.

Damon assentiu e segurou melhor, com um ar sério. Sage se virou um pouco, parecendo ter algo preso na garganta.

— O que foi que eu disse? Não me lembro!

Séria, Elena repetiu as palavras de Bonnie, e Meredith perguntou:

— Agora você tem certeza, Bonnie? Isso parece certo?

— *Eu* tenho certeza. Absoluta — interrompeu Elena. Sua certeza *era* completa. A deusa Ishtar e Bonnie abriram-lhe o passado e lhe mostraram a chave.

— Muito bem. E se Bonnie, Sage e eu ficarmos nesta sala e dois de nós distrairmos o guia, enquanto o terceiro procura as chaves nas harpas? — sugeriu Meredith.

— Certo. Vamos! — disse Elena.

O plano de Meredith se mostrou mais difícil na prática do que parecia. Mesmo com duas gloriosas meninas e um homem tremendamente musculoso na sala, o guia continuava andando em pequenos círculos e de vez em quando, flagrava um ou outro mexendo na harpa e espiando dentro dela.

Era estritamente proibido mexer em qualquer coisa. Podia desafinar as harpas e facilmente danificá-las. Mas a única maneira de ter *absoluta* certeza de que uma chave pequena e de ouro não estava na caixa de ressonância era sacudir o instrumento e ver se fazia barulho.

E o pior era que cada uma das harpas tinha seu próprio nicho, completo, com uma iluminação teatral, na frente de uma tela ostentosa (a maioria deles mostrava Fazina tocando a harpa em questão) e uma corda de veludo vermelho na frente com as palavras "mantenha distância", tão evidente quanto numa placa.

No final, Bonnie, Meredith e Sage recorreram ao Poder de influência de Sage para deixar o guia inteiramente passivo — algo que ele só foi capaz de fazer por alguns minutos por vez, ou o guia perceberia os hiatos no programa de Lady Fazina. Eles então procuravam freneticamente nas harpas enquanto o guia ficava imóvel feito uma figura de cera.

* * *

Enquanto isso, Damon e Elena vagavam pelo palácio, procurando no resto da mansão que era proibido a visitantes. Se não achassem nada, pretendiam dar uma busca em todos os cômodos disponíveis enquanto o baile continuasse.

Era um trabalho perigoso, este entrar e sair furtivamente de ambientes escuros, cercados por cordas — em geral trancados — e vazios: perigoso e estranhamente emocionante para Elena. De certo modo, parecia que o medo e a paixão eram mais próximos do que ela realmente percebera. Ou pelo menos parecia que era assim com ela e Damon.

Elena não pôde deixar de perceber e admirar alguns detalhes de Damon. Ele parecia capaz de abrir qualquer tranca com um pequeno instrumento que tirava da jaqueta preta, como se estivesse pegando uma caneta-tinteiro, e, de um jeito rápido e elegante, ele arrombava a tranca e a devolvia a seu estado original. Economia de movimentos, ela sabia, conquistada em cinco séculos de experiência.

Além disso, ninguém podia questionar: Damon parecia manter a cabeça fria em qualquer situação, o que fazia dele um bom companheiro agora, quando ela estava andando como uma deusa e ninguém podia obrigá-la a seguir as regras dos mortais. Isto era realçado pelos sustos que Elena tomava: formas que pareciam guardas ou sentinelas assomando para ela se mostravam na realidade um urso empalhado, um pequeno armário e algo que Damon não permitiu que ela olhasse por mais de um segundo, mas que parecia um homem mumificado. Damon não se intimidava com nada disso.

Se eu pudesse canalizar algum Poder para os olhos, pensou Elena... e as coisas imediatamente se iluminaram. Seu Poder obedecia!

Meu Deus! Terei que usar esse vestido pelo resto da vida. Ele faz com que eu me sinta tão... poderosa. Tão... desinibida. Vou usar na faculdade, se entrar para uma faculdade, para impressionar meus professores; e para Stefan e no meu casamento — só para que as pessoas entendam que não sou uma qualquer; e — na praia, para os homens terem pelo que babar...

Ela reprimiu uma risada e ficou surpresa ao ver Damon olhar com uma reprovação fingida. É claro que ele estava estreitamente focalizado nela, como Elena estava nele. Mas era um caso um tanto diferente, é claro, porque, aos olhos de Damon, ela usava uma placa que dizia GELEIA DE MORANGO amarrada no pescoço. E ele estava ficando com fome de novo. Com muita fome.

Da próxima vez vou cuidar para que se alimente direito antes de sair de casa, pensou ela para ele.

Vamos nos concentrar no sucesso desta missão antes de planejarmos a próxima, retorquiu ele, com um leve sorriso se insinuando.

Mas estava tudo misturado com um pouco da satisfação sarcástica que Damon sempre exibia. Elena jurou a si mesma que por mais que ele pudesse rir para ela, pedir, ameaçar ou bajular, esta noite ela não daria a Damon a satisfação nem mesmo de um beliscão. Ele que encontrasse outro pote de geleia, pensou ela.

Por fim, a doce música do concerto parou, e Elena e Damon correram para encontrar Bonnie, Meredith e Sage no Salão das Harpas. Elena era capaz de deduzir as notícias pela postura de Bonnie, mesmo que já não soubesse pelo silêncio de Sage. Mas as notícias eram piores do que Elena podia imaginar: não só os três não acharam nada no Salão das Harpas, como finalmente recorreram a um interrogatório do guia, que podia falar, mas não se mexer, sob a influência de Sage.

— E adivinhe só o que ele nos contou — disse Bonnie, logo completando antes que outro se arriscasse a falar. — Essas harpas são limpas e afinadas, cada uma delas, *todo santo dia*. Fazina tem tipo um exército de criados para fazer isso. E qualquer coisa, *qualquer coisa mesmo* que não pertença à harpa é informada imediatamente. E não havia nada! Não tem nada ali!

Elena sentiu que encolhia da deusa onisciente para a humana desnorteada.

— Imaginei que isso pudesse acontecer — admitiu Elena, suspirando. — Teria sido fácil demais de outra maneira. Tudo bem, Plano B. Vocês se misturam com os convidados do baile e tentam dar uma olhada em cada cômodo que esteja aberto ao público. Procurem impressionar o companheiro de Fazina e arrancar informações dele. Tentem descobrir se Misao e Shinichi estiveram aqui recentemente. Damon e eu vamos continuar olhando as salas que deviam estar fechadas.

— Isso é tão perigoso — disse Meredith, franzindo a testa. — Tenho medo do que pode acontecer se vocês forem apanhados.

— Tenho medo do que pode acontecer com Stefan se não acharmos a chave esta noite — retorquiu Elena rispidamente e deu meia-volta para sair.

Damon a seguiu. Procuraram por intermináveis cômodos escuros, agora sem nem saber se estavam procurando uma harpa ou outra coisa. Primeiro Damon verificava se havia um corpo respirando dentro do cômodo (é claro que podia haver um guarda vampiro, mas não havia muito a fazer a respeito disso), depois arrombava a fechadura. As coisas estavam correndo tranquilamente até que chegaram a uma sala no final de um longo corredor que dava para o oeste — Elena havia muito se perdera no palácio, mas sabia que era o oeste porque era onde se punha aquele sol enorme.

Damon arrombou a fechadura da sala e Elena imediatamente avançou, ansiosa. Procurou pela sala, que continha, o que foi frustrante, a pintura emoldurada em prata de uma harpa, mas sem nada volumoso como a metade de uma chave de raposa em seu interior, mesmo quando ela usou cuidadosamente a ferramenta de Damon para desatarraxar o fundo.

Foi quando devolvia o quadro à parede que os dois ouviram uma pancada. Elena estremeceu, rezando para que nenhum dos "criados da segurança" vestidos de preto tivesse ouvido o barulho ao perambular pelo palácio.

Damon rapidamente pôs a mão na boca de Elena e reduziu a luz do lampião, escurecendo a sala.

Mas os dois ouviram passos se aproximando pelo corredor. Alguém escutara a pancada. Os passos pararam na porta e eles ouviram o som distinto de uma tosse discreta de um criado superior.

Elena girou, sentindo nesse momento que as Asas da Redenção estavam ao seu alcance. Exigiria apenas o mais leve aumento da adrenalina, e ela teria o segurança ajoelhado, chorando, penitenciando-se por uma vida inteira de trabalho para o mal. Elena e Damon estariam longe antes...

Mas Damon tinha outra ideia, e Elena ficou assustada ao concordar com ela.

Quando a porta se abriu, sem fazer barulho, um segundo depois, o funcionário achou um casal preso num abraço tão apertado que parecia nem ter percebido a intrusão. Elena praticamente sentia a indignação dele. Era compreensível o desejo de um casal de convidados se abraçar discretamente na privacidade dos muitos ambientes públicos de Lady Fazina, mas esta parte da casa era privativa. Enquanto ele acendia as luzes, Elena espiou pelo canto do olho. Seus sentidos paranormais estavam abertos o bastante para ler os pensamentos dele. Ele repassava os objetos de valor na sala com um olhar experiente mas entediado. O delicado vaso em miniatura com as rosas da borda presas em folhagem cravejada de rubis e esmeraldas; a lira suméria de madeira de 5 mil anos, magicamente preservada; o par idêntico de candelabros de ouro maciço na forma de dragões erguidos; a máscara funerária egípcia com as órbitas escuras e alongadas, parecendo fitar de suas feições muito bem pintadas... Estava tudo ali. A senhora nem mesmo guardava nada de grande valor naquela sala, mas ainda assim:

— Esta sala não faz parte da exibição pública — disse ele a Damon, que se limitou a apertar Elena ainda mais.

Sim, Damon parecia muito decidido a dar um bom show ao funcionário... Ou coisa parecida. Mas eles já não... haviam terminado? Os pensamentos de Elena perdiam a coerência. A última coisa... A última coisa que eles podiam fazer... era... perder a oportunidade de... encontrar a chave de raposa. Elena começou a se afastar e percebeu que não devia.

Não devia. Não podia. Ela era uma propriedade, uma propriedade cara, é verdade, luxuosamente vestida como estava esta noite, mas de Damon, para que ele fizesse dela o que bem entendesse. Enquanto outra pessoa estivesse olhando, ela não devia mostrar-se desobediente aos desejos de seu senhor.

Ainda assim, Damon levava isso longe demais... Ele já havia tomado muita liberdade com ela, embora, pensou Elena com ironia, ele não soubesse disso. Ele acariciava a pele dela, desprotegida pelo vestido marfim de deusa, os braços de Elena, suas costas, até seu cabelo. Ele sabia que ela gostava disso, que podia sentir quando seu cabelo era segurado e as pontas acariciadas suavemente, ou gentilmente esmagadas em seu punho.

Damon! Ela agora apelava ao último recurso: implorar. *Damon, se eles nos detiverem, ou se fizerem qualquer coisa que nos impeça de encontrar a chave esta noite — quando é que teremos outra chance?...* Ela deixou que ele sentisse seu desespero, sua culpa, até o desejo traiçoeiro que Elena tinha de esquecer tudo e deixar que cada minuto a levasse mais nessa onda de ardor que ele criara. *Damon, eu vou... dizer, se quiser. Eu... estou implorando a você.* Elena podia sentir os olhos ardendo enquanto as lágrimas os inundavam.

Nada de lágrimas. Elena ouvira a voz telepática de Damon com gratidão. Mas havia algo estranho ali. Não podia ser fome — ele bebera seu sangue havia pouco mais de duas horas. E não era paixão, pelo que ela podia ouvir — e sentir — com clareza demais. Entretanto, a voz telepática de Damon era tão tensa de controle que era quase assustadora. Mais do que isso, ela sabia que ele podia sentir que a assustava e que ele preferia não fazer nada a respeito disso. Nenhuma explicação. Nenhuma exploração também, percebeu ela enquanto descobria que, por trás de todo aquele controle, a mente de Damon se fechava inteiramente a ela.

A única coisa que ela podia comparar com a sensação que recebia do controle de aço de Damon era *dor*. Dor que estava próxima do insuportável.

Mas por quê?, perguntou-se Elena, impotente. O que lhe provocaria uma dor dessas?

Elena não podia perder tempo perguntando-se o que havia de errado com Damon. Canalizou seu Poder na audição e começou a ouvir as portas abrindo antes de os dois entrarem.

Enquanto ouvia, uma nova ideia subitamente se solidificou na mente de Elena e ela parou Damon no corredor escuro, tentando lhe explicar que tipo de sala procuravam. O que, nos tempos modernos, seria chamado de escritório.

Damon, familiarizado com a arquitetura de grandes mansões, levou-a, depois de alguns falsos começos, ao que era claramente o escritório da dona da casa. Os olhos de Elena agora estavam tão afiados quanto os dele no escuro, e ambos procuravam sob a luz de uma única vela.

Elena ficou frustrada depois de dar uma busca em uma mesa extraordinária com escaninhos para gavetas secretas, sem achar nada, e Damon olhava o corredor.

— Ouvi alguém lá fora — disse ele. — Acho que está na hora de sairmos.

Mas Elena ainda procurava. E — seus olhos disparavam pela sala — ela viu uma pequena escrivaninha com uma cadeira antiquada e um sortimento de canetas, de antigas a modernas, exibindo-se em suportes elaborados.

— Vamos enquanto não há ninguém — cochichou Damon, impaciente.

— Sim — disse Elena, distraída. — Tudo bem...

E então ela viu.

Sem hesitar nem por um segundo, ela andou pela sala até a escrivaninha e pegou uma pena, uma pluma prateada e brilhante. Não era uma pena autêntica, é claro; era uma caneta-tinteiro feita para parecer elegante e antiga — com uma pluma. A caneta em si era curvada para se encaixar na mão e a madeira parecia quente.

— Elena, eu não acho muito...

— Damon, shhhh — disse Elena, ignorando-o, absorta demais no que fazia para realmente escutar. Ela tentou escrever. Nada. Algo bloqueava o cartucho. Depois, desatarraxar a caneta-tinteiro *com cuidado*, como se fosse recarregar o cartucho, e, o tempo todo, seu coração batia apressado e as mãos tremiam. Continue devagar... Não perca nada... Pelo amor de Deus, não deixe que nada caia nesse escuro. As duas partes da caneta se separaram em sua mão...

...e sobre o tampo almofadado verde-escuro da mesa caiu um pequeno pedaço de metal curvo e pesado. Cabia perfeitamente na parte mais larga da caneta. Elena o tinha na mão e notou que era semelhante à caneta, antes que pudesse dar uma boa olhada nele. Mas então... Elena *precisava* abrir a mão e ver.

O pequeno objeto em formato de lua crescente ofuscou seus olhos na luz, mas era como a descrição que Bonnie dera a Elena e Meredith. Uma representação minúscula de uma raposa com um corpo animal e cabeça cravejados de joias, exibindo duas orelhas achatadas. Os olhos eram de pedras verdes e cintilantes. Esmeraldas?

— Alexandrita — disse Damon, num sussurro. — Segundo o folclore, eles mudam de cor à luz de velas ou da lareira. Eles refletem a chama.

Elena, que estivera recostada nele, lembrou-se, com um leve arrepio, que os olhos de Damon refletiram a chama quando ele esteve possuído: a chama vermelho-sangue do malach — da crueldade de Shinichi.

— Então — perguntou Damon —, como fez isso?

— Esta é mesmo uma das duas partes da chave de raposa?

— Bom, não é algo que pertença a uma caneta-tinteiro. Um brinde? Mas você foi direto a ela no momento em que entramos na sala. Até os vampiros precisam de tempo para pensar, minha preciosa princesa.

Elena deu de ombros.

— Na verdade foi bem fácil. Quando percebi que todas aquelas chaves de harpa não serviam, perguntei a mim mesma que outro instrumento se achava na casa de alguém. Uma caneta é um instrumento de escrita. Então só tive de descobrir se Lady Fazina tinha um estúdio ou escritório.

Damon soltou a respiração.

— Mas que diabos, espertinha. Sabe o que estive procurando? Alçapões. Entradas secretas para masmorras. O único outro instrumento em que *eu* pude pensar foi um "instrumento de tortura", e você se surpreenderia ao ver quantos deles acharia nesta bela cidade.

— Mas não na casa *dela*...! — A voz de Elena se elevou perigosamente e os dois ficaram em silêncio por um segundo para pensar, escutando, em suspenso, se havia algum ruído no corredor.

Não havia nenhum.

Elena soltou a respiração.

— Rápido! Onde, onde ficará em segurança? — Ela descobriu uma falha no vestido de deusa: não havia lugar nenhum onde esconder nada. Teria de falar com Lady Ulma sobre isso da próxima vez.

— No fundo do bolso do meu jeans — disse Damon, parecendo estar tão trêmulo e apressado quanto Elena. Quando meteu a chave no fundo do bolso do jeans Armani preto, Damon pegou as mãos de Elena. — Elena! Você percebe? Conseguimos. Nós finalmente conseguimos!

— Eu sei! — Lágrimas escorriam dos olhos de Elena e toda a música de Lady Fazina parecia crescer em um acorde único e perfeito. — Conseguimos juntos!

E, de algum modo — como todos os outros "alguns modos" que estavam se tornando um hábito entre eles —, Elena estava nos braços de Damon, passando os próprios braços sob a jaqueta dele para sentir seu calor, sua solidez. Ela tampouco se surpreendeu ao sentir uma dupla pontada no pescoço quando tombou a cabeça para trás: sua linda pantera realmente era pouco domesticada e precisava aprender algumas lições básicas de etiqueta em encontros; por exemplo, beijar antes de morder.

Ele já tinha dito que estava com fome, lembrou-se Elena, e ela o ignorou, enfeitiçada demais com a caneta de prata para assimilar as palavras. Mas agora as assimilou, e compreendeu — a não ser o motivo de ele parecer tão excepcionalmente faminto esta noite.

Talvez até... faminto em excesso.

Damon, pensou ela com gentileza, você está bebendo muito.

Ela não sentia resposta, apenas a fome rude da pantera.

Damon, isso pode ser perigoso... Para mim. Desta vez Elena pôs o máximo de Poder que pôde nas palavras que enviara.

Ainda nenhuma resposta de Damon, e ela agora flutuava, imersa na escuridão. E isso lhe deu uma vaga ideia.

Cadê você? Está aí?, chamou ela, procurando pelo garotinho.

E então ela o viu, acorrentado ao rochedo, enroscado como uma bola, com os punhos cobrindo os olhos.

O que foi?, perguntou Elena de pronto, flutuando para perto dele, preocupada.

Ele está machucando! Está machucando!

Você está ferido? Mostre-me, disse Elena.

Não. Ele está machucando você! Pode te matar!

Calma. Calma. Ela tentou aninhá-lo.

Temos que obrigá-lo a nos ouvir!

Tudo bem, disse Elena. Ela realmente se sentia estranha e fraca. Mas se virou, junto com a criança, e gritou sem voz: *Damon! Por favor! Elena disse para parar!*

E aconteceu um milagre.

Ela e a criança sentiram. As presas começaram a se afastar. A interrupção do fluxo de energia de Elena para Damon.

E, ironicamente, o milagre começou a afastá-la da criança, com quem ela queria muito falar.

Não! Espere!, Elena tentou dizer a Damon, agarrando-se às mãos da criança com a maior força que pôde, mas estava sendo catapultada para a consciência, como se levada por um furacão. A escuridão desapareceu. Em seu lugar havia uma sala, iluminada demais, sua única vela ardendo como um holofote apontado para ela. Elena fechou os olhos e sentiu o calor e o peso de um Damon corpóreo em seus braços.

— Desculpe! Elena, consegue falar? Não percebi o quanto...
— Havia algo de errado na voz de Damon. Depois ela entendeu. As presas dele não tinham se retraído.

O quê...? Estava tudo errado. Eles estavam tão felizes, mas... Mas agora o braço direito de Elena parecia molhado.

Elena se afastou completamente de Damon, olhando os braços, vermelhos de algo que não era tinta.

Ela ainda estava emocionada demais para fazer as perguntas certas. Deslizou para trás de Damon e tirou sua jaqueta de couro preta. Na luz brilhante, ela pôde ver sua camisa de seda preta arruinada por várias linhas de sangue seco, parcialmente seco, ou ainda úmido.

— Damon! — A primeira reação de Elena foi de pavor, sem culpa ou compreensão. — O que houve? Você se meteu numa briga? Damon, *me diga!*

E algo em sua mente se apresentou a ela com um número. Ela aprendera a contar bem cedo. Na realidade, antes de seu primeiro aniversário ela aprendeu a contar até dez. Assim, Elena tinha 17 anos cheios de aprendizado para contar o número de cortes irregulares, fundos, que ainda sangravam nas costas de Damon.

Dez.

Elena olhou os próprios braços ensanguentados e o vestido da deusa, que agora era aterrorizante, porque sua brancura pura de leite estava marcada de vermelho vivo.

Um vermelho que devia ser o sangue *dela*. Um vermelho do que deviam parecer golpes de espada nas costas de Damon enquanto ele canalizava a dor e as marcas da Noite da Disciplina de Elena para ele.

E ele me carregou para casa. A ideia apareceu flutuando, do nada. Sem dizer uma palavra. Eu nunca saberia...

E ele ainda não tinha se curado. Será que um dia se curaria?

Foi quando ela começou a gritar em todas as frequências possíveis.

29

Alguém tentava fazê-la beber de um copo. O olfato de Elena estava tão aguçado que ela já sentia o gosto — era o vinho Black Magic. E ela não queria aquilo! Não! Elena cuspiu. Eles não a obrigariam a beber.

— *Mon enfant*, é para o seu bem. Agora beba. — Elena virou a cabeça. Sentiu a escuridão e o furacão precipitando-se para pegá-la. Sim. Isso era melhor. Por que não a deixavam em paz?

No mais fundo fosso da comunicação, um garotinho estava com ela no escuro. Ela se lembrava dele, mas não de seu nome. Elena estendeu os braços e ele veio, e parecia que suas correntes eram mais leves do que... Quando? Antes. Isso era tudo o que conseguia lembrar.

Você está bem?, sussurrou ela para a criança. Ali embaixo, no cerne da comunhão, um sussurro era um grito.

Não chore. Sem lágrimas, pediu ele, mas as palavras a lembravam de algo em que Elena não suportava pensar, e ela pôs os dedos nos lábios dele, silenciando-o gentilmente.

Alto demais, uma voz exterior chegou num trovão:

— Então, *mon enfant*, você decidiu se tornar *une vampire encore une fois*.

É o que está havendo?, sussurrou ela para a criança. *Estou morrendo de novo? Para me tornar vampira?*

Não sei!, exclamou a criança. Eu não sei de nada. Ele está com raiva. Eu tenho medo.

Sage não vai machucá-lo, prometeu Elena. *Ele já é um vampiro e é seu amigo.*

Não é Sage...
Então de quem você tem medo?
Se você morrer de novo, vou ficar preso nas correntes. A criança lhe mostrou uma imagem lamentável de si mesma coberta por várias pesadas correntes. Na boca, uma mordaça. Os braços nas laterais do corpo e as pernas presas na bola. Além disso, as correntes tinham esporões, para que o sangue escorresse onde furasse a carne macia da criança.

Quem faria uma coisa dessas?, exclamou Elena. *Vou fazê-lo desejar jamais ter nascido. Diga quem vai fazer isso!*

A criança estava triste e perplexa. *Eu farei*, disse ele com tristeza. *Ele fará. Ele/eu. Damon. Porque teremos matado você.*

Mas se não é culpa dele...

Nós teremos. Teremos. Mas talvez eu morra, o médico disse... Houve um claro tom de esperança nesta última frase.

Isso fez Elena se decidir. Se Damon não estava pensando com clareza, talvez ela não estivesse pensando com clareza também, raciocinou lentamente. Talvez... Talvez ela devesse fazer o que Sage queria.

E o Dr. Meggar. Ela podia discernir a voz dele como se através de uma névoa densa.

— ... bem, você trabalhou a noite toda. Dê uma chance a mais alguém.

Sim... A noite toda. Elena não queria acordar de novo e tinha uma vontade poderosa.

— Talvez trocar de lado? — sugeria alguém... Uma menina... Uma jovem... De voz pequena, mas também de vontade forte. Bonnie.

— Elena... É Meredith. Pode sentir que seguro sua mão? — Uma pausa, depois muito mais alto, animada: — *Ei, ela apertou a minha mão! Viram?* Sage, diga a Damon para vir aqui rápido.

Vagando...

— Beba um pouco mais, Elena. Eu sei, eu sei, você está enjoada disso. Mas beba *un peu* por mim, está bem?

Vagando...

— *Très bon, mon enfant! Maintenant,* que tal um pouco de leite? Damon acha que você pode continuar humana se beber leite.

Elena tinha duas ideias a respeito disso. Uma era que se ela bebesse *mais* de *qualquer coisa,* iria explodir. Outra era que ela não ia fazer nenhuma promessa boba.

Ela tentou falar, mas saiu um fiapo de sussurro:

— Diga a Damon... que não vou me levantar se ele não libertar o garotinho.

— Quem? Que garotinho?

— Elena, meu bem, todos os garotinhos desta casa são livres.

Meredith:

— Por que não deixa que ela *diga* a ele?

Dr. Meggar:

— Elena, Damon está bem aqui no sofá. Vocês dois estiveram muito doentes, mas vão ficar bem. Veja, Elena, podemos mover a mesa de exames para que você fale com ele. Pronto, agora pode falar.

Elena tentou abrir os olhos, mas tudo era de uma luz feroz. Ela respirou e tentou de novo. Ainda brilhante demais. E ela não sabia como escurecer mais sua visão. Ela falou com os olhos fechados para a presença que sentia diante dela: *Não posso deixá-lo sozinho de novo. Especialmente se você vai enchê-lo de correntes e amordaçá-lo.*

Elena, disse Damon, trêmulo, *eu não tive uma vida boa. Mas nunca tive escravos, eu juro. Pergunte a qualquer um. E eu não faria isso com uma criança.*

Você fez e eu sei o nome dele. Sei que só o que ele tem é gentileza, bondade, caráter... e medo.

O trovão da voz de Sage:

— ... deixando-a agitada...

O murmúrio mais alto da voz de Damon:

— Eu *sei* que ela está fora de si, mas ainda prefiro saber o nome desse garotinho a quem posso ter feito isso. Por que isso a deixa agitada?

Mais trovões, depois:

— Mas não posso só perguntar a ela? Pelo menos posso me livrar dessas acusações. — Depois, em voz alta: — Elena? Pode me dizer que criança eu supostamente torturei?

Ela estava tão cansada. Mas respondeu em voz alta, sussurrando:

— O nome dele é Damon, é claro.

E o sussurro exausto de Meredith:

— Ah, meu Deus. Ela estava disposta a morrer por uma metáfora.

30

Matt olhava a Sra. Flowers revirar o distintivo do xerife Mossberg, segurando-o levemente em uma das mãos e passando os dedos nele com a outra.

O distintivo vinha de Rebecca, a sobrinha do xerife Mossberg. Parecia uma grande coincidência Matt esbarrar nela mais cedo. Ele logo percebeu que ela estava usando uma camisa de homem como vestido. A camisa era familiar — uma camisa do xerife de Ridgemont.

Depois ele viu o distintivo ainda preso nela. Havia várias coisas a falar sobre o xerife Mossberg, mas era impossível imaginar que ele perderia o distintivo. Matt se esquecera de toda educação e arrebanhou o pequeno escudo de metal antes que Rebecca pudesse impedi-lo. Sentia um incômodo na boca do estômago, que só piorou desde então. A expressão da Sra. Flowers não ajudava em nada para reconfortá-lo.

— Não esteve em contato direto com a pele dele — disse ela suavemente —, então as imagens são meio nebulosas. Mas ah, meu querido Matt — ela ergueu os olhos escurecidos para ele —, estou com medo. — Ela tremeu, sentando-se na cadeira da mesa da cozinha, onde duas canecas de leite quente estavam intocadas.

Matt deu um pigarro e tocou o leite escaldante com os lábios.

— Acha que precisamos sair para dar uma olhada?

— *Devemos* — disse a Sra. Flowers. Ela balançou a cabeça, com seus cachos macios e finos, tristemente. — A querida *mama* está insistindo muito, e posso sentir isso também; uma grande perturbação neste artefato.

Matt sentiu a mais leve sombra de orgulho tingindo seu medo por ter garantido esse "artefato" — depois pensou, ah, tá, roubar distintivos de camisas de meninas de 12 anos é mesmo motivo de orgulho.

A voz da Sra. Flowers veio da cozinha:

— É melhor vestir algumas camisas e suéteres e um par disto aqui. — Ela entrou de lado pela porta da cozinha, segurando vários casacos compridos, aparentemente vindos do armário na frente da porta da cozinha, e vários pares de luvas de jardinagem.

Matt levantou para ajudá-la com a braçada de casacos e teve uma crise de tosse com o cheiro de naftalina e de... mais alguma coisa, algo picante — que o cercava.

— Por que... parece... Natal? — disse ele, obrigado a tossir entre uma palavra e outra.

— Ah, ora, esta seria a receita de conservação da tia-avó Morwen — respondeu a Sra. Flowers. — Alguns desses casacos são do tempo da minha mãe.

Matt acreditou nela.

— Mas ainda está quente lá fora. Por que temos que vestir tantos casacos?

— Para proteção, querido Matt, para proteção! Estas roupas têm feitiços que vão nos proteger do mal.

— Até as luvas de jardinagem? — perguntou Matt, perdido.

— Até as luvas — disse a Sra. Flowers com firmeza. Ela parou e disse numa voz baixa: — E é melhor pegarmos algumas lanternas, Matt querido, porque isto é algo que vamos ter que fazer no escuro.

— Está brincando!

— Não, infelizmente não estou. E precisamos levar uma corda para nos amarrarmos. Em hipótese nenhuma devemos entrar na bosque à noite.

Uma hora depois, Matt ainda refletia. Não estava com fome na hora do jantar. A Sra. Flowers preparara beringela grelhada *au fromage* da Sra. Flowers, e as engrenagens de seu cérebro não pararam de girar.

Será que é assim que Elena se sente, pensou ele, quando está bolando seus Planos A, B e C? Será que ela se acha uma *idiota* quando faz isso?

Ele sentiu um aperto no coração e, pela milésima vez desde que deixou Elena e Damon, perguntou-se se agiu corretamente. Tem de ser, disse ele a si mesmo. Doía muito, e esta era a prova disso. As coisas que realmente doíam eram as atitudes certas. Mas eu queria ter me despedido dela...

Mas se você tivesse se despedido, nunca teria ido embora. Encare a realidade, imbecil. Para Elena, você é o maior mané do mundo. Desde que ela encontrou um namorado de quem gosta mais, você anda agindo como se fosse Meredith e Bonnie, ajudando-a a ficar com ele e se afastar do Cara Mau. Talvez vocês todos devessem usar camisetas com os dizeres *Sou um cachorrinho. Minha dona é a princesa Ele...*

SMACK!

Matt se colocou de pé num salto e caiu agachado, o que era mais doloroso do que parecia nos filmes.

Tec-tec-tec!

Era a persiana frouxa do outro lado da sala. Mas o primeiro barulho foi uma pancada. O exterior do pensionato estava em péssimo estado, e às vezes as persianas de madeira se soltavam de repente de seus pregos.

Mas seria apenas uma coincidência?, pensou Matt, assim que seu coração se acalmou. Neste pensionato onde Stefan passou tanto tempo? Talvez de algum modo ainda houvesse resquícios de seu espírito por aqui, captando o que as pessoas pensavam dentro dessas salas. Se fosse assim, Matt tinha acabado de levar um murro no plexo solar, a julgar pelo que sentia.

Desculpe, amigo, pensou ele, quase dizendo isso em voz alta. Eu não pretendia criticar sua garota. Ela está sob muita pressão.

Criticar a garota dele?

Criticar Elena?

Mas que inferno, ele era a primeira pessoa a bater em qualquer um que criticasse Elena. Desde que Stefan não usasse truques de vampiro para entrar na briga primeiro!

E o que Elena sempre dizia mesmo? Nunca se está realmente preparado. Nenhum plano reserva é demais, porque, assim como Deus fez uma casca irritante em volta de um amendoim, seu plano principal sempre terá algumas falhas.

Era por isso que Elena também trabalhava com o maior número de pessoas possível. Mesmo que os trabalhadores extras jamais precisassem se envolver, eles estavam ali para o caso de serem necessários.

Pensando nisso, e com a cabeça funcionando muito melhor desde que vendeu o Prius e deu o dinheiro de Stefan a Bonnie e Meredith para as passagens de avião, Matt se entregou ao trabalho.

— E depois demos um passeio pela propriedade e vimos o pomar de maçãs, o laranjal e as cerejeiras — Bonnie contou a Elena, que estava deitada, parecendo pequena e indefesa em sua cama de baldaquino, coberta por cortinas douradas escuras que agora estavam abertas e presas por cordões de seda em vários tons de dourado.

Bonnie estava sentada confortavelmente em uma poltrona dourada que tinha sido arrastada até a cama. Tinha os pezinhos descalços nos lençóis.

Elena não era uma boa paciente. Queria se levantar e não parava de insistir. Queria poder andar. Sabia que isso faria mais bem a ela do que toda a aveia, carne, leite e cinco visitas por dia do Dr. Meggar, que passou a morar na propriedade.

Mas ela sabia o que todos temiam. Bonnie tinha soltado tudo em um gemido soluçante e tristonho numa noite, quando a ruivinha estava de serviço ao lado de Elena.

— V-você gritou e todos os v-vampiros ouviram, e Sage pegou Meredith e eu como duas gatinhas, uma em cada braço, e correu até os gritos. Mas n-na hora praticamente todos tinham chegado a você *primeiro*! Você estava inconsciente, e Damon também, e alguém disse, "Eles foram at-atacados e eu ach-cho que estão *mortos*!" e todo m-mundo d-dizia, "Chamem os Guardiões!" E eu desmaiei.

— Shhhh — dissera Elena com gentileza... e astúcia. — Beba um pouco de Black Magic e vai se sentir melhor.

Bonnie obedeceu. E bebeu um pouco mais. Depois continuou com a história:

— Mas Sage devia saber de alguma coisa, porque disse: "Esperem, eu sou médico e vou examiná-los." E todos acreditaram nele, pelo modo como falou!

"Depois ele olhou os dois, e acho que ele soube no ato o que tinha acontecido, porque disse, 'Preparem uma carruagem! Preciso levá-los ao Dr. Meggar, meu colega.' E Lady Fazina em pessoa apareceu e disse que podíamos usar uma das carruagens dela, mandando de volta quando qu-quisessem. Ela é *tããão* rica! E aí, levamos vocês pelos fundos porque... tinha umas *cretinas* que disseram: eles que morram. Elas eram demônios de verdade, brancas pra caramba, conhecidas como Mulheres de Neve. E aí, estávamos na carruagem e, ai, meu Deus! Elena! Elena, você *morreu*! Você parou de respirar duas vezes! E Sage e Meredith tentaram reanimá-la. E eu... Eu rezei t-t-tanto."

A essa altura Elena estava totalmente imersa na história e aninhara a amiga, mas as lágrimas de Bonnie continuaram vindo.

— E nós batemos na casa do Dr. Meggar como se fôssemos derrubar a porta... E... alguém falou com ele... Ele examinou você e disse "Ela precisa de uma transfusão". E eu disse "Use o meu sangue". Porque lembra na escola, quando apenas nós duas podíamos doar sangue a Jody Wright porque tínhamos o mesmo tipo? E depois o Dr. Meggar preparou duas mesas assim — Bonnie estalou os dedos — e eu estava com tanto medo que mal consegui ficar parada para a agulha, mas acabei conseguindo. Eu consegui, de algum jeito! E eles deram um pouco do meu sangue a você. E, enquanto isso, sabe o que Meredith fez? Ela deixou

Damon mordê-la. Deixou mesmo. E o Dr. Meggar mandou a carruagem de volta à casa para pedir criados que "quisessem uma bonificação", porque é assim que se chama aqui... E a carruagem voltou cheia. Não sei quantos Damon mordeu, mas foram muitos! O Dr. Meggar disse que era o melhor remédio. E Meredith, Damon e todos nós convencemos o Dr. Meggar a vir para cá, quero dizer, para morar aqui, e Lady Ulma vai transformar todo o prédio em que ele morava num hospital para os pobres. E desde então estamos tentando fazer você melhorar. Damon melhorou logo na manhã seguinte. E Lady Ulma, Lucen e ele... Quero dizer, foi ideia deles, mas ele fez, mandou uma pérola a Lady Fazina... Era do pai dela, que nunca achou uma cliente rica o bastante para comprar, porque é grande demais, do tamanho de um punho, mas irregular, com umas voltas, e tem um brilho de prata. Eles a colocaram numa corrente grossa e mandaram para ela.

Os olhos de Bonnie estavam cheios de novo.

— Porque ela *salvou você e Damon. A carruagem dela salvou* a vida de vocês. — Bonnie tinha se inclinado para a frente para sussurrar: — E Meredith me disse... É um segredo, mas não para você... Ser mordida não é tão ruim assim. Pronto! — E Bonnie, como a gatinha que era, bocejou e se espreguiçou. — Eu teria sido mordida depois — disse ela, quase com tristeza, e logo acrescentou: — Mas você precisava do meu sangue. Sangue humano, mas o meu especialmente. Acho que eles sabem tudo sobre tipos sanguíneos por aqui, porque conseguem identificá-los pelo gosto e pelo cheiro. — Depois ela deu um pulinho e disse: — Quer olhar a metade da chave de raposa? Tínhamos tanta certeza de que estava tudo acabado e que jamais acharíamos, quando Meredith foi ao quarto para ser mordida... E eu garanto que foi só isso que eles fizeram... Damon deu a chave a ela e pediu que ela guardasse. Então ela guardou e toma conta dela direitinho, e está numa pequena caixa que Lucen fez de alguma coisa que parece plástico, mas não é.

Elena tinha admirado o pequeno crescente, mas a não ser por isso, não havia nada a fazer na cama a não ser conversar e ler uns clássicos ou algumas enciclopédias da Terra. Eles nem a deixaram descansar no mesmo quarto de Damon.

Elena sabia o motivo. Tinham medo de que ela não se limitasse a conversar com Damon. Tinham medo de que ela ficasse perto dele e sentisse seu cheiro exótico e familiar, composto de bergamota italiana, tangerina e cardamomo, e que se ela olhasse em seus olhos negros capazes de comportar universos em suas pupilas, seus joelhos podiam fraquejar e ela despertaria como vampira.

Eles não sabiam de nada! Ela e Damon trocaram sangue com segurança durante semanas antes da crise. Se não houvesse nada que o trouxesse de volta à sanidade, como a dor fizera antes, ele se comportaria como um perfeito cavalheiro.

— Hmmmm — disse Bonnie, depois de ouvir os protestos de Elena, empurrando um travesseirinho com os dedos dos pés, as unhas pitadas de prata. — Talvez eu não deva contar a eles que você andou trocando sangue com Damon recentemente. Pode ser que eles digam "Arrá!" ou coisa parecida. Sabe como é, podem interpretar isso errado.

— Não há nada para interpretar. Estou aqui para resgatar meu amado Damon e Stefan está me ajudando.

Bonnie a olhou com as sobrancelhas unidas e a boca num bico, mas não se arriscou a dizer nada.

— Bonnie?

— Hein?

— Eu acabei de dizer o que acho que disse?

— Arrã.

Elena, em um só movimento, pegou alguns travesseiros e os colocou sobre a cabeça.

— Pode, por favor, dizer ao cozinheiro que quero outro bife e um copo de leite grande? — pediu ela numa voz abafada pelos travesseiros. — Não me sinto bem.

Matt tinha uma nova lata-velha. Sempre acabava com um carro desses quando realmente precisava. E agora estava dirigindo, aos trancos e barrancos, para a casa de Obaasan.

A casa da Sra. Saitou, corrigiu-se ele apressadamente. Não queria se intrometer em costumes culturais desconhecidos, não quando ia pedir um favor.

A porta da casa dos Saitou foi aberta por uma mulher que Matt nunca vira na vida. Era atraente, estava vestida muito dramaticamente com uma saia escarlate larga — ou talvez com calças escarlates muito largas — e se postava com os pés tão separados que era difícil ter certeza. Estava com uma blusa branca. As feições eram impressionantes: dois feixes de cabelo preto e liso emolduraram o rosto e um feixe menor e mais elegante de mechas que chegavam às sobrancelhas.

Mas o mais impressionante era que ela segurava uma espada longa e curvada, apontada diretamente para Matt.

— O-oi — disse Matt, quando a porta se abriu e revelou esta aparição.

— Esta é uma casa do bem — respondeu a mulher. — Não é uma casa de espíritos maus.

— Nunca pensei que fosse — disse Matt, afastando-se enquanto a mulher avançava. — Sinceramente.

A mulher fechou os olhos, parecendo procurar algo em sua mente. Depois, de repente, baixou a espada.

— Você fala a verdade. Não tem intenção de fazer o mal. Entre, por favor.

— Obrigado — disse Matt. Ele nunca ficou tão feliz com a aceitação de uma mulher mais velha.

— Orime — veio uma voz fina e fraca do segundo andar. — É uma das crianças?

— Sim, Hahawe — disse a mulher que Matt não conseguia deixar de pensar como "a mulher da espada".

— Mande-o subir, sim?

— Claro, Hahawe.

— Ha ha... quer dizer, "Hahawe"? — disse Matt, transformando um riso nervoso numa frase desesperada enquanto a espada era embainhada na cintura da mulher. — Não é Obaasan?

A mulher-espada sorriu pela primeira vez.

— *Obaasan* significa *avó*. *Hahawe* é uma das maneiras de se dizer *mãe*. Mas ela não se importará se você a chamar de Obaasan; é uma saudação simpática para uma mulher da idade dela.

— Tudo bem — disse Matt, se esforçando para parecer amistoso.

A Sra. Saitou fez sinal para ele subir a escada, e Matt espiou em vários quartos antes de entrar em um com um grande futon bem no meio de um piso completamente nu, e nele uma mulher tão pequena como uma boneca, que não parecia real.

Seu cabelo era macio e preto como o da mulher da espada. Estava arrumado de modo que caía como um halo em volta da idosa deitada na cama. Mas os cílios escuros no rosto pálido estavam fechados, e Matt se perguntou se ela caíra num daqueles sonos repentinos, típico de senhoras de idade avançada.

Mas, abruptamente, a idosa-boneca abriu os olhos e sorriu.

— Ora, é Masato-chan! — disse ela, olhando para Matt.

Um mau começo. Se ela estava confundindo um jovem louro com um amigo japonês de uns sessenta anos atrás...

Mas depois ela riu, cobrindo a boca com as mãozinhas.

— Eu sei, eu sei — disse ela. — Você não é Masato. Ele agora é um banqueiro muito rico. Tem muita abundância. Especialmente na cabeça e na barriga.

Ela sorriu novamente para Matt.

— Sente-se, por favor. Pode me chamar de Obaasan, se quiser, ou de Orime. Minha filha tem o meu nome. A vida tem sido dura para ela, assim como foi para mim. Ser uma donzela do santuário... *e* uma samurai... requer disciplina e muito trabalho. E minha Orime estava se saindo muito bem... Até virmos para cá. Procurávamos uma cidade pacífica e tranquila, mas aí, Isobel conheceu... Jim. E Jim foi... infiel.

Matt teve o impulso de defender o amigo, mas o que ele poderia dizer? Jim passou uma noite com Caroline — por pressão dela, é claro. E ele ficou possuído e levou a possessão para a namorada Isobel, que perfurou o corpo de modo bizarro — entre outras coisas.

— Temos que encontrá-los — Matt se viu dizendo com sinceridade. — Foram os kitsune que começaram tudo... com Caroline. Shinichi e sua irmã, Misao.

— Kitsune. — Obaasan assentiu. — Sim, desde o início eu disse que provavelmente haveria um envolvido. Deixe-me ver; abençoei alguns talismãs e amuletos para suas amigas...

— E algumas balas. Estou meio com os bolsos cheios delas — disse Matt, constrangido, enquanto colocava um monte de balas de diferentes calibres na beira da coberta do futon. — Até achei umas orações na internet para me proteger deles.

— Sim, vejo que não perdeu tempo. Que bom. — Obaasan olhou as orações que ele imprimira. Matt se encolheu, sabendo que tinha apenas seguido a lista de afazeres de Meredith e que o crédito na realidade era dela.

— Vou abençoar primeiro as balas e depois escreverei mais amuletos — disse ela. — Coloque-os onde precisar de mais proteção. E, bem, imagino que saiba o que fazer com as balas.

— Sim, senhora! — Matt procurou as últimas nos bolsos, colocando-as nas mãos estendidas de Obaasan. Depois ela entoou uma longa e complicada oração, colocando as mãos minúsculas sobre as balas. Matt não achou o encantamento assustador, mas ele tinha consciência de que era uma negação como paranormal e que Bonnie provavelmente veria e ouviria coisas que ele não podia ver e ouvir.

— Devo me concentrar em alguma parte específica deles? — perguntou Matt, olhando a velha e tentando acompanhar em sua cópia das orações.

— Não, qualquer parte do corpo ou da cabeça serve. Se tirar uma cauda, vai torná-los mais fracos, mas vai enfurecê-los também. — Obaasan parou e tossiu, uma tosse rápida e seca. Antes que Matt pudesse se oferecer para descer e pegar-lhe algo para beber, a Sra. Saitou entrou no quarto segurando uma bandeja com três pequenas xícaras de chá.

— Obrigada por esperar — disse ela, educada ao se ajoelhar tranquilamente para servi-los. Ao primeiro gole, Matt descobriu que o chá verde e fumegante era muito melhor do que esperava, considerando suas poucas experiências em restaurantes.

E fez-se silêncio. A Sra. Saitou estava sentada, olhando a xícara de chá, Obaasan deitava-se branca e murcha sob a coberta do futon, e Matt sentiu uma tempestade de palavras formando-se em sua garganta.

Por fim, embora o bom-senso o aconselhasse a não falar, ele não resistiu e soltou.

— Meu Deus, eu sinto tanto por Isobel, Sra. Saitou! Ela não merecia nada disso! Eu só queria que a senhora soubesse que eu... Eu sinto muito, e vou pegar os kitsune que fizeram isso. Eu lhe prometo, eu vou pegá-los!

— Kitsune? — disse a Sra. Saitou incisivamente, olhando-o como se ele tivesse enlouquecido. Obaasan olhou apiedada de seu travesseiro. Depois, sem esperar para recolher as coisas do chá, a Sra. Saitou se colocou de pé num salto e saiu às presas do quarto.

Matt ficou sem palavras.

— Eu... Eu...

Obaasan falou do travesseiro.

— Não fique tão aflito, meu jovem. Minha filha, embora seja sacerdotisa, tem uma perspectiva muito moderna. Ela provavelmente lhe diria que os kitsune não existem.

— Mesmo depois... Quero dizer, como ela acha que Isobel...?

— Ela acredita que há influências malignas nesta cidade, mas do tipo "comum, humano". Ela acha que Isobel fez o que fez devido ao estresse que suportava, tentando ser uma boa aluna, uma boa sacerdotisa, uma boa samurai.

— Quer dizer que a Sra. Saitou se sente culpada?

— Ela culpa o pai de Isobel por grande parte disso. Ele trabalha no Japão. — Obaasan se interrompeu. — Não sei por que estou lhe contando tudo isso.

— Desculpe — disse Matt apressadamente. — Não era minha intenção ser intrometido.

— Não, mas você se importa com os outros. Queria que Isobel tivesse dado a luz a um menino como você, em vez da filha dela.

Matt pensou na figura deplorável que vira no hospital. A maioria das cicatrizes de Isobel acabaria invisível sob as roupas. Supondo-se que ela aprendesse a falar de novo. Reunindo coragem, ele disse:

— Bom, estou preparado para pegar os dois.

Obaasan deu um sorriso para ele, depois colocou a cabeça no travesseiro novamente. — não, era um apoio de madeira, percebeu Matt. Não parecia muito confortável.

— É uma pena haver uma rixa entre uma família humana e os kitsune — disse ela. — Porque há boatos de que um de nossos ancestrais foi casado com uma kitsune.

— O *quê*?

Obaasan riu, novamente escondendo a boca nas mãos.

— *Mukashi-mukashi*, ou, como vocês dizem, há muito tempo. Diz a lendas que um grande Shogun ficou furioso com todos os kitsune de suas terras pelo mal que faziam. Durante muitos anos, eles pregavam todo tipo de peça, mas quando o Shogun suspeitou que eram eles que estragavam as lavouras nos campos, fartou-se. Reuniu cada homem e mulher em sua casa e lhes disse que se armassem de estacas, flechas, pedras, enxadas e vassouras, e eliminassem todas as raposas que tinham toca em sua propriedade, até aquelas entre o sótão e o telhado. Ia matar cada uma delas sem piedade. Mas na véspera em que faria isso, ele teve um sonho em que apareceu uma linda mulher e disse que ela era responsável por todas as raposas daquelas terras. "E", disse ela, "embora seja verdade que fazemos maldades, nós compensamos comendo os ratos, camundongos e insetos que realmente estragam a lavoura.

Você concordaria em jogar sua ira em mim e me executar, só a mim, em vez de todas as raposas? Estarei aqui ao amanhecer para saber sua resposta".

"E ela cumpriu com sua palavra, esta kitsune belíssima, chegando ao amanhecer com 12 lindas donzelas como acompanhantes. Mas ela brilhava mais do que todas, como a lua brilha mais que uma estrela. O Shogun não conseguiu matá-la, e acabou pedindo sua mão em casamento, e casou suas 12 acompanhantes com seus 12 mais leais criados. E dizem que ela sempre foi uma esposa fiel, deu-lhe muitos filhos fortes como Amaterasu, a deusa-sol, e lindos como a lua, e que foram felizes até um dia em que o Shogun matou uma raposa em uma viagem por acidente. Ele correu para casa para explicar à esposa que não foi intencional, mas quando chegou encontrou seu lar aos prantos. Sua esposa já o havia deixado e partira com os filhos dele."

— Ah, que pena — murmurou Matt, tentando ser educado, quando seu cérebro lhe deu uma cotovelada nas costelas. — Espere aí. Mas se *todos* foram embora...

— Vejo que é um rapaz atento. — A idosa delicada riu. — Todos os filhos e filhas foram embora... Menos a mais nova, uma menina muito bonita, embora fosse só uma criança. Ela disse, "Eu o amo demais para deixá-lo, meu querido pai, ficarei mesmo que eu tenha que usar a forma humana a minha vida toda". E foi assim que soubemos descender de uma kitsune.

— Bom, esses kitsune não estão só fazendo maldades e estragando lavouras — disse Matt. — Estão aqui para matar. E temos que detê-los.

— Claro, claro. Eu não pretendia aborrecê-lo com minha historinha. — disse Obaasan. — Vou escrever esses amuletos para você agora.

Foi enquanto Matt saía que a Sra. Saitou apareceu na porta e pôs alguma coisa na mão dele. Ele olhou e viu a mesma caligrafia que Obaasan lhe dera. Só que era muito menor e escrita em...

— Um Post-it? — perguntou Matt, pasmo.

A Sra. Saitou assentiu.

— Muito útil para colar na cara dos demônios ou em galhos de árvores. — E, enquanto ele a olhava num completo assombro: — Minha mãe não sabe *tudo* sobre tudo.

Ela também lhe deu uma boa adaga, menor do que a espada que ainda portava, mas muito útil — Matt de imediato se cortou nela.

— Confie em suas amigas e em seus instintos — disse ela.

Meio perplexo, mas se sentindo encorajado, Matt pegou o carro e foi até a casa da Dra. Alpert.

31

— Estou me sentindo bem melhor — disse Elena ao Dr. Meggar. — Gostaria de dar uma caminhada pela propriedade. — Ela tentou não parecer inquieta. — Comi bastante carne, bebi leite e até tomei aquele óleo de fígado de bacalhau que o senhor mandou. Também estou com os dois pés na realidade: estou aqui para resgatar Stefan, e o garotinho dentro de Damon é uma metáfora de seu inconsciente, que o sangue que partilhamos me permitiu "ver". — Ela quicou uma vez, mas disfarçou, estendendo a mão para um copo d'água. — Estou me sentindo como um cachorrinho feliz esperando para passear. — Ela exibiu suas novas pulseiras de escrava recém-desenhadas: prata com lápis-lazúli incrustados em desenhos leves. — Se eu morrer de repente, estou preparada.

As sobrancelhas do Dr. Meggar subiam e desciam.

— Bem, não há nada de errado em sua pulsação ou sua respiração. Não vejo como uma boa caminhada à tarde poderia prejudicá-la. Damon já está de pé mas não dê nenhuma ideia a Lady Ulma. Ela ainda precisa de alguns meses de repouso.

— Ela tem uma escrivaninha linda, feita de uma bandeja de café da manhã — explicou Bonnie, gesticulando para mostrar o tamanho. — Ela desenha as roupas lá. — Bonnie se inclinou para a frente, com os olhos arregalados. — E sabe de uma coisa? Os vestidos dela são *mágicos*.

— Eu não esperaria menos que isso — grunhiu o Dr. Meggar.

Mas, no momento seguinte, Elena se lembrou de algo desagradável.

— Mesmo quando conseguirmos as chaves — disse ela —, ainda teremos que pensar em como sairemos da prisão.

— Como assim? — perguntou Lakshmi, toda animada.

— Bom... Nós conseguimos as chaves da cela de Stefan, mas ainda precisamos pensar em como vamos entrar na prisão e tirá-lo de lá sem que ninguém nos veja.

Lakshmi franziu a testa.

— Por que não entram com os outros na fila e saem com ele pelo portão?

— Porque — disse Elena, se esforçando para parecer paciente — eles não vão deixar que a gente entre para pegá-lo. — Ela semicerrou os olhos enquanto Lakshmi colocava a cabeça nas mãos.

— No que está pensando, Lakshmi?

— Bom, primeiro você disse que estará com a chave quando for à prisão, depois vai agir como se não deixassem que o tirassem de lá.

Meredith balançou a cabeça, desnorteada. Bonnie pôs a mão na testa como se estivesse doendo. Mas Elena se inclinou para a frente devagar.

— Lakshmi — disse ela, num tom muito baixo —, está dizendo que se tivermos a chave da cela de Stefan é como se tivéssemos um passe para entrar e sair da prisão?

Lakshmi se iluminou.

— Mas é claro! — disse ela. — Se não, para que serviria a chave? Eles podiam trancá-lo em *qualquer* cela.

Elena mal acreditava na maravilha que acabara de ouvir, então imediatamente procurou por falhas naquilo.

— Isso significaria que podíamos ir direto da festa de Bloddeuwedd para a prisão e tirar Stefan de lá — disse ela com o maior sarcasmo que podia injetar na voz. — A gente só precisaria mostrar a chave e eles nos deixariam levar Stefan.

Lakshmi assentiu, ansiosa.

— Isso! — disse ela alegremente, sem notar o sarcasmo entrando. — E não fique chateada, está bem? Mas por que será que você nunca quis visitá-lo?

— *Nós podemos visitá-lo?*
— Mas é claro, se marcarem hora.
Meredith e Bonnie haviam voltado à vida e seguravam Elena dos dois lados.
— E quando podemos mandar alguém para marcar uma hora, é rápido? — perguntou Elena entre os dentes, pois precisava de todo o esforço do mundo para falar — todo seu peso estava pousado nas duas amigas. — *Quem* podemos mandar para marcar hora? — sussurrou ela.
— Eu irei — disse Damon da escuridão carmim atrás delas.
— Irei esta noite... Me dê cinco minutos.

Matt podia sentir que sua expressão era zangada e teimosa.
— Ah, tenha dó — disse Tyrone, parecendo se divertir. Os dois estavam se preparando para uma ida à mata. Isso significava vestir dois dos casacos cheios de naftalina e usar fita adesiva para prender as luvas nos casacos. Matt já estava suando.
Mas Tyrone era um cara legal, pensou ele. De repente, Matt falou:
— Ei, sabe a coisa bizarra que aconteceu com o coitado do Jim Bryce na semana passada? Bom, está tudo relacionado com uma coisa ainda mais bizarra... Tem algo a ver com espíritos raposa e o antigo bosque, e a Sra. Flowers disse que se não nos prepararmos para o que vai acontecer, estaremos *ferrados*. E a Sra. Flowers não é só a velha maluca do pensionato, como todo mundo acha.
— Claro que não — a voz brusca da Dra. Alpert veio da soleira da porta. Ela baixou a maleta preta; ainda era uma médica do interior, mesmo quando a cidade estava em crise, e se dirigiu ao filho. — Theophilia Flowers, a Sra. Saitou e eu nos conhecemos há muito tempo. Elas sempre foram muito prestativas. É da natureza delas.
— Bom... — Matt viu uma oportunidade e a aproveitou de imediato. — Agora é a Sra. Flowers que precisa de ajuda. Precisa *mesmo* de ajuda.

— Então, o que está fazendo sentado aí, Tyrone? Vá logo ajudar a Sra. Flowers. — A Dra. Alpert ajeitou os próprios cabelos castanhos grisalhos com os dedos, depois acariciou os cabelos pretos do filho com ternura.

— E eu *ia mesmo*, mãe. Já estávamos saindo quando você chegou.

Tyrone, vendo a história de terror que Matt tinha como carro, educadamente ofereceu-se para levá-los à casa da Sra. Flowers em seu Camry. Matt, temeroso que seu carro pudesse literalmente morrer em um momento crucial, aceitou com muita satisfação.

Ele ficou feliz porque Tyrone seria o esteio do time de futebol americano da Robert E. Lee no ano que vem. Ty era o tipo de cara com quem se podia contar — como comprovava sua oferta imediata de ajuda hoje. Ele levava tudo na esportiva e era inteiramente correto. Matt não conseguia deixar de ver como as drogas e o álcool arruinaram não só os jogos atuais, mas o espírito esportivo de outros times do campus.

Tyrone também era um cara que sabia ficar de boca fechada. Ele não perguntou nada a Matt no caminho até o pensionato, mas soltou um assovio quando chegaram, não para a Sra. Flowers, mas para o Modelo T amarelo vivo que ela dirigia para o antigo estábulo.

— Caramba! — disse ele, saltando para ajudá-la com a sacola de compras, enquanto seus olhos varriam o Modelo T de um pára-choques a outro. — É um Ford sedã Modelo T! Seria um carro bonito se... — Ele parou de repente e sua pele morena ardeu com um brilho de poente.

— Ah, meu caro, não se constranja com a Diligência Amarela! — disse a Sra. Flowers, permitindo que Matt levasse outra sacola de mantimentos para a cozinha. — Ela serviu a minha família por quase cem anos e acumulou alguma ferrugem e arranhões com o tempo. Mas faz quase 45 quilômetros por hora em estradas pavimentadas! — acrescentou a Sra. Flowers, falando não só com orgulho, mas com um respeito temeroso que merece uma viagem em alta velocidade.

Os olhos de Matt encontraram os de Tyrone e Matt entendeu que os dois pensavam a mesma coisa.

Restaurar à perfeição o carro dilapidado, gasto, mas ainda bonito, que passou a maior parte de seu tempo em um estábulo convertido.

— Podemos fazer isso — disse Matt, sentindo que, como representante da Sra. Flowers, devia fazer a oferta primeiro.

— Claro que podemos — disse Tyrone, sonhando com a ideia.

— Ele já está numa garagem grande... Não teremos problema com espaço.

— Nem teríamos que desmontar tudo até o chassi... Ele realmente roda como um sonho.

— Tá brincando! Mas podemos limpar o motor; dar uma olhada nas válvulas, nas correias, mangueiras e essas coisas. E... — com os olhos escuros brilhando subitamente — meu pai tem uma desbastadora. Podemos tirar a pintura e pintar novamente com o mesmo tom de amarelo!

A Sra. Flowers de repente ficou radiante.

— Isso era o que a querida ma*ma* esperava que você dissesse, meu jovem — disse ela, e Matt se lembrou de suas maneiras por tempo suficiente e apresentou Tyrone a Sra. Flowers.

— Agora, se você dissesse vamos pintá-la de "borgonha", ou "azul" ou qualquer outra cor, tenho certeza de que ela iria se opor — disse a Sra. Flowers enquanto preparava sanduíches de presunto, salada de batatas e uma grande panela de feijão. Matt viu a reação de Tyrone à menção da "ma*ma*" e ficou satisfeito: houve um segundo de surpresa, seguido por uma expressão tranquila. A mãe dele havia dito que a Sra. Flowers não era uma velha maluca: portanto ela não era uma velha maluca. Um peso imenso pareceu sair dos ombros de Matt. Ele não estava mais sozinho com uma senhora frágil a quem tinha proteger. Tinha um amigo em quem confiar, que era um pouco maior do que ele.

— Agora vocês dois comam um sanduíche de presunto, enquanto eu faço a salada de batata. Sei que os meninos — a Sra. Flowers sempre falava dos homens como se fossem um tipo especial de flor — precisam de uma boa refeição antes de entrar em uma batalha. E não há motivos para sermos formais, podem comer.

Eles obedeceram, satisfeitos. Agora se preparavam para a batalha, sentindo-se prontos para combater tigres, uma vez que a ideia de sobremesa da Sra. Flowers era uma torta de noz, que seria dividida entre os meninos, junto com xícaras imensas de um café capaz de limpar o cérebro como uma desbastadora.

Tyrone e Matt foram para o cemitério na lata-velha de Matt, seguidos pela Sra. Flowers no Modelo T. Matt sabia muito bem o que as árvores podiam fazer com os carros e não ia fazer o Camry limpinho de Tyrone correr esse risco. Eles desceram a colina até o esconderijo de Matt e do sargento Mossberg. Os dois rapazes ajudaram a frágil Sra. Flowers nas partes mais complicadas. Ela tropeçou e quase caiu uma vez, mas Tyrone cravou as pontas de seus sapatos na colina e se firmou como uma montanha enquanto ela tombava contra ele.

— Ah, meu Deus... Obrigada, Tyrone, querido — murmurou ela, e Matt entendeu que "Tyrone, querido" tinha sido aceito no grupo.

O céu estava escuro, a não ser por um trecho de escarlate enquanto eles chegavam ao esconderijo. A Sra. Flowers pegou o distintivo do xerife, muito sem jeito, devido às luvas de jardinagem que usava e o levou à testa, em seguida, o afastou lentamente, ainda segurando-o diante dos olhos.

— Ele ficou parado aqui e se curvou, e ficou de quatro aqui — disse ela, abaixando-se no que era realmente — o lado correto do esconderijo. Matt assentiu, sem saber o que estava fazendo, e a Sra. Flowers disse sem abrir os olhos: — Não me dê nenhuma pista, Matt, querido. Então ele ouviu alguém atrás dele e girou, sacando a arma. Mas era Matt, e eles conversaram baixinho por um tempo.

"Depois ele de repente se levantou." A Sra. Flowers levantou-se de súbito, e Matt ouviu seu corpo velho e delicado estalar. "Ele saiu andando... rápido... para aquela mata. Aquela mata do mal."

Ela partiu para a mata como o xerife Rich Mossberg havia feito quando Matt estava com ele. Matt e Tyrone saíram correndo atrás dela, prontos para impedi-la se ela mostrasse algum sinal de querer entrar no que ainda restava do antigo bosque.

Em vez disso, ela voltou, segurando o distintivo na altura dos olhos. Tyrone e Matt assentiram um para o outro e, sem dizer nada, cada um deles pegou um braço da Sra. Flowers e deram a volta pela beira da mata, uma volta completa, com Matt na frente, a Sra. Flowers atrás e Tyrone por último. De repente, Matt percebeu que as lágrimas desciam pelo rosto enrugado da Sra. Flowers.

Por fim, a frágil idosa parou, pegou um lenço de renda — depois de uma ou duas tentativas — e enxugou os olhos com um arquejar.

— A senhora o encontrou? — perguntou Matt, incapaz de reprimir a curiosidade por mais tempo.

— Bem... Teremos que ver. Os kitsune parecem ser muito, muito bons em ilusões. Tudo que vi pode ter sido uma ilusão. Mas — ela soltou um suspiro pesado — um de nós terá de entrar no bosque.

Matt engoliu em seco.

— Então serei eu...

Tyrone o interrompeu.

— Ei, de jeito nenhum, cara. Você sabe como a coisa funciona, seja lá que for. Tem que tirar a Sra. Flowers dessa...

— Não, não posso permitir que você corra o risco de se machucar...

— Mas o que estou fazendo aqui, então? — perguntou Tyrone.

— Esperem, meus queridos — disse a Sra. Flowers, quase chorando. Os meninos se calaram de imediato, e Matt sentiu vergonha de si mesmo. — Acho que sei como os dois podem me ajudar, mas é muito perigoso. Perigoso para os dois. Mas talvez, se fizermos isso apenas uma vez, podemos eliminar o risco e aumentar nossa chance de descobrir alguma coisa.

— Mas como? — perguntaram Tyrone e Matt ao mesmo tempo. Alguns minutos depois, eles estavam preparados. Deitaram-se lado a lado, de frente para o muro formado pelas árvores altas e os arbustos emaranhados da mata. Não só foram amarrados com cordas, mas também espalharam os Post-its da Sra. Saitou pelos braços.

— Agora, quando eu disser "três", quero que os dois estendam a mão e tateiem o chão. Se sentirem alguma coisa, segurem firme e puxem o braço. Se não sentirem nada, movam a mão um pouco e puxem o mais rápido que puderem. E a propósito — acrescentou ela calmamente —, se sentirem algo tentando puxar vocês ou imobilizar seu braço, gritem, lutem, esperneiem e berrem, e vamos ajudar a sair.

Os três ficaram quietos por bom tempo.

— Então basicamente acha que existem coisas pelo chão da mata, que podemos pegar simplesmente tateando às cegas — disse Matt.

— Sim — respondeu a Sra. Flowers.

— Tudo bem — falou Tyrone, e mais uma vez Matt olhou para ele com aprovação. Ele não ousou perguntar: *"Que tipo de coisas podem nos puxar para o bosque?"*

Agora eles estavam posicionados e a Sra. Flowers contava, "Um, dois, três", e Matt lançou o braço direito o mais longe que pôde, e movia o braço enquanto tateava.

Ele ouviu um grito ao lado.

— Peguei! — Mas imediatamente depois ouviu:

— *Tem alguma coisa me puxando!*

Matt puxou o próprio braço para fora da mata antes de ajudar Tyrone. Algo caiu nele, mas bateu num Post-it e o golpe pareceu como se tivesse sido golpeado por um pedaço de isopor.

Tyrone se debatia loucamente e já tinha sido arrastado até os ombros. Matt o pegou pela cintura e usou toda a sua força para puxá-lo de volta. Houve um momento de resistência e então Tyrone saiu da mata de repente, como uma rolha que estourava.

Tinha arranhões no rosto e no pescoço, mas não onde os casacos o cobriam ou onde estavam os Post-its.

Matt teve vontade de dizer "obrigado", mas as duas mulheres que haviam fabricado os amuletos estavam longe dali, e ele se sentiu idiota dizendo isso ao casaco de Tyrone. De qualquer modo, a Sra. Flowers estava agitada, agradecendo às pessoas o bastante pelos três.

— Ah, Matt, quando aquele galho grande desceu, achei que você ia, no mínimo quebrar o braço. Graças ao bom Deus as mulheres Saitou fizeram amuletos excelentes. E Tyrone, querido, por favor, tome um gole de seu cantil...

— Eu não costumo beber...

— É apenas limonada quente, receita minha, querido. Se não fosse por vocês dois, não teríamos conseguido. Tyrone, achou alguma coisa, não foi? Depois você foi apanhado e não estaria salvo se Matt não estivesse aqui para ajudar você.

— Ah, eu tenho certeza de que ele teria conseguido sair — disse Matt apressadamente, porque devia ser constrangedor para qualquer um como o Tyreminator admitir que precisava de ajuda.

Tyrone, porém, disse com seriedade:

— Eu sei. Obrigado, Matt.

Matt se sentiu corar.

— Mas no final das contas não peguei nada demais — disse Tyrone, revoltado. — Senti um pedaço de cano velho ou coisa assim...

— Bom, vamos dar uma olhada — disse a Sra. Flowers com a expressão séria.

Ela jogou a luz forte da lanterna no objeto que Tyrone arriscara tanto para tirar da mata.

No início, Matt achou que era um enorme osso de couro para cachorros. Mas uma forma muito familiar o fez olhar mais de perto.

Era um fêmur, um fêmur humano. O maior osso do corpo, o osso da perna. E ainda estava branco. Fresco.

— Não parece de plástico — disse a Sra. Flowers numa voz que parecia muito distante.

Não era plástico. Matt podia ver as marcas de pequenas mordidas enroscarem-se no exterior. Também não era de couro. Era... Bom, era real. Um osso humano.

Mas o mais apavorante não era isso; Matt girou no escuro.

O osso estava polido de tão limpo e trazia a marca de dezenas de dentinhos minúsculos.

32

Elena estava radiante de felicidade. Ela foi dormir feliz, e acordou ainda mais feliz, serena, sabendo que em breve, muito em breve visitaria Stefan, e que depois disso — sem dúvida muito em breve também — conseguiria libertar seu amado.

Bonnie e Meredith não ficaram surpresas quando ela quis ver Damon, pensando em quem deveria ir com eles, e o que deveria vestir. Mas suas decisões deixaram as amigas surpresas.

— Se todos estiverem de acordo — disse ela devagar no início, traçando um círculo com o dedo na grande mesa de uma das salas de estar quando todos se reuniram na manhã seguinte —, eu gostaria que algumas pessoas fossem comigo. Stefan tem sido muito maltratado — continuou ela — e iria odiar que outras pessoas o vissem assim. Não quero que ele se sinta humilhado.

O grupo corou ao ouvir isso. Ou talvez fosse um rubor coletivo de ressentimento — em seguida um rubor coletivo de culpa. Com as janelas que davam para o oeste entreabertas, para que a luz vermelha da manhã caísse sobre tudo, era difícil saber. Mas uma coisa era certa: todo mundo queria ir.

— Então, espero — disse Elena, virando-se para olhar nos olhos de Meredith e Bonnie —, que vocês não fiquem magoadas se eu não escolhê-las para me acompanhar.

Isso significava que as duas estavam fora, pensou Elena ao ver a compreensão surgindo no rosto das amigas. Grande parte de seus planos dependia da reação das duas melhores amigas.

Meredith elegantemente mordeu a isca primeiro.

— Elena, você passou pelo inferno... literalmente... e quase morreu ao fazer isso... para encontrar Stefan. Leve as pessoas que mais poderão ajudá-la.

— Sabemos que isso não é um concurso de popularidade — acrescentou Bonnie, engolindo em seco, tentando não chorar. Ela *realmente* queria ir, pensou Elena, mas compreendia perfeitamente. — Stefan pode ficar mais constrangido na frente de uma menina do que de um menino — disse Bonnie. E ela nem acrescentou *"embora jamais fizéssemos alguma coisa para constrangê-lo"*, pensou Elena, avançando para um abraço e sentindo o corpo macio e pequeno de Bonnie. Depois se virou e sentiu os braços quentes, magros e rígidos de Meredith e, como sempre, sentiu parte de sua tensão se esvair.

— Obrigada — disse ela, enxugando as lágrimas. — E você tem razão, Bonnie, acho que seria mais difícil para ele encarar meninas do que meninos na situação em que está. Também será mais difícil encarar os amigos que ele já conhece e ama. Por isso, gostaria de pedir que Sage, Damon e o Dr. Meggar fossem comigo.

Lakshmi saltou, interessada, como se tivesse sido escolhida.

— Em que cadeia ele está? — perguntou ela, muito animada.

Damon respondeu.

— Na Shi no Shi.

Lakshmi arregalou os olhos. Ela olhou Damon por um momento, depois saiu correndo para a porta, a voz trêmula flutuando atrás dela:

— Tenho umas coisas para fazer, amo!

Elena olhou diretamente para Damon.

— E o que foi *isso*? — perguntou ela numa voz capaz de congelar lava a trinta metros.

— Não sei. Realmente, eu não sei. Shinichi me mostrou caracteres kanji e disse que a pronúncia era "Shi no Shi" e que significavam "a Morte da Morte"... Como a eliminação da maldição da morte de um vampiro.

Sage tossiu.

— Ah, meu pequeno crédulo. *Mon cher idiot*. Não procurou uma segunda opinião...

— Na verdade, procurei. Perguntei a uma senhora japonesa de meia-idade na biblioteca se o romaji, as palavras japonesas escritas em nosso alfabeto, significavam a Morte da Morte. Ela disse que sim.

— E você deu meia-volta e saiu — disse Sage.

— Como sabe disso? — Damon estava ficando irritado.

— Porque, *mon cher*, essas palavras podem significar muitas coisas. Tudo depende de como os caracteres japoneses estão dispostos... O que provavelmente você *não* mostrou a ela.

— Eu não os tinha! Shinichi os escreveu no ar para mim, em fumaça vermelha. — Depois, com uma angústia colérica perguntou: — *O que mais eles podem significar?*

— Bom, podem significar o que você disse. Também podem significar "a nova morte". Ou "a verdadeira morte". Ou até... "os Deuses da Morte". E dado o modo como Stefan vem sendo tratado...

Se um olhar pudesse matar, Damon agora seria um cadáver. Todos o olhavam com uma expressão acusativa. Ele se virou como um lobo acuado e mostrou seus dentes naquele sorriso brilhante de sempre.

— De qualquer forma, não imaginei que fosse algo agradável — disse ele. — Só pensei que o ajudaria se livrar da maldição de ser um vampiro.

— De qualquer forma — repetiu Elena. Depois disse: — Sage, se você puder ir e cuidar para que eles nos deixem entrar quando chegarmos, eu ficaria imensamente grata.

— Considere feito, *Madame*.

— E... Deixe-me ver... Quero que todos usem algo um pouco diferente para visitá-lo. Se todos concordarem, conversarei com Lady Ulma a respeito.

Ela podia sentir os olhares assustados de Meredith e Bonnie em suas costas ao sair.

Lady Ulma estava pálida, mas seus olhos brilharam quando Elena foi acompanhada até o quarto dela. Seu caderno de desenho estava aberto, o que era um bom sinal.

Foram necessárias apenas algumas palavras e um olhar sincero antes de Lady Ulma dizer com firmeza:

— Teremos tudo pronto em uma ou duas horas. É só uma questão de chamar as pessoas certas. Eu prometo.

Elena apertou o pulso dela com muita delicadeza.

— Obrigada. Obrigada... milagreira!

— Quer dizer que vou de prisioneiro — disse Damon. Ele estava bem ao lado da porta de Lady Ulma quando ela saiu e Elena desconfiou de que ele estivesse ouvindo.

— Não, isso nunca me ocorreu — respondeu ela. — Só acho que se vocês estiverem vestidos como escravos Stefan ficará menos constrangido. Mas por que acha que eu ia querer castigar você?

— E não quer?

— Você está aqui para me ajudar a salvar Stefan. Você já passou por... — Elena parou e olhou as mangas, procurando um lenço limpo, até que Damon lhe ofereceu o seu, de seda preta.

— Tudo bem — disse ele —, não vamos brigar por isso. Desculpe. Eu simplesmente falo, sem pensar antes.

— E nem mesmo ouve outra vozinha? Uma voz que diz que as pessoas podem ser boas e talvez não estejam tentando prejudicar você? — perguntou Elena com tristeza, perguntando-se como a criança acorrentada estaria agora.

— Não sei. Talvez. Às vezes. Mas como essa voz geralmente está errada neste mundo cruel, por que devo dar atenção a ela?

— Eu gostaria que você às vezes tentasse — sussurrou Elena.

— Assim seria mais fácil discutir com você.

Eu gosto muito destas condições, disse-lhe Damon telepaticamente e Elena percebeu — como isso *acontecia*? — que eles se fundiam num abraço. Pior, ela estava com seus trajes da manhã

— um vestido de seda comprido e um penhoar do mesmo tecido, os dois no tom mais claro de azul perolado, que ficava violeta nos raios do eterno sol poente.

Eu... eu também gosto, admitiu Elena, sentindo o poder percorrer Damon a partir da sua pele, passando por seu corpo, e no fundo, bem no fundo do poço impenetrável que podia ser visto ao olhar nos olhos dele.

Só estou tentando ser sincera, acrescentou ela, assustada com a reação dele. *Não posso esperar que alguém seja sincero comigo, se eu não for.*

Não seja sincera, não seja sincera. Odeie-me. Despreze-me, implorou-lhe Damon, ao mesmo tempo acariciando seus braços e a duas camadas de seda, que era só o que havia entre as mãos dele e a pele de Elena.

— Mas por quê?

Porque não mereço confiança. Sou um lobo mau e você é um cordeirinho branco puro e recém-nascido. Não permita que eu a magoe.

E por que você me magoaria?

Porque eu podia... Não, não quero morder você... Só quero beijá-la, só um pouco, assim. Houve uma revelação na voz mental de Damon. Ele a beijou com tanta doçura, e ele sabia exatamente quando os joelhos dela estavam prestes a ceder e a pegava antes que ela caísse no chão.

Damon, Damon, pensava ela, sentindo-se muito amorosa, porque sabia que estava lhe dando prazer, quando de repente caiu em si.

Oh! Damon, por favor, me solte... Tenho uma prova de roupa agora!

Envergonhado, ele devagar e com relutância baixou-a, pegando-a antes que ela pudesse cair e a colocou de pé.

Acho que eu também estou passando por uma prova agora, disse lhe Damon com sinceridade enquanto andava trôpego pela sala, errando a porta da primeira vez.

Não uma provação... uma prova de roupa! disse Elena às costas dele, mas não soube se ele ouviu. Mas estava satisfeita por ele tê-la soltado, sem realmente entender nada, a não ser que ela dizia não. Isso era um grande progresso.

Depois ela correu para o quarto de Lady Ulma, que estava cheio de todo tipo de gente, inclusive dois modelos, que usavam calças e camisas compridas.

— As roupas de Sage — disse Lady Ulma, assentindo para o mais alto — e de Damon. — Ela apontou para o homem mais baixo.

— Ah, são perfeitas!

Lady Ulma a fitou com a mais leve dúvida no olhar.

— São feitas de estopa genuína — disse ela. — A roupa mais miserável e inferior na hierarquia da escravidão. Tem certeza de que eles vão usar?

— Sim, ou não irão comigo — disse Elena categoricamente, e piscou.

Lady Ulma riu.

— Um bom plano.

— Sim... Mas o que você acha dos meu outro plano? — perguntou Elena, genuinamente interessada na opinião de Lady Ulma, mesmo enquanto corava.

— Minha querida benfeitora — disse Lady Ulma. — Antigamente eu acompanhava minha mãe preparar as roupas... Depois de eu ter feito 13 anos, claro... E ela me dizia que sempre a deixavam feliz, porque ela estava levando alegria a dois de uma só vez, e que o propósito não era outro senão a alegria. Eu lhe prometo, Lucen e eu terminaremos a tempo. Agora, você não devia estar se arrumando?

— Ah, sim... Oh, eu amo você, Lady Ulma! É tão engraçado. Quanto mais gente você ama, mais quer amar! — E dizendo isso Elena correu de volta a seus aposentos.

Suas damas de companhia estavam preparadas, esperando por ela. Elena tomou o banho mais rápido e mais animado da vida — ela estava nervosa — e se viu num sofá, no meio de um bando sorridente de olhos perspicazes, cada uma delas fazendo seu trabalho.

Ela fez depilação, é claro — nas pernas, nas axilas e fez as sobrancelhas. Enquanto duas mulheres trabalhavam nela, outra, com os cremes macios e unguentos, criava uma fragrância única para Elena, e uma quarta considerava pensativamente seu rosto e corpo como um todo.

Essa mulher escureceu um pouco as sobrancelhas de Elena e cobriu as pálpebras com um tom dourado e metalizado antes de usar algo que acrescentou pelo menos meio centímetro aos cílios. Depois realçou seus olhos com linhas horizontais exóticas de kohl. Por fim, deixou cuidadosamente os lábios de Elena num vermelho brilhante que, de algum modo, lhe dava a impressão de estarem permanentemente franzidos para um beijo. Depois disso, a mulher borrifou um leve pó furta-cor em todo o corpo de Elena. Finalmente, um diamante canário muito grande, enviado da bancada de joalheria de Lucen, foi firmemente colado a seu umbigo.

Enquanto as cabeleireiras cuidavam das últimas mechas na testa de Elena, ela recebeu duas caixas e uma capa escarlate das mulheres de Lady Ulma. Elena agradeceu com sinceridade a todas as damas de companhia, as cabeleireiras e a maquiadora, pagou-lhes uma bonificação que as deixou bem agitadas e pediu que a deixassem sozinha. Quando elas hesitaram, ela pediu novamente, com a mesma educação, mas num tom mais sério. As mulheres saíram.

As mãos de Elena tremiam quando pegou as roupas que Lady Ulma havia criado. Eram decorosas como um traje de banho, mas *pareciam* ter joias estrategicamente coladas em tiras de tule dourada. Tudo combinava com o diamante canário: do colar às braçadeiras e pulseiras que denotavam que, embora Elena estivesse vestida com trajes caros, ainda era uma escrava.

Então era isso. Ia usar tule e joias, perfume e maquiagem, para ver Stefan. Elena pôs o manto escarlate com muito cuidado para não amassar nem sujar nada por baixo e calçou os pés em delicadas sandálias douradas com saltos muito altos.

Ela desceu correndo a escada e chegou bem a tempo. Sage e Damon estavam vestindo mantos bem fechados — o que significava que estavam com a roupa de estopa por baixo. Sage deixara o coche de Lady Ulma preparado. Elena ajeitou as pulseiras de ouro, odiando-as porque *precisava* usá-las, embora ficassem lindas contra o debrum de peles brancas do manto escarlate. Damon lhe estendeu a mão para ajudá-la a subir no coche.

— Eu vou aí dentro? Isso quer dizer que não preciso usar... — Mas, olhando para Sage, suas esperanças foram esmagadas.

— A não ser que queira fechar as cortinas de todas as janelas — disse ele —, você está viajando legalmente sem as pulseiras de escrava.

Elena suspirou e deu a mão a Damon. De pé contra o sol, ele era uma silhueta escura. Mas enquanto Elena piscava para a luz, ela encarava, pasmo. Elena sabia que ele vira suas pálpebras douradas. Os olhos de Damon caíram nos lábios dela, prontos para um beijo. Elena corou.

— Eu o proíbo de me ordenar a mostrar o que está por baixo do manto — disse ela rapidamente. Damon ficou frustrado.

— O cabelo em cachos mínimos por toda a testa, manto cobrindo tudo, do pescoço aos pés, batom como... — Ele olhou novamente. Sua boca se retorceu como se ele estivesse sendo impelido a encaixar seus lábios nos dela.

— Já está na hora de ir! — cantarolou Elena, entrando apressadamente na carruagem. Ela estava muito feliz, embora agora entendesse por que escravos libertos nunca mais usassem uma pulseira na vida.

Ela ainda estava feliz quando chegaram à Shi no Shi — aquele prédio grande que parecia conjugar uma prisão com uma instalação de treinamento para gladiadores. E quando os guardas no grande posto de controle da Shi no Shi os deixaram entrar sem mostrar nenhum sinal de hesitação, mas era difícil dizer se o manto teve algum efeito sobre eles. Eram demônios: rabugentos, de pele malva, fortes como touros.

Ela percebeu algo que no início foi um choque, mas depois se transformou em um rio de esperança em seu íntimo. Havia uma porta do lado do saguão, na frente do prédio, que parecia a porta lateral do depósito de escravos: estava sempre fechada; símbolos estanhos no alto; pessoas andando para ela nos trajes mais variados e anunciando um destino antes de girar a chave e abrir a porta.

Em outras palavras: uma porta dimensional. Bem ali, na prisão de Stefan. Só Deus sabia quantos guardas iriam atrás deles se tentassem usá-la, mas era algo para se ter em mente.

Os guardas nos pisos inferiores do prédio da Shi no Shi, o que parecia mais um calabouço, tiveram reações claras e agressivas a Elena e seu grupo. Eram de alguma espécie mais baixa de demônio — demoniozinhos, talvez, pensou Elena — que dificultavam *tudo* para os visitantes. Damon teve de suborná-los a fim de conseguir permissão para entrar na área onde ficava a cela de Stefan e ir sozinho, sem um guarda por visitante, e permitir que Elena, uma escrava, fosse ver um vampiro livre.

E mesmo quando Damon lhes deu uma pequena fortuna para passar por esses obstáculos, eles riram com escárnio e soltaram gorgolejos guturais. Elena não confiava neles.

E tinha razão.

Em um corredor onde Elena sabia, por suas experiências fora do corpo, que deviam virar à esquerda, eles seguiram reto. Passaram por outro grupo de guardas, que quase desmaiaram de rir.

Ah — meu Deus — estão nos levando para ver o cadáver de Stefan?, perguntou-se Elena de repente. Então foi Sage quem realmente a ajudou. Ele amparou Elena até que ela sentiu as pernas firmes novamente.

Eles continuaram andando, entrando cada vez mais no que agora era um calabouço sujo e fedorento, com piso de pedra. Depois, abruptamente, viraram à direita.

O coração de Elena disparou. Dizia *errado, errado, errado*, mesmo antes de eles chegarem à última cela do corredor. Era completamente diferente da antiga cela de Stefan. Era cercada não por grades, mas por uma espécie de tela encimada por espetos afiados. Não havia como passar uma garrafa de Black Magic por ali, nem como posicionar a garrafa para servir o vinho direto na boca que aguardava do outro lado. Nenhum espaço, até, para colocar o dedo ou a abertura de um cantil para o habitante da cela. A cela em si não era suja, mas não tinha nada, a não ser um Stefan apático. Sem comida, sem água, sem cama para esconder alguma coisa, sem palha. Só Stefan.

Elena gritou. Não fazia ideia se realmente disse alguma coisa ou se apenas berrou. Atirou-se na cela — ou tentou fazer isso. Suas mãos seguraram rolos de aço afiados como navalha, e verteram sangue instantaneamente onde tocavam, e Damon, que normalmente reagia mais rápido, puxou-a para trás.

E então ele tirou-a, empurrando-a, e olhou boquiaberto o irmão mais novo — um jovem de cara cinzenta, esquelético, que mal respirava. Parecia uma criança perdida em seu uniforme de prisão amarrotado, sujo e puído. Damon levantou a mão como se tivesse se esquecido da barreira — e Stefan encolheu. Stefan parecia não reconhecer nenhum deles. Espiou mais de perto as gotas de sangue que ficaram na cerca afiada onde Elena a segurou, cheirou, e depois, como se alguma coisa tivesse penetrado a névoa de sua confusão, olhou em volta. Stefan levantou a cabeça para Damon, cujo manto tinha caído, mas seus olhos vagaram.

Damon soltou um ruído sufocado e se virou, esbarrando em outras criaturas ao sair, correndo para o outro canto. Se tinha esperanças de que todos os guardas o seguissem, para que seus aliados pudessem tirar Stefan de lá, estava enganado. Alguns o seguiram, como macacos, gritando insultos. O restante ficou, atrás de Sage.

Enquanto isso, a mente de Elena se agitava de planos. Por fim ela se virou para Sage.

— Use todo o dinheiro que tivermos além deste — disse ela, colocando a mão sob o manto, pegando o colar de diamante canário, de mais de duas dúzias de pedras preciosas do tamanho de

um polegar — e me diga se precisar de mais. Me dê meia hora com ele. Vinte minutos que sejam! — Sage balançava a cabeça.
— Atrase-os de algum modo; consiga *pelo menos* vinte minutos. Vou pensar em alguma coisa mesmo que isso me mate.
Depois de um momento Sage olhou-a nos olhos e assentiu.
— Farei isso.
Depois Elena olhou suplicante para o Dr. Meggar. Será que ele tinha alguma coisa — será que existia alguma coisa — que pudesse ajudar?
As sobrancelhas do Dr. Meggar desceram, depois a parte interna subiu. Era um olhar de pesar, de desespero. Mas ele franziu o cenho e cochichou:
— Existe uma coisa nova... Uma injeção que dizem ajudar em casos extremos. Posso tentar.
Elena se segurou para não cair aos pés dele.
— Por favor! Por favor, tente! *Por favor!*
— Só vai ajudar por alguns dias...
— Não precisamos de alguns dias! Vamos tirá-lo daí antes disso!
— Muito bem. — Sage conseguira conduzir todos os guardas para fora, dizendo que era um negociante de pedras preciosas e que tinha umas coisinhas que todos deveriam ver.
O Dr. Meggar abriu sua maleta e pegou uma seringa.
— Agulha de madeira — disse ele com um sorriso melancólico enquanto a enchia com um líquido vermelho claro que estava num frasco. Elena pegou outra seringa e examinou-a ansiosamente enquanto o Dr. Meggar tentava atrair Stefan para perto dele, fazendo-o levantar os braços até a grade. Por fim Stefan fez o que o Dr. Meggar queria — só para dar um salto com um grito de dor e se afastar enquanto uma seringa era enfiada em seu braço e o líquido urticante injetado.
Elena olhou desesperada para o médico.
— Quanto ele tomou?
— Cerca da metade. Está tudo bem... Eu coloquei o dobro da dose e injetei com a maior força que pude para conseguir que

o... — disse um termo médico que Elena não reconheceu — ... penetrasse nele. Eu sabia que doeria mais, injetando com tal rapidez, mas consegui o que queria.

— Que bom — disse Elena em êxtase. — Agora quero que encha essa seringa com o meu sangue.

— Sangue? — o Dr. Meggar ficou desanimado.

— Sim! A seringa é grande o bastante para passar pela grade. O sangue vai pingar do outro lado. Ele pode beber à medida que pingar. Isso pode salvá-lo! — Elena pronunciou cada palavra com cuidado, como se falasse com uma criança. Ela queria desesperadamente transmitir o que pretendia.

— Ah, Elena. — O médico se sentou, com um tinido, e pegou uma garrafa de Black Magic escondida no colete. — Eu sinto muito. Mas para mim é muito difícil tirar sangue de alguém. Meus olhos, criança... Eles estão arruinados.

— Mas os óculos... as lunetas...?

— Não me servem mais. É um problema complicado. Mas você deve conseguir pegar uma veia, de qualquer maneira. A maioria dos médicos não me serve de nada; sou caso perdido. Desculpe, criança. Mas já faz vinte anos que tive algum sucesso nisso.

— Então vou encontrar Damon e fazê-lo abrir minha aorta. Não ligo se isso me matar.

— *Mas eu ligo.*

A nova voz que vinha da cela fortemente iluminada diante deles fez com que o médico e Elena levantassem a cabeça de repente.

— Stefan! Stefan! Stefan! — Sem se importar com o que a cerca afiada faria com seu corpo, Elena inclinou-se para tentar segurar as mãos dele.

— Não — sussurrou Stefan, como se partilhasse um segredo precioso. — Coloque os dedos *aqui* e *aqui*... Por cima dos meus. Esta cerca é só aço com tratamento especial... Ela diminui meu Poder, mas não pode me ferir.

Elena pôs os dedos onde ele indicou e estava tocando Stefan. Realmente tocando-o. Depois de tanto tempo.

Nenhum dos dois disse nada. Elena ouviu o Dr. Meggar se levantar e se esgueirar para fora em silêncio — até Sage, supunha ela. Mas sua mente estava repleta de Stefan. Ela e ele apenas se olhavam, tremendo, com lágrimas vacilantes nos cílios, sentindo-se muito jovens.

E muito próximos da morte.

— Você disse que eu sempre fazia você falar primeiro, então vou desconcertá-la. Eu te amo, Elena.

Lágrimas caíram dos olhos dela.

— Esta manhã mesmo que estava pensando em quantas pessoas há para amar. Mas na verdade é apenas porque existe uma em primeiro lugar — sussurrou Elena. — Uma para sempre. Eu te amo, Stefan! Eu te amo!

Elena recuou por um instante e enxugou os olhos como todas as meninas espertas sabiam fazer sem estragar a maquiagem: passando os polegares por baixo dos olhos e inclinando-se para trás, colhendo as lágrimas e o kohl em gotículas infinitesimais no ar.

Pela primeira vez, ela conseguia *pensar*.

— Stefan —sussurrou ela —, eu sinto tanto. Perdi tempo me vestindo esta manhã... Bom, sendo vestida... Para te mostrar o que o espera quando sairmos. Mas agora... Eu me sinto... Como...

Agora não havia lágrimas nos olhos de Stefan também.

— Mostre-me — sussurrou ele, ansiosamente.

Elena se levantou e, sem encenação, tirou o manto com um dar de ombros. Fechou os olhos, o cabelo em centenas de cachinhos, pequenas espirais finas coladas por todo o rosto. As pálpebras douradas, com a pintura à prova d'água, ainda brilhavam. Sua única roupa de tiras de tule dourada com joias a deixava respeitável. Todo o corpo radiante, a perfeição da primeira flor da juventude que jamais podia ser igualada ou recriada.

Ouviu-se um longo suspiro... depois silêncio, e Elena abriu os olhos, apavorada com a possibilidade de Stefan ter morrido. Mas ele estava de pé, agarrado ao portão de ferro como se pudesse arrancá-lo para chegar a ela.

— Eu tenho tudo isso? — sussurrou ele.

— Tudo isso para você. Tudo para você — disse Elena.

Neste momento houve um som suave atrás dela e ela se virou, vendo dois olhos brilhantes na escuridão da cela à frente a de Stefan.

33

Para sua surpresa, Elena não demonstrou raiva, apenas determinação em proteger Stefan, se ela pudesse.

Na cela que ela imaginava estar vazia, havia um kitsune. O kitsune não era nada parecido com Shinichi ou Misao. Tinha cabelos muito compridos, brancos como a neve — mas seu rosto era jovem. Estava vestido todo de branco, colete e calça de algum tecido leve e sedoso, e sua cauda praticamente enchia a pequena cela, pois era muito peluda. Também tinha orelhas de raposa que se torciam de um lado a outro. Os olhos eram do ouro de fogos de artifício.

Ele era lindo.

O kitsune tossiu de novo, depois pegou — provavelmente tirou de seu cabelo comprido, pensou Elena — uma bolsinha de couro muito pequena e de um material muito fino.

A bolsa perfeita para uma joia perfeita, pensou Elena.

Em seguida, fingiu pegar uma garrafa imaginária de Black Magic (era pesada, e um gole imaginário foi delicioso) e encheu a bolsa com o vinho. Depois pegou uma seringa imaginária (assim como o Dr. Meggar havia feito e bateu nela para tirar as bolhas de ar) e a encheu com o líquido da bolsinha. Por fim, enfiou a seringa imaginária entre as grades e apertou o êmbolo, esvaziando-a.

— Posso alimentar você com o vinho Black Magic — disse Elena, ao entender o que o kitsune estava tentando mostrar a ela.

— Com a bolsinha, posso segurá-la e encher a seringa. O Dr. Meggar podia me ajudar. Mas não há tempo, então terei de fazer eu mesma.

— Eu... — começou Stefan.

— Beba o mais rápido que puder. — Elena amava Stefan, queria ouvir a voz dele, queria encher seus olhos com sua imagem do amado, mas havia uma vida a ser salva, e essa vida era a dele. Ela pegou a bolsinha, agradecendo ao kitsune e deixou o manto cair no chão. Estava concentrada demais em Stefan para se lembrar de como estava vestida.

Ela não permitiu que suas mãos tremessem. Havia três garrafas de Black Magic ali: a dela, em seu manto, a do Dr. Meggar e outra escondida, no manto *dele*, de Damon.

Assim, com a eficiência de uma máquina, ela repetiu várias vezes o que o kitsune mostrara. Mergulhar a seringa, puxar o êmbolo, passar pelas grades, apertar. Várias vezes, sem parar.

Depois de umas dez vezes, Elena desenvolveu uma nova técnica. Ela encheu a bolsinha de vinho e segurou-a no alto para que Stefan posicionasse a boca e pudesse beber, num só gole, quando ela espremesse a bolsa com as mãos. Sujou as grades, sujou Stefan; jamais teria dado certo se o aço pudesse ferir *Stefan*, mas acabou forçando uma quantidade surpreendente de Black Magic pela garganta dele.

Ela deu a outra garrafa de vinho ao kitsune, cuja cela era de grades normais. Ela não sabia como agradecer, mas ao parar por um segundo, virou-se para ele e sorriu. Ele bebia o vinho direto da garrafa e seu rosto tinha uma expressão de prazer frio e apreço.

Aquilo acabou rápido demais. Elena ouviu a voz de Sage trovejando, "Não é justo! *Elena* não estará pronta! *Elena* não teve tempo suficiente com ele!"

Elena não precisava que lhe dissessem que seu tempo acabara. Enfiou a garrafa de Black Magic na cela do kitsune, fez uma última medida e lhe devolveu a bolsinha — mas com o diamante canário que estava em seu umbigo. Era a maior joia que lhe restava e ela o viu virá-la com precisão com dedos de unhas compridas e colocar-se de pé para lhe agradecer. Houve uma troca de sorrisos e depois Elena pegou a maleta do Dr. Meggar e vestiu o manto vermelho. Em seguida se virou para Stefan, mais uma vez mole por dentro, ofegando:

— Desculpe. Eu não pretendia que fosse uma visita tão rápida.

— Mas você viu a chance de salvar minha vida e não pôde desperdiçar.

Aqueles irmãos às vezes eram parecidos demais.

— Stefan, não! Oh, eu *amo* você!

— *Elena*. — Ele beijou seus dedos comprimidos na grade. Depois, se virou para os guardas: — Não, por favor, *por favor*, não a levem embora! Tenham piedade, nos deem mais um minuto! Só um minuto!

Mas Elena teve de soltar os dedos para fechar o manto. Na última vez que viu Stefan, ele socava as grades com os punhos e gritava, "Elena, eu te amo! Elena!"

Então Elena foi arrastada pelo corredor e uma porta se fechou atrás deles. Ela desfaleceu.

Braços estavam ao seu redor, ajudando-a a andar. Elena estava furiosa! Se Stefan fosse colocado em sua antiga cela tomada de piolhos — como devia estar, agora —, ele poderia andar. E aqueles demônios não faziam nada de boa vontade, ela sabia. Ele provavelmente estava sendo tratado como um animal, podia até mesmo estar sendo torturado.

Elena já conseguia andar sozinha.

Quando chegaram na frente do saguão da Shi no Shi, Elena olhou em volta.

— Onde está Damon?

— No coche — respondeu Sage com uma voz muito gentil. — Ele precisava de um tempo.

Parte de Elena disse, *"Eu vou dar um tempo a ele! Tempo para gritar uma vez antes que eu rasgue sua garganta!"* Mas no fundo ela estava apenas triste.

— Não consegui falar nada do que queria. Eu queria contar a ele o quanto Damon estava arrependido; que ele mudou. Ele nem se lembrava de ver Damon lá...

— Ele *falou* com você? — Sage parecia surpreso.

Sage e Elena, saíram pelas últimas portas de mármore do prédio dos Deuses da Morte — nome escolhido mentalmente por Elena para a prisão.

A carruagem estava junto ao meio-fio diante deles, mas nenhum dos dois entrou. Sage conduziu Elena gentilmente a certa distância dos outros, pôs as mãos grandes em seus ombros e falou, ainda naquela voz muito suave.

— *Mon Dieu*, minha criança, não quero lhe dizer isso. Mas devo. Temo que mesmo que tiremos Stefan aqui no dia da festa de Lady Bloddeuwedd... Temo que seja tarde demais. Em três dias ele pode estar...

— Esta é sua opinião médica? — perguntou Elena incisivamente, olhando para ele de cima. Ela sabia que seu rosto estava inchado e pálido e que ele tinha muita pena dela, mas queria era uma resposta sincera.

— Não sou médico — disse ele devagar. — Sou apenas outro vampiro.

— Apenas outro Antigo, você quer dizer?

As sobrancelhas de Sage se ergueram.

— Ora, o que lhe fez pensar isso?

— Nada. Desculpe se eu estiver enganada. Mas pode, por favor, trazer o Dr. Meggar?

Sage a olhou por mais um longo instante, depois foi buscar o médico. Os dois homens voltaram.

Elena estava preparada para eles.

— Dr. Meggar, Sage só viu Stefan no início, antes de o senhor lhe dar a injeção. Ele acha que Stefan estará morto em três dias. O senhor concorda com isso, mesmo depois da injeção?

O Dr. Meggar olhou para ela e Elena podia ver as lágrimas surgindo em seus olhos míopes.

— É... possível... apenas possível que, se ele tiver força de vontade suficiente, possa sobreviver. Mas é mais provável...

— O que você diria se eu dissesse que ele tomou talvez um terço da garrafa de Black Magic esta noite?

Os dois homens a encararam.

— Está dizendo...

— Este é só um plano seu?

— Por favor! — Esquecendo-se da capa, esquecendo-se de tudo, Elena segurou as mãos do Dr. Meggar. — Encontrei uma maneira de fazer com que ele bebesse essa quantidade. Faz alguma diferença? — Ela apertou as mãos velhas do Dr. Meggar até sentir os ossos.

— Certamente sim. — O Dr. Meggar parecia desnorteado e com medo de dar esperanças. — Se realmente conseguiu que essa quantidade entrasse em seu organismo, ele provavelmente viverá até a noite da festa de Bloddeuwedd. É isso que quer, não é?

Elena se curvou e deu um pequeno beijo em suas mãos antes de soltá-las.

— E agora vamos contar as boas-novas a Damon — disse ela.

Na carruagem, Damon estava sentado ereto, o perfil delineado contra um céu vermelho-sangue. Elena entrou e fechou a porta.

Sem expressar nada, ele perguntou:

— Acabou?

— Se acabou? — Elena não era burra, mas queria ter certeza do que Damon estava falando.

— Ele está... morto? — disse Damon, cansado, apertando os olhos.

Elena deixou que o silêncio durasse mais algumas batidas do coração. Damon certamente sabia que Stefan não morreria na meia hora seguinte. Mas enquanto não tinha uma confirmação, parecia angustiado.

— Elena, me conte! O que aconteceu? — perguntou ele, com urgência na voz. — *Meu irmão está morto?*

— Não — disse Elena em voz baixa. — Mas provavelmente morrerá em alguns dias. Desta vez ele estava lúcido, Damon. Por que não falou com ele?

Damon se encolheu.

— O que eu diria a ele? — perguntou, rispidamente. — "Ah, me desculpe por quase ter matado você?" "Ah, espero que aguente por mais uns dias"?

— Sim, se você conseguisse evitar o sarcasmo.

— Quando *eu* morrer — disse Damon de um jeito afiado —, estarei sobre os próprios pés, lutando.

Elena lhe deu um tapa na boca. Não havia espaço para tomar impulso, mas ela colocou no movimento o máximo de Poder que se atreveu sem se arriscar a quebrar a carruagem.

Depois disso, houve um longo silêncio. Damon tocava o lábio que sangrava, acelerando a cura, ao engolir o próprio sangue.

Por fim ele falou.

— Nunca lhe ocorreu que você é minha escrava, não é? Que eu sou seu senhor?

— Se vai apelar para a fantasia, o problema é seu — disse Elena. — Tenho de lidar com o mundo real. E a propósito, logo depois de você fugir, Stefan estava não só de pé, mas também rindo.

— Elena... — disse ele em um tom crescente. — Você conseguiu lhe dar sangue? — Ele segurou o braço dela com tanta força que a machucou.

— Sangue, não. Um pouco de Black Magic. Se nós dois estivéssemos lá, teria sido duas vezes mais rápido.

— Vocês eram três lá dentro.

— Sage e o Dr. Meggar tiveram de distrair os guardas.

Damon afastou a mão.

— Já sei — disse ele sem expressão. — Então falhei com ele de novo.

Elena olhou para ele, solidária.

— Você agora está dentro da pedra, não é?

— Não sei do que está falando.

— A pedra em que você guarda qualquer coisa que possa te machucar. Você até se retira para dentro ela, embora deva ser apertado lá dentro. Katherine deve estar lá, imagino, emparedada em seu próprio quartinho. — Elena se lembrou da noite no hotel.
— E sua mãe, é claro. Eu deveria dizer a mãe de Stefan. *Ela* era a mãe, você sabia disso.
— Não... Minha mãe... — Damon mal conseguiu formar uma frase coerente.

Elena sabia o que ele queria. Ele queria ser abraçado e tranquilizado, ouvir que tudo estava bem — só os dois, sob o manto de Elena, envolvido em seus braços quentes. Mas ele não ia conseguir isso. Desta vez ela ia dizer não.

Ela prometera a Stefan que isso era para ele, e só para ele. E, pensou Elena, ela manteria sua palavra mesmo que só em espírito.

À medida que a semana avançava, Elena ia se recuperando da dor de ver Stefan. Embora nenhum deles pudesse falar a respeito, a não ser por exclamações breves e sufocadas, eles ouviram quando Elena disse que ainda havia uma tarefa a ser cumprida e que, se eles a executassem com sucesso, poderiam ir para casa logo — ao passo que, se não a concluíssem, Elena não se importava se iria para casa ou ficaria ali, na Dimensão das Trevas.

Ir para casa! Parecia um paraíso, embora Bonnie e Meredith soubessem em primeira mão o inferno que esperava por elas em Fell's Church. Mas de algum modo qualquer coisa seria preferível a esta terra de luz de sangue.

Com a esperança aumentando as chamas de seu entusiasmo, elas mais uma vez sentiram prazer com os vestidos que Lady Ulma lhes fazia. Desenhar era uma atividade de que a dama ainda podia desfrutar durante seu repouso, trabalhando arduamente em seu caderno de desenhos. Como a festa de Bloddeuwedd seria ao ar livre e no interior da mansão, todos os três vestidos tiveram de ser cuidadosamente desenhados para parecer atraentes tanto sob a luz de velas quanto sob os raios carmim daquele sol vermelho gigante.

O vestido de Meredith era de um azul-escuro metalizado, violeta ao sol, e mostrava um lado inteiramente diferente da garota no vestido de sereia colado que foi ao baile de Fazina. Fazia Elena se lembrar de uma princesa egípcia. Novamente, deixava os braços e os ombros de Meredith à mostra, mas a saia modesta e estreita que caía em linhas retas até a altura de suas sandálias, e a delicadeza das contas de safira que enfeitavam as alças, conferiam a Meredith um visual despretensioso. Este efeito era realçado pelo cabelo dela, que Lady Ulma determinou que estivesse solto, e seu rosto, quase sem maquiagem, a não ser por um leve toque de delineador em volta dos olhos. No pescoço, um ornato feito de grandes safiras de lapidação arredondada formavam um colar elaborado. Ela também tinha pedras preciosas azuis nos pulsos e nos dedos magros.

O vestido de Bonnie era uma pequena invenção inteligente: feito de um tecido sedoso que assumia um tom pastel da cor da luz ambiente. Num ambiente fechado reluzia como a lua, brilhava num rosa claro, lembrando o tom arruivado do cabelo de Bonnie. O visual era composto por cinto, colar, pulseiras, brincos e anéis de opalas brancas em lapidação cabuchão. Os cachos de Bonnie foram cuidadosamente presos e afastados do rosto, numa mecha ousada com gel, deixando sua pele transparente brilhando num rosado suave à luz do sol e de uma palidez etérea no interior da casa.

Mais uma vez, o vestido de Elena era o mais simples e o mais impressionante. Era escarlate tanto sob o sol vermelho-sangue quanto sob as luzes a gás do interior. Era bem decotado, dando à sua pele cremosa um brilho dourado à luz do sol. Ficava justo no corpo e tinha uma fenda ao lado para que ela pudesse andar ou dançar confortavelmente. Na tarde da festa, Lady Ulma fez com que o cabelo de Elena fosse cuidadosamente escovado em uma nuvem elaborada de brilho dourado-avermelhado ao ar livre, mas apenas dourada dentro de casa. Ela estava coberta de diamantes, desde a base do decote, passando pelos dedos, pulsos, um antebraço. Também usava uma gargantilha de diamantes que cobria o colar de Stefan. Tudo isso brilhava vermelho como rubi ao sol, mas de vez em quando emitia outra cor impressionante, como uma explosão de pequenos fogos de artifício. Os espectadores, prometeu Lady Ulma, ficariam deslumbrados.

— Mas não posso usar essas joias — protestou Elena com Lady Ulma. — Pode ser que não os veja mais... Depois de pegar Stefan, teremos que fugir!

— Nós também — acrescentou Meredith rapidamente, olhando cada uma das meninas em suas cores azul-prateado, escarlate e opala "dentro da casa". — Todas estaremos usando as joias com que ficaremos dentro ou fora da casa... Mas a senhora pode perder todas!

— E vocês podem precisar de todas elas — disse Lucen em voz baixa. — Mais um motivo para cada uma de vocês usá-las. Pode ser que precisem trocar por carruagens, segurança, comida, o que for. O design delas é simples... Vocês podem arrancar uma pedra e usar como pagamento, e elas têm um engaste simples também, difícil não ser do gosto de algum colecionador.

— Além disso, todas são da mais alta qualidade — acrescentou Lady Ulma. — São os exemplares mais perfeitos de seu tipo que conseguimos em tão pouco tempo.

A essa altura as três meninas chegaram a seu limite e avançaram para o casal — Lady Ulma em sua cama enorme, com o caderno sempre ao lado, e Lucen de pé, perto dela — e choraram, beijaram, borrando a bela e bem-feita maquiagem.

— Vocês são como anjos para nós, sabiam? — Elena soluçava. — Como fadas madrinhas ou anjos da guarda! Não sei como vou conseguir me despedir de vocês!

— Como anjos — disse Lady Ulma então, enxugando uma lágrima do rosto de Elena. Depois segurou Elena, dizendo, "Olhe!" e gesticulou para si mesma confortavelmente na cama, acompanhada de duas jovens de olhos lacrimosos e radiantes, prontas para atender a seus desejos. Lady Ulma então assentiu para a janela, pela qual se via um pequeno curso d'água e algumas ameixeiras com os frutos maduros cintilando como joias nos galhos; em seguida, com um gesto, indicou os jardins, o pomar, os campos e as florestas da propriedade.

Depois pegou a mão de Elena e a passou na barriga de curvatura suave.

— Está vendo? — Ela falava quase aos sussurros. — Vê tudo isso... e pode se lembrar como me encontrou? Quem de nós é o anjo agora?

Às palavras "como me encontrou", as mãos de Elena voaram para cobrir o rosto — como se ela fosse incapaz de suportar a lembrança que lhe vinha à mente naquele momento. Ela abraçou e beijou Lady Ulma de novo, e deram início a uma nova rodada de abraços que destruíram de vez a maquiagem.

— O amo Damon foi muito gentil em comprar Lucen — disse Lady Ulma — e você pode não acreditar, mas — ela fitou com os olhos cheios de lágrimas o joalheiro calado e barbudo — eu sinto por ele o que você sente pelo seu Stefan. — E ela corou e escondeu o rosto nas mãos.

— Ele está libertando Lucen agora — disse Elena, ajoelhando-se para pousar a cabeça no travesseiro de Lady Ulma. — E passando a propriedade para o nome da senhora, irrevogavelmente. Ele contratou um advogado... Um bacharel, como dizem... para trabalhar na papelada a semana toda com um Guardião. Mesmo que aquele general horrível volte, não poderá tocar na senhora. Terá a sua casa para sempre.

Mais choros. Mais beijos. Sage, que inocentemente passava pelo corredor, assoviando, depois de dar uma volta com seu cão, Sabber, passou pelo quarto de Lady Ulma e foi atraído para ele.

— Também vamos sentir a sua falta! — Elena chorava. — Ah, obrigada!

Naquele mesmo dia, Damon cumpriu todas as promessas que fizera a Elena, além de dar uma grande bonificação a cada integrante da criadagem. O ar ficou cheio de confete metálico, pétalas de rosa, música e gritos de despedida enquanto Damon, Elena, Bonnie e Meredith eram levados à festa de Bloddeuwedd — e partiam para sempre.

— Pensando bem, por que Damon não libertou *a gente*? — perguntou Bonnie a Meredith, enquanto seguiam em liteiras para a mansão de Bloddeuwedd. — Sei que precisávamos ser escravas para entrar neste mundo, mas agora já estamos nele. Por que não fazer de nós garotas honestas?

— Bonnie, nós já somos garotas honestas — lembrou-lhe Meredith. — E acho que a questão é que nunca fomos escravas *de verdade*.

— Bom, quero dizer... Por que ele não nos liberta para que todo mundo *saiba* que somos meninas honestas. Meredith, você entendeu o que eu quero dizer.

— Porque não se pode libertar alguém que já é livre, é por isso.

— Mas ele podia ter passado pelo cerimonial — insistiu Bonnie. — Ou é tão difícil assim libertar uma escrava por aqui?

— Não sei — disse Meredith, finalmente cedendo a esta inquirição incansável. — Mas vou lhe dizer por que eu *acho* que ele não fez isso. Eu *acho* que é porque assim ele é responsável por nós. Quero dizer, as escravas podem muito bem ser castigadas... Nós vimos o que aconteceu com Elena. — Meredith parou. As duas estremeceram com a lembrança. — Mas no fim das contas é o *dono* dos escravos quem pode perder a vida. Lembre-se, eles queriam enfiar uma estaca em Damon pelo que Elena fez.

— Então ele está fazendo isso por nós? Para nos proteger?

— Não sei. Eu... acho que sim — disse Meredith devagar.

— Então... Acho que estivemos erradas sobre ele antes? — Bonnie generosamente disse "estivemos" em vez de "você esteve".

No grupo de Elena, Meredith sempre foi a mais resistente aos encantos de Damon.

— Eu... acho que sim — disse Meredith de novo. — Mas parece que todo mundo esqueceu que até bem pouco tempo foi Damon quem *ajudou* os gêmeos kitsune a colocarem Stefan aqui! E Stefan sem dúvida não fez nada para merecer isso.

— Bom, *isso* é verdade — disse Bonnie, parecendo aliviada por não ter estado tão equivocada, e ao mesmo tempo estranhamente melancólica.

— E só o que Stefan sempre quis de Damon: paz e sossego — continuou Meredith, como se estivesse em terreno mais seguro assim.

— E Elena — acrescentou Bonnie automaticamente.

— Sim, sim... *E* Elena. Mas só o que Elena queria era Stefan! Quero dizer... Só o que Elena *quer*... — A voz de Meredith falhou. A frase parecia ter pedido o sentido no presente. Ela tentou de novo. — Só o que Elena quer agora é...

Bonnie a olhava, boquiaberta.

— Bom, seja lá o que for — concluiu Meredith, abalada —, ela quer que Stefan faça parte disso. E ela não gostaria que *nenhuma* de nós ficasse aqui... neste... neste buraco do inferno.

Na liteira bem ao lado delas, as coisas estavam muito calmas. Bonnie e Meredith estavam tão acostumadas a viajar em liteiras fechadas que nem perceberam que outro palanquim se colocara ao lado delas, e que suas vozes eram transportadas com clareza no ar quente e parado da tarde.

Na liteira ao lado, Damon e Elena olharam muito duro pelas cortinas de seda que adejavam.

Agora Elena, com um ar de quem precisava fazer alguma coisa, apressadamente desamarrou a corda e as cortinas se fecharam.

Aquilo foi um erro, pois isolou Elena e Damon em um retângulo de brilho vermelho surreal, em que só as palavras que eles tinham acabado de ouvir pareciam ter validade.

Elena sentiu a respiração acelerar. Sua aura lhe escapava. *Tudo lhe escapava.*
Elas não acreditam que eu só quero ficar com Stefan!
— Aguente firme — disse Damon. — Esta é a última noite. Amanhã...
Elena levantou a mão como sinal para ele parar de falar.
— Amanhã já teremos achado a outra parte da chave e pegado Stefan e estaremos fora daqui — disse Damon mesmo assim.
Deus queira, pensou Elena. E fez uma oração.
Eles seguiram para a mansão grandiosa de Bloddeuwedd em silêncio. Por um tempo surpreendentemente longo, Elena não percebeu que Damon tremia. Era algo leve e involuntário, mas a alertou.
— Damon... Meu... Meu Deus do céu! — Elena ficou abalada, perplexa, não sem palavras, mas sem as palavras certas. — Damon, olhe para mim! *Por quê?*
Por quê?, respondeu Damon na única voz que sabia que não ia tremer, nem falhar. *Porque... Já pensou no que está acontecendo com Stefan enquanto você vai a uma festa com roupas esplêndidas, sendo carregada, para beber o vinho mais refinado e dançar... Enquanto ele... Enquanto ele...* O pensamento não foi concluído.
Era exatamente o que eu precisava pouco antes de ser vista em público, pensou Elena, enquanto eles chegavam à longa entrada para a casa de Bloddeuwedd. Ela tentou apelar a seus recursos antes que as cortinas fossem puxadas e eles estivessem livres para sair e encontrar a segunda metade da chave.

34

Não pense nessas coisas, Elena respondeu da mesma maneira que Damon falava e pelo mesmo motivo. Eu não penso, porque se pensar, vou enlouquecer. Mas se eu enlouquecer, como poderei ajudar Stefan. Em vez disso, bloqueio tudo com paredes de ferro e me mantenho à distância a qualquer custo.

— E consegue fazer isso? — perguntou Damon, a voz falhando um pouco.

— Consigo... Porque preciso. Lembra no início, quando estávamos discutindo sobre as cordas que amarravam nossos pulsos? Meredith e Bonnie tinham dúvidas. Mas elas sabiam que eu usaria algemas e rastejaria atrás de você, se fosse necessário. — Elena se virou para olhar Damon na escuridão carmim e acrescentou: — E você está sempre fazendo concessões, você sabe disso. — Ela passou os braços em volta dele e tocou suas costas curadas, para que ele não tivesse dúvidas do que ela estava falando.

— Isso foi por você — disse Damon rispidamente.

— Na verdade, não — respondeu Elena. — Pensando bem, se você não tivesse concordado com a Disciplina, poderíamos ter fugido da cidade, mas jamais conseguiríamos ajudar Stefan. Se pensar bem, tudo o que fez, tudo mesmo, foi por Stefan.

— Se você pensar bem, verá que fui eu quem colocou Stefan aqui, antes de mais nada — disse Damon, cansado. — Em que pé será que estamos agora?

— Até quando vamos brigar por causa disso, Damon? Você estava possuído quando Shinichi o convenceu a participar disso

— disse Elena, sentindo-se ela mesma exausta. — Talvez você precise ser possuído de novo... Só um pouco... Para se lembrar de como é.

Cada célula do corpo de Damon pareceu se encolher com a ideia. Mas ele apenas disse em voz alta:

— Parece que todos se esqueceram de uma coisa muito importante. A história arquetípica de dois irmãos que se mataram num confronto e se tornaram vampiros porque gostavam da mesma garota.

— O quê? — disse Elena incisivamente, esquecendo-se do cansaço. — Damon, o que você quer dizer com isso?

— Exatamente o que eu disse. Há uma coisa que todos vocês esqueceram. Rá. Talvez até Stefan tenha se esquecido. A história é contada e recontada, mas ninguém a entende.

Damon virou o rosto. Elena se aproximou dele, apenas um pouco, para que ele sentisse seu perfume, que era de essência de rosas naquela noite.

— Damon, me diga. *Por favor*!

Damon começou a se virar para ela...

E foi nesse momento que os carregadores pararam. Elena só teve um segundo para enxugar as lágrimas, e as cortinas foram puxadas.

Meredith tinha contado a todos sobre a história de Bloddeuwedd, que descobrira em um globo de histórias. Ela sabia tudo: como Bloddeuwedd tinha sido feita de flores e trazida à vida pelos deuses, que traíra o marido até sua morte e que, como punição, foi condenada a passar cada noite, da meia-noite ao amanhecer, como coruja.

E, ao que parecia, havia algo que as lendas não mencionavam. O fato de que ela foi condenada a viver aqui, que fora banida da Corte Celestial para as profundezas do crepúsculo vermelho da Dimensão das Trevas.

Pensando bem, fazia sentido que suas festas começassem às 6 da tarde.

Elena descobriu que sua mente saltava de um assunto a outro. Ela aceitou a taça de Black Magic de um escravo enquanto os olhos vagavam.

Cada mulher e grande parte dos homens na festa vestiam trajes inteligentes que mudavam de cor no sol. Elena se sentiu muito modesta — afinal, tudo do lado de fora parecia ser rosa, escarlate ou vinho. Bebendo de sua taça de vinho, Elena ficou um tanto surpresa ao se ver entrando no modo festa automaticamente, cumprimentando as pessoas que conhecera naquela semana com beijos no rosto e abraços, como se os conhecesse há anos. Enquanto isso, ela e Damon seguiam para a mansão, às vezes com o fluxo de pessoas que se movia sem parar, às vezes contra ela.

Eles chegaram a uma escada de mármore branco (rosa sob o sol), que exibia canteiros de esporinhas azuis (violeta) e rosas silvestres cor-de-rosa (escarlates) de cada lado. Elena parou ali por dois motivos. Um deles era conseguir uma taça nova de Black Magic. A primeira já lhe dera um brilho saudável — embora, é claro, tudo ali brilhasse continuamente. Ela esperava que a segunda dose a ajudasse a se esquecer de tudo o que Damon trouxera à tona na liteira, a não ser a chave — e a ajudasse a se lembrar do que a havia deixado nervosa antes. Antes que seus pensamentos fossem sequestrados pela conversa de Bonnie e Meredith.

— Espero que a melhor maneira seja *perguntar* a alguém — disse ela a Damon, que de súbito e silenciosamente estava em seu cotovelo.

— Perguntar o quê?

Elena inclinou-se um pouco para o escravo que lhe servia uma nova taça.

— Posso lhe fazer uma pergunta... Onde fica o salão de baile principal de Lady Bloddeuwedd?

O escravo uniformizado ficou surpreso. Depois, com a cabeça, fez um gesto englobando tudo.

— Esta praça... Sob a abóbada... Ganhou o nome de Grande Salão de Baile — disse ele, curvando-se sobre a bandeja.

Elena o encarou, depois olhou em volta.

Sob uma imensa abóbada — parecia-lhe semipermanente e sustentava em toda parte lindas lanternas em tons que ficavam mais bonitos no sol — o gramado suave se estendia por centenas de metros por todos os lados.

Era maior do que um campo de futebol.

— O que eu queria saber — perguntava Bonnie a uma convidada, uma mulher que dizia ter ido a várias festas de Bloddeuwedd e conhecia cada canto da mansão — é qual sala é o salão principal?

— Ah, minha cara, depende do que quer dizer — respondeu a convidada animada. — Há o Grande Salão externo... Você *provavelmente* o viu enquanto subia... O grande pavilhão? E há o Salão Branco, lá dentro. É iluminado com candelabros e suas cortinas ficam fechadas. Às vezes é chamado de Salão de Valsa, uma vez que é só o que se toca lá.

Mas Bonnie ainda assimilava, apavorada, as palavras anteriores.

— Tem um salão de baile *do lado de fora*? — perguntou ela, tremendo, na esperança de que de algum modo não tivesse ouvido direito.

— Isso mesmo, minha cara, e você pode vê-lo através daquela parede ali. — E era verdade. Era possível ver através da parede, porque todas eram de vidro, uma depois da outra, permitindo que Bonnie visse o que parecia ser uma ilusão criada por espelhos: sala após sala iluminada, todas cheias de gente. Só a ultima sala do primeiro andar parecia ser feita de alguma coisa sólida. Devia ser o Salão Branco.

Mas, pela parede oposta, onde a convidada apontava — ah, sim. Havia um teto abobadado. Ela se lembrou vagamente de passar por ali. A outra coisa de que se lembrava era...

— Eles dançam na grama? Nesse... gramado enorme?

— É claro. Foi especialmente cortado e suavizado. Fica tranquila que ninguém irá tropeçar num raminho nem montinho de terra. Tem certeza de que está se sentindo bem? Você está muito pálida. Bem... — a convidada riu —, tão pálida quanto alguém pode ficar nesta luz.

— Estou bem — disse Bonnie, perplexa. — Eu estou... muito bem.

Os dois grupos se encontraram logo depois e falaram dos horrores que tinham descoberto. Damon e Elena souberam que o chão do salão externo era praticamente duro como pedra — qualquer coisa que tivesse sido enterrada ali antes de o chão ser suavizado por rolos compressores agora estaria espremida em algo parecido com cimento. Só era possível cavar pelo perímetro.

— A gente devia ter trazido um clarividente — disse Damon. — Alguém capaz de localizar uma pessoa usando um pêndulo ou um pedaço da roupa daquele que desapareceu.

— Tem razão — disse Meredith, o tom de voz claramente acrescentando *desta vez*. — Por que *não* trouxemos um clarividente?

— Porque não conheço nenhum — disse Damon, com seu sorriso mais doce e feroz.

Bonnie e Meredith descobriram que o piso do salão de baile interno era de pedra — de um lindo mármore branco. Havia dezenas de arranjos florais no salão, mas só o que Bonnie conseguira tirar deles (o mais discretamente possível) foram simplesmente flores que estavam num vaso com água. Sem terra, nada que pudesse justificar o uso do termo "enterrado".

— E além disso, por que Shinichi e Misao colocariam a chave na água se eles sabiam que seria jogada fora logo depois? — perguntou Bonnie, com a testa franzida, enquanto Meredith acrescentava:

— E como achamos uma tábua solta no mármore? Então não vemos como pode ter sido enterrada aqui. Aliás, eu verifiquei... E o Salão Branco foi construído há anos, então não é possível que eles tenham escondido debaixo das pedras do prédio.

Elena, já na terceira taça de Black Magic, disse:

— Tudo bem. Então vamos pensar o seguinte: uma sala riscada da lista. Já temos metade da chave... Olha como foi fácil...

— Talvez eles estivessem apenas nos provocando — disse Damon, erguendo uma sobrancelha. — Para nos animar, antes de destruir nossas esperanças completamente... Aqui.

— Não pode ser — disse Elena, desesperada, fuzilando-o com os olhos. — Viemos de tão longe... Misao não imaginava que faríamos isso. Vamos encontrá-la. Nós *vamos* encontrá-la.

— Muito bem — disse Damon, de repente sério. — Vamos encontrá-la, nem que para isso seja preciso passarmos por empregados e usarmos picaretas na terra do lado de fora. Mas primeiro, vamos procurar dentro da casa. Deu certo da última vez.

— Está certo — disse Meredith, pela primeira vez olhando diretamente para ele e sem reprovação. — Bonnie e eu ficamos com os andares superiores e vocês podem ficar com os inferiores... Talvez possam dar uma olhada no Salão de Valsa.

— Tudo bem.

Eles partiram para o trabalho. Elena queria poder se acalmar. Apesar da maior parte do vinho que tomou oscilar dentro dela — ou talvez graças a estas taças —, ela via algumas coisas sob uma nova ótica. Mas devia se concentrar na busca — e só na busca. Faria qualquer coisa — *qualquer coisa*, disse ela a si mesma —, para conseguir a chave. Qualquer coisa por Stefan.

O Salão Branco tinha cheiro de flores e era ornado com botões grandes e opulentos no meio de uma folhagem abundante. Inúmeros arranjos protegiam uma área em volta de uma fonte, formando um recanto íntimo em que os casais podiam se sentar. E, embora não houvesse uma orquestra à vista, a música se derramava no salão, exigindo uma reação do suscetível corpo de Elena.

— Acho que você não sabe dançar valsa — disse Damon de repente, e Elena percebeu que estivera balançando no ritmo da música, de olhos fechados.

— Claro que sei — respondeu Elena, meio ofendida. — Todas nós fizemos aulas com a Srta. Hopewell. Em Fell's Church isso era o equivalente a frequentar aulas de etiqueta — acrescentou ela, vendo o lado engraçado disso e rindo consigo mesma. — E a Srta. Hopewell adorava dançar e nos ensinou cada dança e movimento que considerava elegante. Mas eu tinha 11 anos na época.

— Seria um abuso pedir que dançasse *comigo*? — disse Damon.

Elena o fitou com o que ela sabia que eram olhos grandes e confusos. Apesar do vestido escarlate decotado, ela não se *sentia* uma sereia irresistível esta noite. Estava nervosa demais para absorver a magia tecida na roupa, magia que agora percebia lhe dizer que era uma chama dançante, um elemental do fogo. Ela imaginou que Meredith deveria estar se sentindo um regato tranquilo, fluindo rápida e constantemente a seu destino, mas cintilando por todo o caminho. E Bonnie — Bonnie, é claro, era um espírito do ar, o que significava dançar com a leveza de uma pluma naquele vestido opalescente, que mal sofria a ação da gravidade.

Mas de repente Elena se lembrou de certos olhares de admiração que vira em sua direção. E agora, de uma hora para outra, Damon estava vulnerável? Será que ele não imaginava que ela dançaria com ele?

— Claro que adoraria dançar — disse ela, percebendo com um leve choque o que *não* tinha percebido antes, que Damon usava um smoking branco impecável. Evidente, era a única noite em que isso podia atrapalhá-los, mas o fazia parecer um príncipe do sangue.

Os lábios de Elena se retorceram levemente com o título. Do sangue... Ah, sim.

— Tem certeza de que *sabe* dançar valsa? — perguntou ela a Damon.

— Boa pergunta. Aprendi em 1885 porque na época era considerado devasso e indecente. Mas depende se você está se referindo à valsa inglesa, à valsa vienense, à valsa lenta ou...

— Ah, tenha dó, ou vamos perder outra dança. — Elena pegou a mão dele, sentindo faíscas mínimas, como se tivesse afagado o pelo de um gato do jeito errado, e o puxou para a multidão que dançava.

Começou outra valsa. A música inundava o salão e quase fazia Elena flutuar enquanto os pelinhos de sua nuca se eriçavam. Todo o seu corpo formigava, como se ela tivesse bebido algum elixir celestial.

Era sua valsa preferida desde a infância: aquela com que foi criada. A *Bela Adormecida*, de Tchaikovsky. Mas uma parte infantil de sua mente jamais podia deixar de combinar as notas envolventes e doces que vinham depois do início estrondoso e eletrizante com a letra da versão da Disney:

Eu conheço você; dancei com você uma vez num sonho...

Como sempre, provocavam lágrimas em seus olhos; faziam seu coração cantar e seus pés quererem voar, em vez de dançar.

Seu vestido era decotado nas costas. A mão quente de Damon estava em sua pele.

Eu sei, algo sussurrou para ela, por que consideravam esta dança devassa e indecente.

E agora, certamente, Elena sentiu a chama. *Fomos feitos para ser assim*. Ela não conseguia lembrar se era uma velha citação de Damon ou algo que ele acabara de sussurrar em sua mente. *Como duas chamas que se unem e se fundem em uma só.*

Você é boa, disse Damon, e desta vez Elena sabia que era ele falando, e que eles estavam no presente.

Não precisa me parabenizar. Já estou feliz demais! Elena riu. Damon era um especialista, e não apenas era preciso com os passos. Ele dançava uma valsa devassa e indecente. Tinha uma condução firme, que a força humana de Elena claramente não podia romper. Mas podia interpretar pequenos sinais dela. Coisas que Elena queria e ele obedecia, como se eles estivessem dançando no gelo, como se a qualquer momento pudessem girar e saltar.

O estômago de Elena derretia lentamente e levava outros órgãos internos com ele.

E não lhe ocorreu nem uma vez pensar no que os amigos, os rivais e os inimigos do colégio teriam achado de ela se derreter com música clássica. Ela estava livre da animosidade mesquinha, da vergonha medíocre das diferenças. Não queria mais saber de rótulos. Queria poder voltar para mostrar a todos que ela jamais desejou isso.

A valsa acabou cedo demais e Elena quis apertar o botão Replay e recomeçar tudo. Houve um momento em que a música parou e ela e Damon ficaram se olhando, com idêntica exaltação e desejo e...

E então Damon se curvou diante dela.

— Há mais na valsa do que só mexer os pés — disse ele, sem olhar para ela. — Há uma graça oscilante que pode ser colocada nos movimentos, uma chama que salta de alegria e unidade... Com a música, com o parceiro. Não precisa dominar a valsa para saber disso. Muito obrigado por me dar esse prazer.

Elena riu, mas queria chorar. Jamais quis parar de dançar. Queria dançar tango com Damon — um tango de verdade, do tipo que a obriga a se casar depois. Mas havia outra missão... Uma missão importante que precisava ser concluída.

E, ao se virar, havia uma multidão de *outras* coisas diante dela. Homens, demônios, vampiros, criaturas semelhantes a bestas. Todas queriam uma dança. As costas do smoking de Damon se afastavam dela.

Damon!

Ele parou, mas não se virou. *Sim?*

Me ajude! Precisamos achar a outra metade da chave!

Ele pareceu levar um segundo para entender o que estava acontecendo, mas depois compreendeu e voltou para ela e, pegando-a pela mão, disse numa voz clara e ressoante:

— Esta garota é minha... assistente pessoal... Não quero que ela dance com ninguém, apenas comigo.

Houve protestos em relação a isso. Os escravos que eram levados a esses bailes não costumavam ser proibidos de interagir com estranhos. Mas justo nesse momento houve uma espécie de agitação na lateral do salão, levando por fim a multidão para o lado oposto de onde Damon e Elena estavam.

— O que é? — perguntou Elena, esquecendo a dança e a chave.

— A pergunta é quem é — respondeu Damon. — E eu responderia: nossa anfitriã, Lady Bloddeuwedd em pessoa.

Elena se viu espremendo-se atrás dos outros para ter um vislumbre desta criatura extraordinária. Mas quando finalmente viu a mulher parada sozinha na porta do salão, ela ofegou.

Ela era feita de flores... lembrou-se Elena. Como seria uma mulher feita de flores?

Sua pele seria do tom mais claro de rosa em um botão de macieira, pensou Elena, olhando descaradamente. Seu rosto seria de um rosa um pouco mais escuro, como uma rosa da cor do amanhecer. Os olhos, enormes na face perfeita e delicada, seria da cor de esporinha, com cílios densos e etéreos que os fariam ficar semicerrados, como se ela estivesse sempre num sonho. E ela teria cabelos amarelos, claros como prímulas, caindo quase até o chão, em tranças que eram incorporadas em tranças mais grossas até que todo o cabelo se reunisse pouco acima dos tornozelos delicados.

Os lábios seriam vermelhos como papoulas, entreabertos e convidativos. E ela teria um aroma parecido com o de um buquê que reunia todas as primeiras flores da primavera. Ela andaria como se oscilasse na brisa.

Elena só conseguiu pensar ficar de pé, olhando esta visão como as dezenas de convidados em volta dela. Só mais um segundo para beber essa beleza, pediu sua mente.

— Mas o que ela está vestindo? — Elena se ouviu dizer em voz alta. Ela não conseguia se lembrar nem de um vestido estonteante, nem de um vislumbre da pele lustrosa de flor de maçã através das muitas tranças.

— Uma espécie de vestido. E de que mais seria feito? Flores — disse Damon com ironia. — O vestido dela era feito com todas as flores que já vi na vida. Não entendo como ficam no lugar... Talvez sejam seda costurada. — Ele era o único que não parecia deslumbrado com a visão.

— Será que ela falaria conosco... Só por uns minutos? — quis saber Elena. Ela ansiava por ouvir a voz mágica e delicada da mulher.

— Duvido — respondeu um homem na multidão. — Ela não fala muito... Pelo menos não antes da meia-noite. Ora essa! É você! Como vai?

— Muito bem, obrigada — respondeu Elena educadamente, depois recuou rápido. Era um dos jovens que enfiaram seus cartões na mão de Damon no final da cerimônia do Chefão, na noite da sua Disciplina.

Agora ela só queria sair dali discretamente. Mas havia homens demais e estava claro que eles não deixariam que ela e Damon escapassem.

— Esta é a menina de quem lhe falei. Ela entra num transe e nem nota que está sendo espancada; não sente nada...

— ... sangue escorrendo pelo corpo como água e ela nem piscou...

— Eles são mágicos profissionais. Estão em turnê...

Elena estava prestes a dizer que Bloddeuwedd proibia estritamente esse tipo de barbárie em sua festa quando ouviu um dos jovens vampiros falar.

— Não sabia? Eu fui um dos que convenceu Lady Bloddeuwedd a convidar você para a festa. Contei a ela sobre sua apresentação e ela ficou muito interessada em ver.

Ora, lá se vai minha desculpa, pensou Elena. Mas pelo menos seja gentil com esses jovens. Eles podem ser úteis de alguma maneira depois.

— Receio que não posso fazer isto esta noite — disse ela em voz baixa, para que eles próprios se calassem. — Vou me desculpar diretamente com Lady Bloddeuwedd, é claro, pois infelizmente não será possível.

— Sim, é — a voz de Damon, bem atrás dela, a assustou. — É perfeitamente possível... Desde que alguém encontre meu amuleto.

Damon! O que está dizendo?

Calma! É o que precisamos.

— Infelizmente, há umas três semanas e meia perdi um amuleto muito importante. Parecido com este. — Ele pegou a metade da chave de raposa e deixou que todos dessem uma boa olhada.

— Foi o que usou para fazer o truque? — perguntou alguém, mas Damon era muito mais esperto que eles.

— Não, muita gente me viu representar mais ou menos há uma semana sem ele. É um amuleto pessoal, mas uma parte dele está faltando, e eu simplesmente não tenho vontade de fazer mágica.

— Parece uma raposinha. Você não é um kitsune? — perguntou alguém... *Inteligente demais para o próprio bem,* pensou Elena.

— Realmente parece, mas na verdade não é isso. É uma flecha. Uma flecha com duas pedras verdes na ponta. É um... amuleto masculino.

Uma voz feminina de algum lugar na multidão se manifestou.

— Até parece que você precisa de um feitiço masculino! — E ouviram-se risos.

35

Todavia — os olhos de Damon assumiram um brilho frio —, sem o amuleto, minha assistente e eu não nos apresentamos.

— Mas... Com ele, vocês o farão? Digo, está me dizendo que perdeu seu amuleto *aqui*?

— Na realidade, sim. Durante os preparativos para a festa. — Damon abriu um lindo e provocante sorriso para os jovens vampiros e o apagou de repente. — Não fazia ideia se teria ajuda, e procurava um meio de conseguir um convite. Então, passei aqui para dar uma olhada no lugar.

— Não me diga que foi antes que a grama fosse comprimida — disse alguém com apreensão.

— Infelizmente, sim. Um clarividente me disse que a ch... o amuleto está *enterrado* aqui em algum lugar.

Houve um coro de gemidos do grupo.

E então se elevaram vozes individuais, apontando as dificuldades: a dureza da grama comprimida, os vários salões com seus inúmeros arranjos florais no solo, a horta e os jardins de flores (que nem vimos ainda, pensou Elena).

— Sei que é praticamente impossível encontrar isso — disse Damon, pegando a metade da chave de raposa e fazendo-a desaparecer elegantemente ao passar para a mão de Elena, que estava pronta para recebê-la. Ela agora tinha um lugar especial para a chave... Lady Ulma providenciara.

Damon dizia:

— Por isso eu simplesmente disse não no início. Mas essa é a verdade.

Houve alguns murmúrios, mas depois as pessoas começaram a se afastar em grupos de dois ou três, ou sozinhas, discutindo sobre os melhores lugares para começar a procurar.

Damon, eles vão destruir o terreno de Bloddeuwedd, protestou Elena em silêncio.

Que bom. Vamos oferecer todas as joias de vocês três e todo o ouro que tenho comigo como recompensa. O que quatro pessoas não podem fazer talvez cem consigam.

Elena suspirou. Ainda queria muito falar com Bloddeuwedd. Não só para ouvi-la falar, mas também para tentar descobrir algumas coisas. Quero dizer, que motivo haveria para uma linda flor como Bloddeuwedd proteger Shinichi e Misao?

A resposta telepática de Damon foi curta. Bom, vamos tentar os cômodos lá de cima, então. Foi para lá que ela se dirigiu, de qualquer maneira.

Eles encontraram um lance de escada de cristal — bem difícil de localizar quando todas as paredes eram transparentes e mais difícil ainda de subir. No segundo andar, procuraram por outra. Foi Elena quem acabou encontrando, tropeçando no primeiro degrau.

— Ah — disse ela, olhando da escada, que agora se revelava com uma linha vermelha na borda da frente, para seu tornozelo, que mostrava o mesmo dano. — Bom, *isso* pode ser invisível, mas nós não somos.

— Não é tão invisível assim. — Damon estava canalizando Poder para os olhos, ela sabia. Elena faria o mesmo, mas ultimamente se perguntava qual dos dois tinha mais sangue dela no corpo, ele ou ela?

— Não fique nervosa, eu posso ver os degraus — disse ele. — Apenas feche os olhos.

— Meus olhos... — Antes que ela pudesse perguntar por quê, ela já *sabia* o motivo, e antes que pudesse gritar, ela foi apanhada, o corpo quente de Damon sendo a única coisa sólida que havia ali. Ele subiu a escada segurando Elena de modo que seu vestido ficasse longe das gotas de sangue que caíam livremente no espaço.

Para alguém que tinha medo de altura, foi uma viagem louca e apavorante; mas ela sabia que Damon estava em plenas condições e não a deixaria cair, e tinha certeza de poder ver aonde ele ia. Ainda assim, se dependesse unicamente dela, Elena jamais teria ido além do primeiro degrau. Naquelas condições, ela nem mesmo se atrevia a se mexer muito para não fazer Damon se desequilibrar. Ela só podia gemer e tentar aguentar.

Quando, uma eternidade depois, eles chegaram ao topo, Elena se perguntou se alguém a levaria para baixo novamente, ou se ela ficaria ali pelo resto da vida.

Os dois foram confrontados por Bloddeuwedd, a mais encantadora criatura inumana que Elena vira na vida. Encantadora... Mas estranha. Ela estava vendo um leve padrão de prímulas no cabelo, pelas costas e nas laterais? Seu rosto na verdade não tinha o *formato* de uma pétala de flor de macieira, assim como o tom claro da pétala?

— Estão em minha biblioteca particular — disse ela.

E, como se um espelho tivesse rachado, Elena se libertou do que restava do encanto de Bloddeuwedd.

Os deuses a fizeram de flores... Mas as flores não falam. A voz de Bloddeuwedd era inexpressiva e monótona. Estragou inteiramente a imagem da mulher floral.

— Pedimos desculpas — disse Damon, naturalmente com o fôlego recuperado. — Mas gostaríamos de lhe fazer algumas perguntas.

— Se pensa que vou lhe ajudar, está enganado — disse a mulher pétala de flor no mesmo tom nasalado. — Eu odeio humanos.

— Mas sou um vampiro, como certamente percebeu. — Damon tentava jogar seu charme quando Bloddeuwedd o interrompeu:

— Uma vez humano, sempre humano.

— *Como?*

O descontrole de Damon pode ter sido a melhor coisa que aconteceu, pensou Elena, se escondendo atrás dele. Ele foi tão sincero em seu desdém pelos humanos que Bloddeuwedd se abrandou um pouco.

— O que quer saber?

— Apenas se a senhora viu dois kitsune ultimamente. Eles são irmãos e se chamam Shinichi e Misao.

— Sim.

— Ou talvez eles... Como? *Sim?*

— Aqueles ladrões invadiram a minha casa à noite enquanto estava numa festa. Voltei às pressas e quase os peguei. Mas os kitsune são rápidos.

— Onde... — Damon engoliu em seco. — Onde eles estavam?

— Descendo a escada da frente.

— E lembra-se de quando eles estiveram aqui?

— Na noite em que o terreno estava sendo preparado para esta festa. Os rolos compressores trabalhavam na grama. A abóbada foi erigida.

Coisas esquisitas para se fazer à noite, pensou Elena, mas então se lembrou... de novo. A luz era sempre a mesma.

Mas seu coração batia acelerado. Shinichi e Misao só podem ter vindo por um motivo: para esconder a chave de raposa.

E talvez largá-la no Grande Salão de Baile, pensou Elena. Ela olhou vagarosamente enquanto todo o exterior da biblioteca girava, como se fosse um planetário gigante, de modo que Bloddeuwedd pudesse pegar um globo e colocá-lo em um aparelho que devia fazer a música tocar nos vários ambientes.

— Com licença — disse Damon.

— Esta é minha biblioteca particular — disse Bloddeuwedd friamente contra o crescendo do glorioso final de *O Pássaro de Fogo*.

— Isto quer dizer que agora temos de ir embora?

— Não. Isto quer dizer que agora eu vou matá-los.

36

— Quê? — gritou Damon por sobre a música, enquanto dizia telepaticamente a Elena: *Fuja... vá!*
Se fosse apenas pela própria vida, Elena ficaria feliz em morrer ali, cercada pela beleza estrondosa do *Pássaro de Fogo*, em vez de enfrentar aquela escada invisível sozinha.

Mas não era apenas a sua vida. Era também a vida de Stefan. Ainda assim, a donzela-flor não parecia particularmente ameaçadora, e Elena não conseguiu reunir adrenalina suficiente para descer aquela escada horrorosa.

Damon, venha comigo. Temos que procurar o Grande Salão de Baile lá fora. Só você tem força suficiente...

Uma hesitação. Damon preferia lutar a enfrentar aquele campo verde enorme e impossível lá fora, pensou Elena.

Mas Bloddeuwedd, apesar do que disse, agora girava a sala novamente, para que ela, na beira de alguma passagem invisível, pegasse exatamente o globo que queria.

Damon pegou Elena nos braços e disse: *Feche os olhos.*

Elena não só fechou os olhos, mas os cobriu com a mão. Se Damon a largasse, ela não ia ajudar em nada gritando "Cuidado!"

As sensações em si já eram bem nauseantes. Damon saltava de um degrau a outro como uma cabra selvagem. Ele mal parecia tocar os degraus ao descer, e Elena se perguntou — bem de repente — se havia alguma coisa atrás dele.

Se houvesse, ela precisava saber. Ela começou a afastar as mãos e ouviu Damon sussurrar num rosnado "Fique de olhos fechados!", num tom contra o qual poucas pessoas iriam argumentar.

Elena espiou entre as mãos, encontrando os olhos exasperados de Damon, e viu que não havia nada atrás deles. Ela uniu as mãos e rezou.

Se você realmente fosse uma escrava, não duraria um dia aqui, sabia?, disse Damon a ela, dando o último salto para o espaço e baixando-a no chão invisível — mas, pelo menos, plano.

Eu não iria querer, enviou Elena com frieza. *Eu juro, prefiro morrer.*

Cuidado com o que promete, Damon lhe abriu seu sorriso esplêndido de repente. *Pode acabar em outras dimensões tentando cumprir sua palavra.*

Elena nem mesmo tentou argumentar com ele. Eles estavam lá fora, livres, correndo pela casa de vidro, descendo a escada para o primeiro andar — meio espinhosa no estado mental de Elena, mas suportável — e finalmente saindo pela porta. Na grama do Grande Salão, encontraram Meredith e Bonnie... e Sage.

Ele também estava de smoking branco, embora seu paletó estivesse esticado nos ombros. Além disso, Talon estava empoleirada em um dos ombros — então o problema podia ser resolvido muito em breve, uma vez que ela rasgava o tecido e tirava sangue dele. Sage não parecia ciente disso. Sabber estava ao lado do dono, fitando Elena com olhos pensativos demais para um animal, mas sem maldade.

— Graças a Deus vocês voltaram! — exclamou Bonnie, correndo para eles. — Sage veio com uma ideia maravilhosa.

Até Meredith estava animada.

— Lembra que Damon disse que devíamos ter trazido um clarividente? Bom, agora temos dois. — Ela se virou para Sage. — Conte a eles, por favor.

— Bom, normalmente não trago esses dois para festas. — Sage estendeu a mão para afagar o pescoço de Saber. — Mas um passarinho me contou que vocês podiam estar com problemas. — Sua mão moveu-se para afagar Talon, agitando de leve as penas do falcão. — Então, *dites-moi*, por favor: o quanto vocês manipularam a meia chave?

— Toquei nela esta noite e na noite em que a encontramos — disse Elena. — Mas Lady Ulma a segurou e Lucen fez uma arca para ela, e todos tocamos nela.

— Mas fora da caixa?

— Eu a segurei uma ou duas vezes — disse Damon.

— *Eh bien!* O cheiro dos kitsune ainda deve estar muito forte nela. E os kitsune têm cheiros muito distintos.

— Então quer dizer que Sabber... — a voz de Elena falhou de pura fraqueza.

— Pode farejar qualquer coisa com o cheiro dos kitsune. E Talon tem uma visão muito boa. Pode voar e procurar o brilho do ouro, caso esteja à vista em algum lugar. Agora mostrem a eles o que deverão procurar.

Elena obedientemente estendeu a meia chave para Sabber sentir o cheiro.

— *Voilà!* E Talon, dê uma boa olhada. — Sage recuou ao que era, como Elena supôs, a distância ideal de visão para Talon. Depois voltou e disse: — *Commençons!* — E o cachorro preto partiu num pulo, o focinho no chão, enquanto o falcão voava em círculos altos, majestosos e abrangentes.

— Acha que os kitsune estiveram nessa grama? — perguntou Elena a Sage, enquanto Sabber começava a correr de um lado a outro, o focinho ainda pouco abaixo da grama, e de repente se desviou para o meio da escada de mármore.

— Eles certamente estiveram aqui. Vê como Sabber corre, como uma pantera negra, de cabeça baixa e o rabo rígido? Ele achou alguma coisa! Encontrou um rastro quente.

Conheço outro que parece estar sentindo o mesmo, pensou Elena ao olhar para Damon, que estava de braços cruzados, imóvel, tenso, esperando por qualquer novidade que o animal trouxesse.

Por acaso ela olhou para Sage exatamente naquele momento e viu uma expressão em seu rosto que... Bem, devia ser a mesma expressão que ela mesma tivera um minuto antes. Ele a olhou e Elena corou.

— *Pardonnez-moi, Monsieur* — disse ela, desviando o olhar rapidamente.
— *Parlez-vous français, Madame?*
— *Un peu* — disse Elena com humildade; uma situação incomum para ela. — Não consigo manter uma conversa séria. Mas adoraria ir à França. — Ela estava prestes a dizer mais alguma coisa quando Sabber latiu uma vez, decidido, para chamar atenção, e se sentou ereto no meio-fio.
— Eles usaram uma carruagem ou liteira — traduziu Sage.
— Mas o que fizeram na casa? Preciso de um rastro que vá para o outro lado — disse Damon, olhando para Sage com algo parecido com puro desespero.
— Muito bem, muito bem. Sabber! *Contremarche!*
O cachorro preto imediatamente se virou, colocou o focinho no chão como se isso lhe desse o maior prazer, e disparou de um lado a outro pela escada e pelo gramado que formava o "Grande Salão de Baile" — agora tornando-se pontilhado de buracos enquanto as pessoas escavavam com pás, picaretas e até colheres grandes.
— *É difícil pegar um kitsune* — murmurou Elena no ouvido de Damon.
Ele assentiu, olhando o relógio.
— Espero que isso também valha para nós — respondeu ele aos sussurros.
Saber latiu novamente e o coração de Elena saltou no peito.
— O que é? — exclamou ela. — O que é? — Damon passou por ela, pegou sua mão e a levou com ele.
— O que ele achou? — Elena ofegava enquanto todos chegavam ao mesmo tempo no local.
— Não sei. Não faz parte do Grande Salão — respondeu Meredith. Sabber estava sentado orgulhosamente diante de um canteiro de hortênsias altas e lavanda clara (violeta escuro).
— Também não parece que trabalharam muito bem — disse Bonnie.

— E não está embaixo de nenhum dos salões superiores — disse Meredith, parando para ficar à altura de Saber e olhando para cima. — Ali só tem a biblioteca.

— Bom, ... — disse Damon — então teremos que cavar neste canteiro sem pedir permissão a Srta. Olhos-de-esporinha-agora-tenho-que-matar-vocês.

— Ah, acha que, os olhos dela eram esporinhas? Porque pensei que fossem campainhas — disse uma convidada atrás de Bonnie.

— Ela realmente disse que mataria vocês? Mas por quê? — outro convidado, perto de Elena, perguntou, nervoso.

Elena os ignorou.

— Bom, com certeza, ela certamente não vai gostar. Mas é a única pista que temos. — *A não ser, imagino, que os kitsune quisessem deixar a chave aqui, mas a levaram num coche*, ela acrescentou telepaticamente a Damon.

— Então isso quer dizer que o show pode começar — gritou um dos jovens fãs vampiros, aproximando-se de Elena.

— Mas ainda não achei meu amuleto — disse Damon categoricamente, entrando na frente de Elena como um muro impenetrável.

— Mas o terá em alguns minutos, certamente. Escute, alguns não poderiam voltar com o cachorro de onde quer que os bandidos tenham vindo... *A partir* desta propriedade, entendeu? E enquanto isso podemos começar o show?

— Sabber pode fazer isso? — perguntou Damon. — Seguir uma carruagem?

— Que leve uma raposa? Mas é claro. Na verdade, eu podia ir com eles — disse Sage em voz baixa. — Posso garantir que esses dois inimigos sejam apanhados se estiverem do outro lado da trilha. Mostre-os a mim.

— Pelo que sei, são apenas formas. — Damon estendeu dois dedos e tocou a têmpora de Sage. — Mas é claro que eles terão muitas formas, talvez infinitas.

— Bom, não são a nossa prioridade, imagino. Já o amuleto, sim.

— Sim — disse Damon. — Mesmo que você não os capture, pegue a chave e volte correndo.

— Então é assim? Isso é mais importante que a vingança — disse Sage suavemente, balançando a cabeça, pasmo. Depois acrescentou rapidamente: — Bom, eu lhes desejo boa sorte. Algum aventureiro quer ir comigo? Ah, que bom, quatro... Muito bem, cinco, *Madame*... É suficiente.

E ele se foi.

Elena olhou para Damon, que a olhava com os olhos vagos e negros.

— Espera realmente que eu faça... aquilo... de novo?

— Só precisa ficar parada ali. Vou cuidar para tirar a menor quantidade possível de sangue. E se quiser parar, podemos combinar um sinal.

— Sim, mas agora eu entendo. E não vou tolerar isso.

A expressão de Damon mudou de repente.

— Você não precisa tolerar nada. E se eu disser que é uma troca justa por Stefan?

Stefan! Todo o corpo de Elena congelou.

— Vamos dividir — pediu ela, e sabendo o que estava pedindo e sabia o que Damon ia dizer.

— Stefan vai precisar de você quando sairmos. Aguente *isso*.

Pare. Pense. Não insista com ele, disse o cérebro de Elena. Ele está manipulando você. Ele sabia como fazer isso. Não deixe que ele a manipule.

— Posso tolerar as duas coisas — disse ela. — Por favor, Damon. Não me trate como se eu fosse... uma garota qualquer, nem sua Princesa das Trevas. Fale comigo como se eu fosse Sage.

— Sage? Sage é o mais frustrante, esperto...

— Eu sei. Mas você conversa com ele. E costumava conversar comigo antes. *Me escute*. Não suportaria passar por aquela cena de novo. Eu vou gritar.

— Agora está ameaçando...

— Não! Só estou lhe dizendo o que vai acontecer. Se não me amordaçar, eu vou gritar. E gritar sem parar. Como se estivesse gritando por Stefan. Não posso evitar. Talvez eu esteja desmoronando...

— Mas não entende? — De repente ele girou e pegou suas mãos. — Estamos quase no fim. Você, que foi a mais forte o tempo todo... *Não pode* desmoronar agora.

— A mais forte... — Elena balançava a cabeça. — Achei que estávamos chegando à beira da compreensão mútua.

— Muito bem. — As palavras dele vieram como lascas duras de mármore. — E se fizermos cinco?

— Cinco?

— Cinco golpes em vez de dez. Prometemos a eles fazer os outros cinco quando o "amuleto" for encontrado. Mas na verdade vamos fugir quando o acharmos.

— Você estaria traindo sua palavra.

— Se for preciso...

— Não — disse ela categoricamente. — Você não vai dizer nada. *Eu* falarei a eles. Sou considerada uma traidora mentirosa e sempre brinquei com o sentimento dos homens. Vamos ver se consigo finalmente fazer bom uso de meus talentos. E não tem sentido usar nenhuma das meninas — acrescentou ela, olhando para Bonnie e Meredith. Eu já estou com as costas nuas com esse vestido. — Ela deu uma volta para mostrar como seu vestido se unia no alto da nuca em uma alça e era bem decotado atrás.

— Então temos um acordo. — Damon tomou mais uma taça e Elena pensou: vamos dar o show mais bêbado da história, no mínimo.

Ela não conseguia parar de tremer. Da última vez, foi um tremor interior, que vinha da mão quente de Damon em suas costas nuas enquanto dançaram. Agora ela sentiu algo muito mais gelado, talvez fosse apenas uma lufada de ar frio. Mas a fez pensar em seu próprio sangue escorrendo pelo corpo.

De repente Bonnie e Meredith estavam ao lado dela, protegendo-a da multidão cada vez mais curiosa e excitada.

— Elena, o que houve? Disseram que uma humana bárbara seria chicoteada... — começou Meredith.

— E você sabia que era eu — completou Elena. — Bom, é verdade. Não sei como sair dessa.

— Mas o que você *fez*? — perguntou Bonnie furiosa.

— Ela foi uma idiota. Deixou que uns vampiros com jeito de universitários de fraternidade pensassem que o que viram na Disciplina era uma espécie de espetáculo de mágica — intrometeu-se Damon. Seu rosto ainda era sério.

— Isso é meio injusto, não é? — perguntou Meredith. — Elena nos contou como foi. Até parece que eles chegariam a essa conclusão sozinhos.

— Devíamos ter negado na hora. Agora estamos presos a essa mentira — disse Damon. Depois, como se fizesse um esforço: — Ah, bom, tem outra coisa: talvez consigamos o que viemos procurar.

— Foi como descobrimos... Um idiota desceu a escada correndo e gritando sobre um amuleto com duas pedras verdes.

— Foi só no que conseguimos pensar — explicou Elena, cansada. — Isso vai valer a pena se conseguirmos achar a outra metade da chave.

— Vocês não precisam fazer isso — disse Meredith. — Podemos simplesmente ir embora.

Bonnie a encarou.

— Sem a chave de raposa?

Elena balançou a cabeça.

— Já passamos por muita coisa e concordamos em passar por isso também. — Ela olhou em volta. — Agora, onde estão os homens que queriam tanto ver?

— Procurando no campo... Que antes era um salão de baile — respondeu Bonnie. — Ou pegando pás... Um monte delas... Na sala de ferramentas de Bloddeuwedd. Ai! Por que me beliscou, Meredith?

— Ah, meu Deus, *isso* foi um beliscão? Eu queria fazer *isso*...

Mas Elena já se afastava, ansiosa, assim como Damon, para acabar com tudo aquilo. Com metade daquilo. Só espero que ele se lembre de vestir a jaqueta de couro e os jeans pretos, pensou ela. De smoking branco... O sangue...

Não haverá sangue nenhum.

O pensamento foi súbito e Elena não sabia de onde vinha. Mas nos recessos mais profundos de seu ser, ela pensou: *ele já se puniu o bastante.* Ele estava tremendo quando estávamos na liteira, pensando no bem-estar de outra pessoa a cada minuto. Agora bastava. Stefan não ia querer que o irmão se machucasse mais.

Ela levantou a cabeça e viu uma das pequenas luas deformadas da Dimensão das Trevas acima dela. Agora seu brilho era vermelho vivo, como uma pluma cintilando na luz carmim sombria. Mas Elena se entregou a ela sem reservas, de corpo e alma, e a lua pousou na fonte sagrada de sangue eterno que era sua feminilidade. E de repente Elena sabia o que tinha de fazer.

— Bonnie, Meredith, escutem: somos um triunvirato. Temos que dividir isso com Damon.

Nenhuma delas se mostrou entusiasmada.

Elena, cujo orgulho tinha sido inteiramente despedaçado desde o momento em que viu Stefan em sua cela, ajoelhou-se diante delas na escada de mármore:

— Estou implorando a vocês...

— Elena! Pare com isso! — Meredith arfou.

— Por favor, levante-se! Ah, Elena... — Bonnie estava a ponto de cair no choro.

E assim, foi a pequena e misericordiosa Bonnie que virou a maré.

— Vou tentar ensinar a Meredith. Mas de qualquer modo, pelo menos vamos dividir isso entre nós três.

Depois foi uma sucessão de abraços e beijos. Um murmúrio no cabelo arruivado, "Eu sei o que você vê no escuro. Você é a pessoa mais corajosa que eu conheço".

Em seguida, deixando uma Bonnie atordoada para trás, Elena começou a reunir os espectadores para seu açoitamento.

37

Elena foi amarrada, como uma atriz de um filme barato, que logo seria libertada, de pé contra um pilar. O gramado ainda estava sendo escavado pelos curiosos, e os vampiros que haviam colocado Elena naquela situação levaram uma vara de freixo para Damon examinar. O próprio Damon movimentava-se em câmera lenta, tentando adiar aquilo ao máximo, esperando ouvir o barulho das rodas de coche que lhe diriam que a carruagem tinha voltado. Ele sustentava uma atitude enérgica, mas por dentro sentia-se tão moroso quanto chumbo derretido.

Eu nunca fui sádico, pensou Damon. Sempre gostei de dar prazer — a não ser nas lutas. Era eu quem devia estar naquela prisão. Será que Elena não vê isso? É minha vez de ficar sob o açoite.

Ele vestiu suas "roupas de mágico", demorando-se o máximo que pôde, mas sem parecer que queria desistir. E agora havia entre seiscentas e oitocentas criaturas esperando para ver o sangue de Elena ser derramado, ver as costas sendo cortadas e miraculosamente curadas.

Muito bem. Estou mais do que pronto para fazer isso.

Ele incorporou seu papel, se entregando àquele momento.

Elena engoliu em seco.

— Divida a dor — disse ela, sem saber ao certo como fazia isso. Mas ali estava ela, como um ser em sacrifício, amarrado a um pilar, olhando para a casa de Bloddeuwedd e esperando pelos golpes.

Damon fazia um discurso de apresentação à multidão, falando bobagens e saindo-se muito bem. Elena se concentrou em uma determinada janela da casa e ficou olhando para ela. Depois percebeu que Damon não falava mais.

Um toque da vara em suas costas. Um sussurro telepático.

Está pronta?

Sim, respondeu ela de imediato, sabendo que não estava. E ouvindo, no silêncio mortal, um silvo no ar.

A mente de Bonnie flutuou até a dela. A mente de Meredith fluía como um regato. O golpe foi um mero tabefe, embora Elena sentisse o sangue escorrer.

Ela podia sentir que Damon estava desconcertado. O que devia ter sido um talho de espada foi apenas um tapa. Doloroso, mas sem dúvida suportável.

E outra vez. O triunvirato dividia a dor antes que a mente de Damon percebesse isso.

Mantenha o triângulo em movimento. E um terceiro.

Faltam dois. Elena permitiu que seus olhos percorressem a casa até o terceiro andar, onde Bloddeuwedd tinha se enfurecido com o que se tornara sua festa.

Faltava um. A voz de um convidado chegando a ela. *"Aquela biblioteca. Ela tem mais globos do que a maioria das bibliotecas púbicas, e..."*, com a voz falhando por um momento, *"... dizem que ela tem todo tipo de esferas ali. Até as proibidas."*

Elena não tinha a menor ideia do que podia ser proibido *ali*.

Na biblioteca, Bloddeuwedd, uma figura solitária, movia a grande esfera fortemente iluminada para encontrar um novo globo. Dentro da casa, estaria tocando uma música diferente em cada cômodo, mas do lado de fora Elena não ouvia nada.

O último golpe. O triunvirato conseguira, distribuindo a dor agonizante entre quatro pessoas. Enfim, pensou Elena, meu vestido já estava vermelho demais.

E então, quando acabou, Bonnie e Meredith estavam discutindo com algumas damas vampiras que queriam ajudar a limpar o sangue das costas de Elena, que mais uma vez estava imaculada e perfeita, brilhando dourada sob a do sol.

É melhor mantê-las afastadas, pensou Elena bem grogue para Damon; *Podem roer unhas ou chupar dedo e sentir meu Poder. Não podemos permitir que ninguém prove meu sangue e sinta a força vital dele; não quando eu me esforcei tanto para esconder minha aura.*

Embora houvesse aplausos e gritos de toda parte, ninguém pensou em desamarrar os pulsos de Elena e ela ficou lá, encostada no pilar, olhando a biblioteca.

E o mundo parou.

Tudo em volta dela era música e movimento. Ela estava no ponto imóvel de um universo que não parava de girar. Mas ela precisava se mexer, e rápido. Elena puxou com força os pulsos, cortando-se.

— Meredith! Me ajude! Corte as cordas, rápido!

Meredith obedeceu prontamente.

Quando se virou, Elena sabia o que veria. O rosto... O rosto de Damon, desnorteado, meio ressentido, um tanto humilde. Mas foi bom para ela, naquele momento.

Damon, precisamos chegar ao...

Mas de repente eles estavam no meio de uma multidão. Os cumprimentos, os fãs, os céticos... vampiros pedindo uma "provinha", descrentes que queriam ter certeza de que as costas de Elena eram reais, estavam quentes e sem marcas. Elena sentiu mãos demais em seu corpo.

— *Afastem-se dela, malditos!* — foi o rugido primal e selvagem de uma fera defendendo sua parceira. As pessoas se afastaram de Elena, e se aproximaram... Muito lenta e timidamente... De Damon.

Muito bem, pensou Elena. Vou fazer isso sozinha. Posso fazer isso sozinha. Por Stefan, eu posso.

Ela abriu caminho pela multidão, aceitando dos admiradores ramos de flores apressadamente colhidas — e sentindo mais mãos em seu corpo. "*Ei, ela não está marcada mesmo!*" Por fim, Meredith e Bonnie a ajudaram a sair dali — sem elas, Elena jamais teria conseguido.

E ela estava correndo, correndo para a casa, sem se incomodar em usar a porta que estava ao lado de onde Sabber latia. Ela sabia o que havia ali.

Quando chegou no segundo andar, ficou confusa durante um minuto, antes de ver uma linha vermelha e fina no nada. O sangue dela! Está vendo para quantas coisas ele serve? Agora lhe destacava o primeiro degrau de vidro, aquele em que tropeçara.

E antes, aninhada nos braços fortes de Damon, ela não conseguiu imaginar subir esses degraus, nem de quatro. Agora canalizava todo seu Poder para os olhos — e de repente a escada se iluminou. Mas ainda era apavorante, não havia corrimão, e Elena estava inebriada de empolgação e medo. Além de ter perdido muito sangue. Mas se obrigou a subir, e subiu sem olhar para trás.

— Elena! Eu te amo! Elena!

Ela podia ouvir os gritos de Stefan como se ele estivesse ao lado dela.

Subindo, subindo, subindo...

Suas pernas doíam.

Continue. Não tem desculpa. Se não puder andar, engatinhe. Se não puder engatinhar, arraste-se.

Ela já estava engatinhando quanto finalmente chegou ao topo, na beira do ninho da coruja Bloddeuwedd.

Pelo menos ainda era uma donzela bonita, embora insípida, quando a recebeu. Elena percebeu enfim o que havia de errado com a aparência de Bloddeuwedd. Ela não tinha nenhuma vitalidade animal. Seu coração vegetava.

— Eu vou matá-la e você sabe disso.

Não, ela era um vegetal sem coração.

Elena olhou em volta. Podia ver o que acontecia do lado de fora, embora no meio da sala houvesse prateleiras e mais prateleiras de globos, então tudo era estranhamente distorcido.

Não havia trepadeiras ali, nem quaisquer outras flores exóticas e tropicais. Mas Elena já estava no meio da sala, no ninho de coruja de Bloddeuwedd, que estava junto ao aparelho que colocava ao seu alcance as esferas estelares.

A chave só podia estar enterrada neste ninho.

— Não quero roubar nada de você — prometeu Elena, respirando com dificuldade. Enquanto falava, ela enfiava os dois braços no ninho. — Aqueles kitsune enganaram a nós duas. Eles roubaram uma coisa minha e colocaram a chave no seu ninho. Só estou pegando de volta o que eles colocaram aqui.

— Rá! Como você, uma escrava humana, uma bárbara atreve-se a violar minha biblioteca particular? As pessoas lá fora estão destruindo meu lindo salão de baile, minhas preciosas flores. Você acha que vai se safar de novo desta vez, não é? Mas não vai! *Desta vez você vai MORRER!*

Era uma voz completamente diferente da voz nasalada e monótona de antes, mas ainda assim no mesmo tom da donzela que recebera Elena. Era uma voz poderosa, uma voz opressiva...

... uma voz que combinava com o tamanho do ninho.

Elena levantou a cabeça. Não conseguia distinguir nada do que via. Um enorme casaco de peles num padrão muito exótico? As costas de um imenso animal empalhado?

A criatura na biblioteca se virou para ela. Ou melhor, sua cabeça girou em sua direção, enquanto as costas continuaram imóveis. Ela girou a cabeça de lado, e Elena entendeu que o que via era um rosto. A cabeça era ainda mais horrenda e mais indescritível do que podia imaginar. Parecia ter uma única sobrancelha —, que caía da beira de um lado de sua testa para o nariz (ou onde deveria estar o nariz) e subia novamente. Suas feições eram como uma sobrancelha em V gigantesca e abaixo havia dois imensos olhos amarelos que piscavam com frequência. Não havia nariz ou boca como as de um humano, e sim um bico preto, ameaçador, grande e curvo. O restante do rosto estava coberto de penas, em sua maioria brancas, transformando-se em cinza mosqueada na base, onde parecia estar o pescoço. Também era cinza e branca em duas projeções que partiam do alto da cabeça — como os chifres de um demônio, pensou Elena assustada.

E então, com a cabeça ainda a fitando, o corpo se virou para Elena.

Era o corpo de uma mulher forte, coberto de penas brancas e cinzentas, pelo que Elena viu. Garras se projetavam de sob as penas mais baixas.

— Olá — disse a criatura numa voz que parecia um rangido, o bico abrindo-se e fechando-se para morder as palavras. — Eu sou Bloddeuwedd e jamais permito que toquem em minha biblioteca. Eu sou a sua morte.

As palavras *Não podemos pelo menos conversar primeiro?* estavam nos lábios de Elena. Ela não pretendia ser uma heroína. Certamente não queria enfrentar Bloddeuwedd enquanto procurava a chave que *certamente* estaria ali — em algum lugar.

Elena continuou tentando explicar enquanto tateava freneticamente dentro do ninho, quando Bloddeuwedd estendeu as asas que abarcaram toda a sala e se aproximaram dela.

E então, como um raio, algo disparou entre as duas, soltando um grito áspero.

Era Talon. Sage deve ter dado ordens ao falcão quando ele o soltou.

A coruja pareceu se encolher um pouco — para atacar melhor, pensou Elena.

— Por favor, me deixe explicar. Ainda não encontrei, mas tem uma coisa em seu ninho que não pertence a você. É minha... E... de Stefan. E os kitsune esconderam aqui na noite em que você os expulsou de sua propriedade. Não se lembra disso? — Bloddeuwedd não disse nada por um momento, depois mostrou que tinha uma filosofia simples, que servia para qualquer situação.

— Você pôs os pés em meus aposentos particulares. Você vai morrer — disse ela e desta vez, quando investiu, Elena pôde ouvir o estalo do bico se fechando.

Novamente, algo pequeno e brilhante mergulhou para Bloddeuwedd, atingindo seus olhos. A coruja grande teve de desviar a atenção de Elena para lidar com aquilo.

Elena desistiu. Às vezes a gente precisa de ajuda.

— Talon! — gritou ela, sem saber o quanto da fala humana Talon compreendia. — Mantenha-a ocupada... Só por um minuto!

Enquanto as duas aves disparavam, giravam e guinchavam ao seu redor, Elena continuou procurando, se desviando das aves quando era preciso. Mas aquele grande bico preto estava sempre perto demais. Chegou a cortar seu braço, mas Elena estava tão agitada que mal sentiu a dor. Continuou procurando sem parar.

Finalmente percebeu o que devia ter feito desde o início e pegou um globo em seu suporte transparente.

— Talon! — chamou ela. — Aqui!

O falcão mergulhou para ela e houve um estalo. Mas Elena ainda tinha todos os dedos e o *hoshi no tama* havia sumido.

Ora, *ora*, Elena agora ouviu o verdadeiro guincho de raiva de Bloddeuwedd. A coruja gigante perseguindo o falcão era como um humano tentando bater numa mosca — mas numa mosca inteligente.

— Devolva o globo! É inestimável! Inestimável!

— Terá de volta assim que eu achar o que estou procurando. — Elena, aterrorizada e com os hormônios à flor da pele, subiu para o interior do ninho e começou a procurar no piso de mármore com os dedos.

Por duas vezes Talon a salvou, fazendo alguns globos se espatifaram no chão enquanto a imensa coruja Bloddeuwedd investia para Elena. A cada vez, o ruído do globo se quebrando fazia a coruja se esquecer de Elena e tentar atacar o falcão. Depois Talon pegou outro globo e voou em alta velocidade bem embaixo do nariz da coruja.

Uma sensação de que tudo o que sabia meia hora antes estava errado começou a se apoderar de Elena.

Ela se encostara no pilar da abóbada, exausta, olhando a biblioteca e a donzela que a habitava, e as palavras simplesmente fluíam em sua mente.

A sala dos globos de Bloddeuwedd...
Sala dos globos. *Ball room.*
Salão de Baile. *Ball room.*
A sala de esfera estelar... de Bloddeuwedd...
... o *ballroom* de Bloddeuwedd.

Duas maneiras de entender as mesmas palavras. Dois ambientes bem diferentes.

Foi quando ela percebeu isso que seus dedos tocaram um objeto metálico.

38

— Talon! Eia! — Elena gritou e desatou a correr o mais rápido que pôde para sair da sala. Era uma atitude estratégica. Será que a coruja ficaria menor e assim conseguiria passar pela porta, ou destruiria seu santuário a fim de ficar na cola de Elena?

Era uma boa estratégia, mas não foi grande coisa no final. A coruja se encolheu para disparar pela porta, depois reassumiu o tamanho gigantesco para atacar Elena enquanto ela descia a escada correndo.

Sim, correndo. Com todo seu Poder canalizado para os olhos, Elena saltou de um degrau a outro, como Damon fizera. Agora não havia tempo para ter medo, nem para pensar. Só para girar entre os dedos um objeto pequeno, duro, em formato de lua crescente.

Shinichi e Misao — eles o colocaram no ninho de Bloddeuwedd.

Devia haver uma escada ou algo feito de vidro que nem Damon conseguiu ver, no canteiro onde Sabber parou e latiu. Não — Damon *teria* visto, então eles devem ter trazido a própria escada.

Por isso o rastro terminava ali. Eles subiram direto à biblioteca. E arruinaram as flores do canteiro, por isso as flores novas não estavam tão viçosas.

Elena sabia pela tia Judith, desde sua infância, que flores replantadas levam algum tempo para se recuperar viço.

Saltar... Pular... Saltar... Sou um espírito do fogo. Não posso errar um passo. Sou um elemental do fogo. Saltar... Saltar... Saltar.

E então Elena olhava o térreo, tentando não pular, mas seu corpo não lhe obedeceu e de repente ela estava saltando. Ela sentiu o baque ao cair no chão, mas continuou segurando o precioso objeto na mão fechada.

Um bico gigantesco bateu no vidro onde ela estivera um instante antes de deslizar dali. Garras rasparam suas costas. Bloddeuwedd ainda estava atrás dela.

Sage e seu grupo de vampiros viajaram no mesmo ritmo do cachorro em disparada. Sabber liderava, o mais rápido que ele conseguia. Felizmente poucas pessoas pareciam querer brigar com um cachorro que pesava tanto quanto eles — que pesava mais do que a maioria dos mendigos e crianças que encontravam ao chegarem a mercado.

As crianças se reuniam em volta da carruagem, impedindo que avançasse. Sage aproveitou a oportunidade e trocou uma joia cara por uma bolsa cheia de moedas e as espalhou atrás da carruagem ao partirem, permitindo que Sabber tivesse rédea solta.

Passaram por dezenas de engarrafamentos e cruzamentos, mas Sabber não era um farejador comum, tinha Poder suficiente para confundir a maioria dos vampiros. Com talvez apenas uma ou duas moléculas-chave em sua membrana nasal, ele podia perseguir sua meta. Onde outro cão podia ser confundido por um entre centenas de rastros de kitsune parecidos, Sabber examinava e rejeitava cada um deles por não ter a forma, o tamanho ou a estrutura *exatos*.

Mas chegou uma hora em que até Sabber pareceu derrotado. Parou no meio de um cruzamento de seis pistas, apesar do trânsito, mancando um pouco e andando em círculos. Parecia não conseguir se decidir por um caminho.

Nem eu poderia, meu amigo, pensou Sage. Chegamos muito longe, mas está claro que eles foram além. Não há como subir ou descer... Sage hesitou, olhando as pistas cor de carmim.

E então ele viu uma coisa.

Bem à frente, mas à sua esquerda, havia uma perfumaria. Devia vender centenas de fragrâncias, e bilhões de moléculas de cheiros diferentes eram deliberadamente lançadas no ar.

Sabber estava cego. Não cego em seus olhos escuros, fluidos e aguçados, mas onde importava, ele estava entorpecido e cego pelos bilhões de aromas soprados em seu focinho.

Os vampiros queriam seguir em frente ou voltar. Não tinham o verdadeiro senso de aventura, só queriam um bom espetáculo. E sem dúvida muitos escravos estavam gravando o açoitamento para eles, assim seus amos podiam desfrutar do show na tranquilidade de suas casas.

Nesse momento um clarão de azul e ouro fez com que Sage se decidisse. Um Guardião! *Eh, bien...*

— Eia, Sabber!

A cabeça e o rabo de Sabber arriaram enquanto Sage pegava aleatoriamente uma das direções e o fez correr junto do vampiro, saindo do cruzamento e entrando em outra rua.

Mas por um milagre o rabo estava erguido de novo. Sage sabia que agora não havia mais nem uma molécula do cheiro dos kitsune nas narinas de Sabber...

... *Mas a lembrança do cheiro... ainda está presente.*

Saber mais uma vez estava em modo de caça, de cabeça baixa, rabo erguido, todo o seu Poder e sua inteligência concentrados num único objetivo: encontrar outra molécula que combinasse com a memória tridimensional daquela em sua mente. Agora que não estava mais cego pelo cheiro dessensibilizador de todos aqueles diferentes odores concentrados, ele era capaz de pensar com mais clareza. E isso o faz disparar entre as ruas, provocando uma comoção atrás dele.

— E a carruagem?

— Esqueça a carruagem! Não perca de vista aquele cara com o cachorro!

Sage, tentando acompanhar Sabber, sabia quando uma perseguição estava perto do fim. *Tranquillité!*, pensou ele para Sabber. Ele mal sussurrou a palavra. Nunca teve certeza se os amigos animais eram telepatas ou não, mas preferia acreditar que sim, embora se comportassem como se não fossem. *Tranquillité!*, disse ele a si mesmo também.

E assim, quando o enorme cachorro preto de olhos negros e cintilantes e o homem subiam correndo a escada de um prédio caindo aos pedaços, eles o fizeram em silêncio. Depois, como se estivesse num agradável passeio pelo campo, Sabber sentou-se e olhou na cara de Sage, arfando como quem sorri. Ele abria e fechava a boca numa paródia muda de latido.

Sage esperou que os jovens vampiros o alcançassem antes de abrir a porta. E, sem qualquer aviso meteu o punho com o Poder de um martelo pela porta e tateou a procura de trancas, correntes e fechaduras. Sentiu apenas uma maçaneta.

Antes de abrir a porta e entrar no que sabia que era um local perigoso, ele disse aos que estavam atrás:

— Qualquer coisa que pegarmos é de propriedade do amo Damon. Sou o capataz dele e foi apenas pelas habilidades de meu cão que chegamos até aqui.

Houve concordância, indo de grunhidos à indiferença.

— Da mesma forma — disse Sage —, qualquer perigo que exista aqui, eu enfrentarei primeiro. Sabber! AGORA!

Eles entraram na sala num rompante, quase arrancando a porta das dobradiças.

Elena gritava involuntariamente. Bloddeuwedd tinha acabado de fazer o que Damon não fizera e riscara suas costas com as garras.

Mas ao encontrar a porta de vidro que dava para a área externa, Elena sentia outras mentes aparecendo em seu amparo, para tomar e dividir parte da dor.

Bonnie e Meredith abriam caminho pelos imensos cacos de vidro para chegar a ela e começavam a gritar para a coruja, enquanto Talon, heroicamente, a atacava por cima.

Elena não suportava mais. Tinha de olhar. Ela sabia que a coisa que parecia de metal que pegou no ninho de Bloddeuwedd não era apenas um pedaço de lixo. Ela precisava ter certeza *agora*.

Esfregando o pedacinho de metal no vestido escarlate arruinado, ela levou um momento para olhar para baixo, para ver o sol carmim faiscar em ouro e diamantes, duas orelhas curvadas para trás e dois olhos verdes e brilhantes de alexandrita.

A duplicata da primeira metade da chave de raposa, mas olhando para o outro lado.

As pernas de Elena quase vergaram sob seu peso.

Ela estava segurando a segunda metade da chave de raposa.

Apressadamente, então, Elena levantou a mão livre e meteu os dedos no bolsinho cuidadosamente confeccionado que ficava atrás do diamante incrustado. Escondia uma bolsa mínima, costurada pela própria Lady Ulma. Nela estava a primeira metade da chave de raposa, que havia sido guardada ali logo depois que Saber e Talon terminaram de usá-la. Agora, ao colocar a segunda metade da chave no bolso junto com a primeira, Elena ficou desconcertada ao sentir movimento na bolsa. Os dois pedaços da chave de raposa estavam... O que, tornando-se um? Um bico preto bateu na parede ao lado dela.

Sem pensar, Elena se abaixou e rolou no chão, escapando. Quando seus dedos voaram de volta para ter certeza de que a bolsa estava amarrada e segura, ela se assustou ao sentir uma forma conhecida dentro dela.

Não era uma chave?

Não era uma chave!

O mundo girava loucamente em volta de Elena. Nada importava; nem o objeto, nem sua própria vida. Os gêmeos kitsune os enganaram, fizeram de bobos os idiotas humanos e o vampiro que se atreveram a enfrentá-lo. Não *havia* nenhuma chave de raposa.

Ainda assim, a esperança se recusava a morrer. O que mesmo Stefan costumava dizer? *Mai dire mai* — nunca diga nunca. Sabendo que era um risco que corria, sabendo que era uma tola por assumi-lo, Elena enfiou o dedo na bolsa novamente.

Algo frio deslizou para o dedo dela e ficou ali.

Ela olhou para baixo e por um momento seu olhar ficou preso naquela visão. Ali, em seu dedo anular, brilhava um anel de ouro com um diamante engastado. Representava duas raposas abstratas enroscadas, que olhavam para lados opostos. Cada raposa tinha duas orelhas, dois olhos verdes de alexandrita e um focinho pontudo.

E era só. De que servia uma quinquilharia dessas para Stefan? Não era nada parecido com as chaves de duas asas que apareciam nas imagens de santuários kitsune.

Um tesouro, certamente valia um milhão de vezes menos do que o que eles já haviam gastado para consegui-lo.

E Elena percebeu uma coisa.

Uma luz brilhava dos olhos de uma das raposas. Se ela não a olhasse tão de perto, ou se não estivesse agora no Salão de Valsa Branco, onde as cores apareciam como realmente eram, podia não ter percebido. Mas a luz brilhava diretamente à frente quando ela virava a mão de lado. Agora saíam dos quatro olhos.

E brilhavam exatamente na direção da cela de Stefan.

A esperança surgiu como uma fênix no coração de Elena e a levou a uma viagem mental para fora desse labirinto de salas de vidro. A música que tocava era a valsa do *Fausto*. Longe do sol, no fundo do coração da cidade, era onde Stefan se encontrava. E era para onde brilhavam os olhos verdes claros de raposa.

Elevando-se com a esperança, ela virou o anel. A luz piscou nos olhos de raposa, mas quando Elena virou o anel para que a segunda raposa ficasse alinhada com a cela de Stefan, os olhos piscaram de novo.

Sinais secretos. Por quanto tempo ela deixaria que esses sinais passassem despercebidos se já não *soubesse* onde ficava a prisão de Stefan?

Mais tempo do que Stefan tinha para viver, provavelmente.

Agora ela só precisava sobreviver por tempo suficiente para chegar a ele.

39

Elena atravessou a multidão sentindo-se um soldado. Não sabia o motivo. Talvez porque parecesse que tinha dado uma busca e conseguiu concluí-la e permanecer viva e de quebra ainda tinha recuperado algo importante. Talvez porque tivesse ferimentos de honra. Talvez porque acima dela houvesse uma inimiga que ainda queria seu sangue.

Pensando bem, refletiu Elena, é melhor tirar todos esses não combatentes daqui. Podemos mandá-los para uma casa segura — bom, em uma dezena de casas seguras, e...

Mas no que ela *estava* pensando? Não existia uma *casa segura* ali. Ela não era responsável por aquelas pessoas — aqueles idiotas, principalmente, os que ficaram parados, se deliciando em vê-la sendo açoitada. Mas... apesar disso, talvez ela devesse tirá-los dali.

— Bloddeuwedd! — gritou ela, apontando para uma silhueta que girava no alto. — Bloddeuwedd está solta e me fez isto! — apontando para as três lacerações nas costas. — Ela vai atacar quem estiver na frente!

No início parecia que a maior parte das exclamações de raiva girava em torno das marcas que Elena agora tinha nas costas. E ela não tinha a menor intenção de discutir. Só havia uma pessoa ali com quem queria falar. Mantendo Bonnie e Meredith atrás dela, ela chamou.

Damon! Damon, sou eu! Onde você está?

Havia tanto trânsito telepático que ela duvidava de que ele a tivesse ouvido.

Mas por fim ela pegou um *Elena?*, fraco.
... Sim...
Elena, segure-se em mim. Pense que está me segurando. Vamos para uma frequência diferente.

Segurar-se a uma voz? Mas Elena se imaginou segurando-se em Damon com toda a força que pôde, enquanto pegava as mãos de Bonnie e Meredith.

Agora pode me ouvir? Desta vez a voz era muito mais clara e muito mais alta.

Sim. Mas não estou te vendo.
Mas eu a vejo. Estou chegando... CUIDADO!

Tarde demais, os sentidos de Elena a alertaram de uma imensa sombra que mergulhava do alto. Ela não conseguiu se mexer rápido o suficiente para sair do caminho de um bico do tamanho de um crocodilo.

Mas Damon conseguiu. Saltando de algum lugar, ele pegou Elena, Bonnie e Meredith em uma braçada e saltou de novo, caindo na grama.

Ah, meu Deus, Damon!

— Alguém se machucou? — perguntou ele elevando a voz alta.

— Eu estou bem — disse Meredith baixo, aparentando calma.
— Mas acho que lhe devo a minha vida. Obrigada.

— Bonnie? — perguntou Elena.

Estou bem. Quero dizer,

— Eu estou bem. Mas Elena, suas costas...

Pela primeira vez, Damon conseguiu virar Elena e ver as feridas em suas costas.

— Eu... fiz isso? Mas... Eu pensei...

— Foi Bloddeuwedd — disse Elena incisivamente, olhando para uma forma que circulava no céu vermelho escuro. — Ela mal tocou em mim, mas suas garras pareciam facas de aço. Temos que ir agora!

Damon pôs as mãos nos ombros dela.

— E voltar quando as coisas se acalmarem, você quer dizer.
— E nunca mais voltar! Ah, meu Deus, lá vem ela!

Algo que visto de longe parecia do tamanho de uma bola de beisebol em um instante, de uma bola de vôlei um segundo depois e logo em seguida era tão grande como um ser humano. E todos se dispersaram, saltando, rolando, tentando se afastar, menos Damon, que segurou Elena e gritou:

— Ela é minha escrava! Se tiver algum problema com ela, primeiro discuta comigo!

— E eu sou Bloddeuwedd, criada pelos deuses, condenada a ser uma assassina toda noite. Vou matar você primeiro, depois devorá-la, a ladra! — Bloddeuwedd exclamara em sua nova voz rouca. — Duas dentadas e tudo estará resolvido.

Damon, preciso te contar uma coisa!

— Lutarei com você, mas minha escrava ficará fora disso!
— Primeira dentada; lá vou eu!

Damon, temos de ir!

Houve um grito de dor e fúria.

Damon estava meio agachado, com um imenso caco de vidro na mão, como uma espada, e gotas grandes de sangue escuro caíam de onde ele... Ah, meu Deus!, pensou Elena, ele arrancou um dos olhos de Bloddeuwedd!

— VOCÊS TODOS VÃO MORRER! TODOS!

Bloddeuwedd atacou um vampiro qualquer que estava abaixo dela e Elena gritou junto com o vampiro. O bico preto o pegou por uma perna e o levantou.

Mas Damon correu para a frente, saltando, golpeando. Com um grito de fúria, Bloddeuwedd alçou voo de novo.

Agora todos viam o perigo. Os outros vampiros correram para dar apoio a Damon, e Elena ficou feliz pelos amigos não serem responsáveis por outra vida. Ela já tinha muito com o que lidar.

Damon, vou embora agora. Se quiser venha comigo. Eu consegui a chave.

Elena tentou enviar aquelas palavras, telepaticamente, só para Damon, e se esforçou para não ser dramática. Não lhe restava espaço para isso. Ela havia sido desprovida de tudo, menos da necessidade de encontrar Stefan.

Desta vez, ela sabia que Damon a ouvira.

Ela chegou a pensar que Damon estivesse morrendo. Que Bloddeuwedd de alguma maneira tinha voltado e perfurado todo seu corpo, como se usasse uma lança de luz. Depois ela percebeu que a sensação era de êxtase, e duas mãozinhas de criança se estenderam na luz e seguraram as dela, permitindo que ela libertasse uma criança maltrapilha, mas sorridente.

Sem correntes, pensou ela meio zonza. Ele nem mesmo estava com as pulseiras de escravo.

— Meu irmão! — disse-lhe a criança. — Meu irmão mais novo vai *viver*!

— Ora, é bom ouvir isso — disse Elena, tremendo.

— Ele vai viver! — Uma pequena ruga apareceu em sua testa. — Mas você precisa correr! E cuide bem dele! E...

Elena pôs dois dedos nos lábios dele, muito delicadamente.

— Não precisa se preocupar com nada disso. Basta ficar feliz.

O garotinho riu.

— Eu vou! Eu *estou*!

— Elena!

Elena saiu do... bem, ela devia estar em transe, embora aquilo tivesse sido mais real do que muitas outras coisas que vivera recentemente.

— Elena! — Damon tentava desesperadamente se controlar. — *Mostre-me a chave!*

Devagar e majestosamente, Elena levantou a mão.

Os ombros de Damon se retesaram, tensos, por... alguma coisa... e arriaram.

— É um anel — disse ele vagarosamente. O gesto lento e majestoso não pareceu ter efeito algum nele.

— Foi o que pensei no início. É uma chave. Não estou perguntando, nem querendo saber se concorda comigo, estou lhe dizendo. É uma chave. A luz dos olhos de uma das raposas aponta para Stefan.

— Que luz?

— Mostro depois. Bonnie! Meredith! Vamos embora.

— SÓ SAIRÁ DAQUI SE EU QUISER!

— *Cuidado!* — gritou Bonnie.

A coruja mergulhou de novo. E mais uma vez, no último segundo, Damon pegou as três meninas e saltou. O bico da coruja não bateu na grama, nem em cacos de vidro, e sim na escada de mármore, que rachou. Houve um grito de dor, depois outro, quando Damon, ágil como um dançarino, investiu para o olho bom da ave gigante. Conseguiu fazer um corte bem acima dele. O sangue enchia o olho.

Elena não suportava mais. Desde que começara essa jornada com Damon e Matt, ela parecia um frasco cheio de raiva. Gota a gota, a cada novo insulto, essa raiva enchia sem parar o frasco. Agora sua fúria estava prestes a transbordar.

Mas então... O que aconteceria?

Ela não queria saber. Tinha medo de não sobreviver a isso.

O que ela sabia era que não conseguia mais ver dor, sangue e angústia. Damon definitivamente gostava de lutar. Que bom para ele. Que lute então. Ela estava indo buscar Stefan, mesmo que tivesse de seguir o caminho todo a pé.

Meredith e Bonnie estavam em silêncio. Conheciam esse estado de espírito de Elena. Ela não estava apenas divagando. E nenhuma das duas queria ficar para trás.

Foi exatamente neste momento que a carruagem chegou num estrondo, ao pé da escada de mármore.

Sage, que obviamente sabia alguma coisa da natureza humana, da natureza de demônios e vampiros e de vários tipos de natureza bestial, saltou da carruagem com duas espadas em riste. Também assoviou e, em um instante uma sombra — pequena — disparou do céu até ele.

Por fim, lentamente, estendendo cada perna como um tigre, veio Sabber, que de imediato repuxou os lábios, mostrando um número impressionante de dentes.

Elena saltou para a carruagem, os olhos encontrando os de Sage. *Me ajude*, pensou ela, desesperada. E os olhos dele disseram simplesmente, *Não tenha medo*.

Às cegas, Elena estendeu as mãos para trás. A mãozinha de ossos finos e um tanto trêmula alcançou a dela. Outra mão, magra, fria e rígida como a de um menino, mas com dedos longos e finos, segurou-lhe a outra.

Não havia ninguém em quem confiar naquele lugar. Ninguém de quem se despedir, nem com quem deixar recados de despedida. Elena entrou na carruagem e sentou-se no banco traseiro, o mais distante possível da frente, para acomodar aqueles que viriam atrás.

E eles vieram, como uma avalanche. Ela arrastara Bonnie, e Meredith para perto dela; assim, quando Sabber saltou para seu lugar costumeiro, caiu em três colos macios.

Sage não perdeu tempo. Com Talon agarrada a seu pulso esquerdo, ele deixou espaço suficiente para a última disparada de Damon — e que disparada. Rachado e quebrado, vertendo um fluido preto, o bico de Bloddeuwedd batera na ponta da escada de mármore onde Damon estivera.

— Para onde? — gritou Sage, logo depois que os cavalos partiam a galope... Para algum lugar, qualquer lugar, *longe dali*.

— Ah, por favor, não deixe que ela machuque os cavalos. — Bonnie ofegava.

— Ah, por favor, não deixe que ela rasgue o teto da carruagem — disse Meredith, de algum modo capaz de ser irônica mesmo quando sua vida corria perigo.

— Para onde, *s'il vous plaît*? — rugiu Sage.

— Para a prisão, é claro — disse Elena, ofegante. Ela sentiu que precisava tomar um pouco de ar.

— A prisão? — Damon parecia distraído. — Sim! A prisão! — Em seguida acrescentou, pegando algo parecido com uma fronha, cheia de bolas de bilhar: — Sage, o que é isso?

— O que conseguimos encontrar! — disse Sage, numa voz mais animada, enquanto os cavalos desviavam-se para uma nova direção. — E olhe perto de seus pés!

— Mais fronhas...?

— Eu não estava preparado para uma grande carga. Mas deu tudo certo!

Agora a própria Elena tateava uma das fronhas. Estava cheia de hoshi no tama, claros e cintilantes, esferas estelares, lembranças que valiam...

Nada?

— Esferas inestimáveis... Embora, é claro, não saibamos o que há nelas. — A voz de Sage mudou sutilmente. Elena se lembrou do aviso sobre "esferas proibidas"; o que, em nome do sol amarelo, seria considerado ali?

Bonnie foi a primeira a pegar uma delas e a colocar em sua têmpora. E o fez tão rápido que Elena não conseguiu impedi-la.

— O que é? — disse Elena, tentando afastar a esfera.

— É... poesia. Uma poesia que eu não entendo — disse Bonnie um tanto irritada.

Meredith também pegara uma esfera cintilante. Elena estendeu a mão para ela, mas novamente foi tarde demais.

Meredith ficou sentada como se estivesse em transe por um momento, depois fez uma careta e abaixou a esfera.

— O quê? — perguntou Elena.

Meredith balançou a cabeça. Tinha uma leve expressão de aversão.

— *O que é?* — Elena quase gritava, e quando Meredith largou a esfera, Elena avançou para ela. Colocou-a na têmpora e imediatamente estava vestida de couro preto da cabeça aos pés. Havia dois homens grandalhões diante dela, sem muito tônus muscular. E ela podia ver toda a musculatura deles porque estavam quase despidos, a não ser por alguns trapos, como se fossem mendigos. Mas certamente não eram — pareciam bem alimentados, e claramente atuavam quando um deles se prostrou, "Eu errei. Pedimos seu perdão, oh, amo!"

Elena afastou a esfera da têmpora (elas colavam suavemente, se fizessem uma leve pressão).

— Por que eles não usam o espaço para outra coisa? — disse ela.

Logo outra coisa estava em volta dela. Uma menina, com roupas humildes, mas que não eram de estopa, parecia apavorada. Elena se perguntou se ela estava sendo controlada.

E Elena era a menina.

Porfavornãodeixequemepeguemporfavornãodeixequeme...

Deixar o que pegar você?, perguntou Elena, mas era como ver um filme ou ler um livro em que o personagem entrava numa casa vazia durante uma tempestade furiosa, criando todo aquele suspense. A Elena que andava com medo não podia ouvir a Elena que fazia as perguntas.

Acho que não quero ver como isso termina, concluiu ela. E devolveu a esfera para os pés de Meredith.

— Temos três sacos?

— Sim, senhora. Três sacos cheios.

Oh. Isso não parece ter dado muito certo. Elena abria a boca de novo quando Damon acrescentou em voz baixa:

— E um saco vazio.

— É mesmo? Então vamos tentar dividi-las. O que for... proibido... em um dos sacos. Coisas estranhas como a poesia de Bonnie ficam em outro. E informações sobre Stefan... ou sobre nós... no terceiro. E coisas boas, como dias de verão, entraram no quarto — disse Elena.

— Acho que está sendo otimista — disse Sage. — Esperar achar um globo com Stefan tão rapidamente...

— Todo mundo em silêncio! — disse Bonnie de repente. — Aqui tem Shinichi e Damon falando.

Sage enrijeceu, como se tivesse sido atingido por um raio do céu tempestuoso, depois sorriu.

— E por falar no diabo... — murmurou ele. Elena sorriu para ele e apertou sua mão antes de pegar outra esfera.

— Parece ser a lembrança de um julgamento. Não entendo. Provavelmente foi registrado por um escravo, porque posso ver todos eles. — Elena sentiu os músculos faciais se enrijecerem de ódio ao ver, mesmo numa espécie de sonho, Shinichi, o kitsune que causou tantos problemas. Seu cabelo era preto, a não ser por uma borda irregular, que dava a impressão de ter sido mergulhada em lava incandescente.

E, é claro, Misao, a suposta irmã de Shinichi. Esta esfera estelar deve ter sido feita por um escravo, porque ela podia ver os gêmeos e um homem que parecia ser ligado às leis.

Misao, pensou Elena. Delicada, distinta, séria... Demoníaca. Seu cabelo era igual ao de Shinichi, mas estava preso num rabo de cavalo. Era possível ver seu ar demoníaco quando ela levantava os olhos. Eram efervescentes, dourados, risonhos, como os do irmão; olhos que jamais traziam remorso — a não ser, talvez, por achar que ainda não haviam tido vingança suficiente. Eles não tinham responsabilidade nenhuma. Achavam a angústia divertida.

Então algo estranho aconteceu. As três figuras na sala de repente se viraram e olharam diretamente para ela, ou melhor, diretamente para quem fez a esfera, Elena se corrigiu, mas ainda era desconcertante.

Foi ainda mais desconcertante quando eles avançaram. Quem eu sou?, pensou Elena, sentindo-se ansiosa. Depois tentou algo que nunca havia feito antes ou pensar que pudesse ser feito. Com cuidado, estendeu seu Poder para o ser em volta do globo. Ela era Werty, uma espécie de secretário de advogado. Ela, ou ele, tomava notas quando os acordos importantes eram feitos.

E Werty sem dúvida não gostou do que estava acontecendo naquele momento. Os dois clientes e seu chefe se aproximavam dele, de uma forma que nunca haviam feito.

Elena se afastou do funcionário e pôs a bola de lado. Ela tremia, pois parecia que tinha sido mergulhada em água gelada.

E depois o teto afundou.

Bloddeuwedd.

Mesmo com o bico aleijado, a imensa coruja rasgou boa parte do teto da carruagem.

Todos gritavam e ninguém sabia direito o que fazer. Sabber e Damon a haviam ferido: Sabber erguendo-se dos três colos macios em que estava, atacou os pés de Bloddeuwedd. Conseguiu ferir um deles antes de deixar-se cair na carruagem, onde quase escorregou. Elena, Bonnie e Meredith seguraram o que alcançaram do cão e o puxaram de volta ao banco traseiro.

— Chega pra lá! Deixa ele sentar aí — gemeu Bonnie, vendo o estrago que Sabber tinha feito em seu vestido. Ele também deixou marcas vermelhas nela.

— Bom — disse Meredith —, da próxima vez vamos pedir sobretudos de aço... Mas espero que não haja nenhuma próxima vez!

Elena rezou com fervor para ela ter razão. Bloddeuwedd planava em um ângulo mais baixo, sem dúvida na esperança de arrancar algumas cabeças.

— Todo mundo pegue madeira. E esferas! Atirem as esferas quando ela se aproximar de vocês. — Elena tinha esperanças de que a visão das esferas estelares, a obsessão de Bloddeuwedd, a retardasse.

Ao mesmo tempo, Sage gritou:

— Não desperdicem as esferas! Atirem outra coisa! Já estamos quase lá. À esquerda, depois em frente!

As palavras deram um novo alento a Elena. Eu tenho a chave, pensou ela. O anel é a chave. Só preciso pegar Stefan — e levar todos nós para a porta que tem a fechadura. Tudo isso no mesmo prédio. Já estou praticamente em casa.

A investida seguinte veio ainda mais baixa. Bloddeuwedd, cega de um olho, com o sangue enchendo o outro e o olfato bloqueado pelo próprio sangue seco, tentava acertar a carruagem e derrubá-la.

Se ela conseguir, vamos morrer, pensou Elena. E ela conseguirá pegar qualquer um que esteja se retorcendo no chão.

— *ABAIXEM-SE!* — gritou ela, com sua voz telepática também.

E então algo parecido com um avião passou tão perto que Elena sentiu os tufos de cabelo sendo puxados, apanhados nas garras.

Elena ouviu um grito de dor vindo do banco da frente, mas não levantou a cabeça para ver o que era. A carruagem de repente parou aos solavancos e, no instante seguinte, uma ave da morte girava, aos gritos, tentando atacar o que via pela frente. Agora Elena precisava de toda sua atenção, todas as suas faculdades, para fugir desse monstro que zumbia para eles cada vez mais baixo.

— A carruagem está destruída! Saiam! Corram! — A voz de Sage chegou a ela num trovão.

— Os cavalos — gritou Elena.

— Eles já eram! Saiam, merda!

Elena nunca tinha ouvido Sage xingar. Tentou não pensar naquilo agora.

Elena não sabia como Meredith e ela conseguiram sair, pois tropeçavam uma na outra a todo momento, tentando ajudar, mas só atrapalhando ainda mais. Bonnie já estava fora. O coche batera num poste e a lançara pelo ar. Felizmente, mandou-a a um canteiro de trevos feios mas viçosos e ela não teve nenhum ferimento grave.

— Ahhh, minha pulseira... Não, lá está — gritou ela, pegando alguma coisa que brilhava no meio do trevo. Ela lançou um olhar cauteloso para a noite carmim. — E agora, o que vamos fazer?

— Vamos correr! — exclamou Damon. Ele deu a volta pelos destroços, onde tinham caído amontoados. Havia sangue em sua boca e no branco antes imaculado de seu pescoço. Lembrou Elena daqueles que costumavam beber sangue de cavalo e leite para se nutrir. Mas Damon só bebia de humanos. Ele jamais tirou sangue equino...

Os cavalos ainda estarão aqui e Bloddeuwedd também, uma voz ríspida falou em sua mente. *Ela brincaria com eles; haveria dor. Assim foi rápido. Foi... um impulso.*

Elena tentou pegar as mãos dele, ofegando.

— Damon! *Desculpe!*

— SAIAM DAQUI! — Sage rugia.

— Temos de chegar a Stefan — disse Elena, e pegou Bonnie com a outra mão. — Me ajude, por favor. Não estou conseguindo ver o anel. — Meredith, segundo Elena pensava, conseguiria chegar ao prédio da Shi no Shi sem muita ajuda.

E foi uma grande correria, retração e alarmes falsos por uma Bonnie abalada. Por duas vezes o horror planava sobre elas, chocando-se em sua frente, ou um pouco ao lado, quebrando o que via pela frente, levantando nuvens de poeira. Elena não conhecia os hábitos das corujas, mas Bloddeuwedd descia em ângulo para sua presa, depois abria as asas e mergulhava no último minuto. Mas a pior coisa na coruja gigante era seu silêncio. Não havia farfalhar que indicasse onde ela poderia estar. Algo em suas penas abafava o som, e assim eles nunca sabiam quando ela atacaria novamente.

No fim, tiveram de engatinhar por toda sorte de lixo, avançando o mais rápido que podiam, segurando madeira, vidro, qualquer coisa afiada por cima da cabeça, enquanto Bloddeuwedd atacava novamente.

E o tempo todo Elena tentava usar seu Poder. Não era o mesmo Poder que usara antes, mas podia sentir seu nome se formando nos lábios. O que ela não conseguia sentir, não conseguia forçar, era uma ligação entre as palavras e o Poder.

Sou uma péssima heroína, pensou ela. Sou ridícula. Eles deviam ter dado esses Poderes a alguém que já soubesse controlar essas coisas. Ou me ensinado a usá-los antes. Ou... Não...

— Elena! — Algo voava diante dela, mas de algum modo ela virou para a esquerda e contornou. Depois ela estava no chão e olhava para Damon, que a protegia com próprio corpo.

— Obrigada — sussurrou ela.

— Ande!

— Desculpe — sussurrou ela e estendeu a mão direita, com o anel, para ele pegar.

Em seguida ela se curvou, arfando de soluços. Podia ouvir o bater de asas de Bloddeuwedd bem acima deles.

40

Matt e a Sra. Flowers estavam no bunker — o anexo que o tio da Sra. Flowers havia construído para abrigar a carpintaria e outros hobbies. Estava ainda mais detonado que o resto da casa, e era usado como depósito, onde a Sra. Flowers guardava, por exemplo, a cama de armar do tio Joe e aquele sofá velho e arriado que não combinava mais com a mobília da casa.

Agora, à noite, aquele lugar era o paraíso. Nenhuma criança ou adulto de Fell's Church tinha sido convidado a entrar lá. Na realidade, a não ser pela Sra. Flowers, por Stefan — que ajudou a transferir os móveis grandes para lá — e agora por Matt, ninguém jamais estivera ali, pelo que a Sra. Flowers se recordava.

Matt se agarrou a isso. Ele estivera lendo atentamente todo o material que Meredith pesquisara e um trecho precioso tinha significado muito para ele e para a Sra. Flowers. Era o que permitia que eles dormissem à noite, quando as vozes chegavam.

Acredita-se que os kitsune sejam uma espécie de primos distantes dos vampiros ocidentais, que seduzem determinados homens (já que a maioria dos espíritos raposas assume a forma feminina) e se alimentam diretamente de seu chi, ou espírito vital, sem a intermediação do sangue. Assim, pode-se deduzir que são regidos por regras semelhantes as dos vampiros. <u>Por exemplo, eles também não podem entrar em uma casa sem ser convidados...</u>

E, ah, as vozes...

Ele agora estava profundamente feliz por ter aceitado o conselho de Meredith e Bonnie e procurado primeiro a Sra. Flowers antes de ir para casa. As meninas conseguiram convencê-lo de que ele acabaria colocando os pais em perigo, pois a cidade inteira estava esperando Matt para linchá-lo pelo suposto ataque a Caroline. Mas Caroline parecia tê-lo achado no pensionato assim que ele chegou, mas, estranhamente, nunca levou nenhuma multidão até lá. Matt achava que talvez fosse porque teria sido inútil.

Ele não tinha ideia do que poderia acontecer se aquelas vozes realmente pertencessem a ex-amigos que há muito tempo foram convidados a esta casa.

Esta noite...

— Vamos lá, Matt — ronronou Caroline, com a voz arrastada, lenta e sedutora. Parecia que ela estava deitada, falando pela fresta embaixo da porta. — Não seja um desmancha-prazeres. Sabe que uma hora vai ter que sair.

— Deixa eu falar com a minha mãe.

— Não posso, Matt. Eu já te disse, ela está em treinamento.

— Para ficar como você?

— Dá muito trabalho ficar como eu, Matt. — De repente o tom de Caroline não era mais sedutor.

— Aposto que sim — murmurou Matt, e acrescentou: — Se você fez alguma coisa com a minha família, vai se arrepender.

— Ah, Matt! Tenha dó, cai na real. Ninguém vai fazer nada aqui.

Matt abriu as mãos devagar para olhar o que segurava. O antigo revólver de Meredith, carregado com as balas abençoadas por Obaasan.

— Qual é o segundo nome de Elena? — perguntou ele. Não em voz alta, embora houvesse os sons de música e danças no quintal da Sra. Flowers.

— Matt, do que está falando? O que está fazendo aí, uma árvore genealógica?

— Eu te fiz uma pergunta simples. Você e Elena brincavam juntas desde que eram praticamente bebês, não é? Então, qual é o segundo nome dela?

Houve uma agitação lá dentro e Caroline finalmente respondeu, mas dava para ouvir claramente uma instrução sussurrada, como Stefan ouvira tanto tempo atrás, apenas uma fração de segundo antes de ela falar.

— Se está interessando apenas em fazer joguinhos, Matthew Honeycutt, vou achar outra pessoa para conversar comigo.

Ele praticamente podia ouvir Caroline se mexendo com irritação.

Mas Matt tinha vontade de comemorar. Permitira-se comer uma bolacha e tomar meio copo do suco de maçã caseiro da Sra. Flowers. Eles nunca sabiam quando podiam ficar presos ali para sempre, apenas com os suprimentos que traziam, então sempre que Matt saía do bunker, voltava com o máximo de coisas que encontrava e achava que podia ser útil. Um acendedor de churrasqueira e um spray para cabelos equivaliam a um lança-chamas. Potes e mais potes das deliciosas conservas da Sra. Flowers. Anéis de lápis-lazúli para o caso de acontecer o pior e eles terminarem com dentes pontudos.

A Sra. Flowers se virou, cochilando no sofá.

— Quem era, Matt, querido? — perguntou ela.

— Ninguém, Sra. Flowers. Pode voltar a dormir.

— *Sei* — disse a Sra. Flowers em sua voz mais doce. — Bem, se a ninguém voltar, pergunte o primeiro nome da mãe dela.

— *Sei* — disse Matt na melhor imitação da voz da Sra. Flowers, e os dois riram. Mas, apesar das risadas, havia um bolo em sua garganta. Ele conhecia a Sra. Forbes há muito tempo também. E ele estava assustado, temia a hora em que a voz a chamá-lo fosse a de Shinichi.

E aí eles estariam encrencados de verdade.

— Acabou-se — gritou Sage.
— Elena! — berrou Meredith.

— Ah, meu Deus! — gritou Bonnie.

No instante seguinte, Elena foi lançada para o teto e algo caiu por cima dela. Ela ouviu um grito, mas esse era diferente dos outros. Era um som abafado de pura dor enquanto o bico de Bloddeuwedd batia em algo feito de carne. *Eu*, pensou Elena. Mas não havia dor.

Não... fui eu?

Ela ouviu uma tosse acima dela.

— Elena... Vá... Meus escudos... Não aguentam...

— Damon! Nós vamos juntos!

Dói...

Era só a sombra de um sussurro telepático e Elena sabia que Damon não pensava ter sido ouvido. Mas ela estava circulando seu Poder cada vez mais rápido, disfarçadamente, concentrada apenas em livrar do perigo aquele que ela amava.

Vou achar um jeito, disse ela a Damon. *Vou carregar você. Como um bombeiro.*

Ele riu disso, fazendo Elena perceber que não estava morrendo. Agora Elena desejou ter levado o Dr. Meggar na carruagem para que ele pudesse ajudar a curar os feridos...

... e depois o quê? Deixá-lo à mercê de Bloddeuwedd? Ele quer construir um hospital aqui neste mundo. Quer ajudar as crianças, que certamente não merecem toda a crueldade que as vi sofrerem...

Ela afugentou os pensamentos. Não havia tempo para um debate filosófico sobre médicos e suas obrigações.

Era hora de fugir.

Estendendo a mão para trás, ela encontrou duas mãos. Uma estava escorregadia de sangue, então ela estendeu o braço mais além, agradecendo a sua falecida mãe por todas as aulas de balé e ioga que tenha sido obrigada a frequentar, e pegou a manga acima da mão. Depois colocou as costas dele na dela e puxou.

Para sua surpresa, Elena conseguiu levantar Damon. Tentou puxá-lo mais para cima de suas costas, mas não deu muito certo. E até conseguiu dar um passo trôpego para a frente, depois outro...

E então Sage apareceu, pegando os dois, e eles entraram no saguão do prédio da Shi no Shi.

— Saiam todos! Saiam! Bloddeuwedd está atrás de nós e ela vai matar quem estiver no seu caminho! — gritou Elena. Foi estranho. Ela não pretendia gritar. Não formulara as palavras, a não ser, talvez, nas partes mais profundas de seu subconsciente. Mas gritou para eles no saguão já em polvorosa e ouviu o grito sendo aceito pelos outros.

O que ela não esperava era que eles corressem para as celas. É claro que eles não iriam para a rua. Devia ter pensado nisso, mas não pensou. Depois sentiu que ela, Sage e Damon desciam pelo caminho que fizeram na noite anterior...

Mas era realmente o caminho certo? Elena uniu as mãos e viu, a julgar pela luz das raposas, que precisavam entrar à direita.

— O QUE SÃO ESSAS CELAS À NOSSA DIREITA? COMO CHEGAREMOS LÁ? — gritou para o jovem vampiro ao lado.

— É onde ficam os Mentalmente Perturbados e em Isolamento — respondeu aos gritos o cavalheiro vampiro. — Não vá por aí.

— Tenho de ir! Preciso de uma chave?

— Sim, mas...

— Você tem uma chave?

— Sim, mas...

— Me dê agora!

— Não posso — gemeu ele de um jeito que a lembrou de Bonnie em seus momentos mais difíceis.

— Tudo bem. Sage!

— *Madame?*

— Mande Talon furar os olhos deste homem. Ele não quer me dar a chave para a ala de Stefan!

— Considere feito, *Madame!*

— Esp-pere! Eu m-mudei de ideia. Tome a chave!

O vampiro tirou uma chave de um molho e a entregou a Elena.

Parecia com as outras chaves em seu anel. Parecida demais, disse a mente desconfiada de Elena.

— Sage!
— *Madame!*
— Pode esperar com Sabber até eu passar? Quero que ele arranque o você-sabe-o-quê desse sujeito se ele estiver mentindo para mim.
— Mas é claro, *Madame!*
— Esp-p-p-pere — disse o vampiro, ofegante. Estava claro que ele estava totalmente apavorado. — Eu posso... posso ter lhe dado a chave errada... Nesta... nesta luz...
— Me dê a chave certa e me diga tudo o que eu preciso saber ou farei com que o cão volte e o mate — disse Elena e, nesse momento, ela falou sério.
— T-tome. — Desta vez a chave não parecia uma chave. Era redonda, ligeiramente convexa e tinha um buraco no meio. Como um donut em que um policial se sentou, parte da mente de Elena disse, e ela começou a rir histericamente.
Cale a boca, disse-lhe sua mente com aspereza.
— Sage!
— *Madame?*
— Talon pode ver o homem que estou segurando pelos cabelos? — Ela teve de ficar na ponta dos pés para pegá-lo.
— Mas é claro, *Madame!*
— Poderá se lembrar dele? Se eu não achar Stefan, quero que ela mostre a Sabber, para que ele siga seu rastro.
— Er... Ah... Entendi, *Madame!*
Uma mão, pingando sangue do pulso, ergueu um falcão no alto, ao mesmo tempo em que houve um estrondo inesperado no alto do prédio.
O vampiro estava quase aos prantos.
— Vire à d-d-direita a partir d-d-daqui. Use a ch-ch-chave na fenda na altura da c-c-abeça para entrar n-no corredor. Talvez haja guardas lá. Mas... se... se não tiver uma chave para a cela individual que quer... Desculpe, mas...
— Eu tenho! Tenho a chave da cela e sei o que fazer depois! Obrigada, você foi de grande ajuda.

Elena soltou o cabelo do vampiro.

— *Sage! Damon! Bonnie! Procurem um corredor trancado, do lado direito. Não se deixem levar pela multidão. Sage, segure Bonnie e faça Sabber latir como um louco. Bonnie, segure-se em Meredith na frente dos homens. O corredor leva a Stefan!*

Elena nunca soube o quanto daquela mensagem, falada e enviada telepaticamente, seus aliados ouviram. Mas à frente ela ouviu um som que lhe parecia um coro de anjos cantando.

Sabber latia loucamente.

Elena jamais teria sido capaz de parar. Estava numa corredeira de pessoas e aquilo a levava para uma barreira feita por quatro pessoas, um falcão e um cachorro de aparência raivosa.

Mas oito mãos se estenderam enquanto ela era varrida — e um rosnado, um focinho feroz saltou à frente de Elena para separá-la multidão. De algum modo ela colidiu com a parede à direita segurando nela, empurrando-a, agarrando e forçando-a.

Mas Sage olhava a mesma parede, desesperado.

— *Madame*, ele a enganou! Não tem nenhuma fechadura aqui!

A garganta de Elena ficou áspera. Ela se preparou para gritar, "Sabber, ataque", e partiu atrás do vampiro.

Mas então, pouco abaixo dela, a voz de Bonnie disse:

— É claro que tem. Tem a forma de um círculo.

E Elena se lembrou.

Guardas baixos. Como demoniozinhos ou macacos. Do tamanho de Bonnie.

— Bonnie, pegue isso! Enfie no buraco. Mas cuidado! É a única que temos.

Sage de imediato orientou Sabber a parar e rosnar pouco à frente de Bonnie no túnel, para evitar que o fluxo de demônios e vampiros em pânico a atrapalhasse.

Com cuidado, solenemente, Bonnie pegou a chave grande, examinou-a, tombou a cabeça de lado, girou-a nas mãos e a colocou na parede.

— Não aconteceu nada!

— Tente girar ou empurrar...
Um estalo.
A porta se abriu, deslizando.
Elena e seu grupo caíram no corredor, enquanto Sabber ficou entre eles e a multidão esmagadora, latindo, mordendo e saltando.

Elena, deitada no chão, com as pernas entrelaçadas sabe-se-lá-em-quem, colocou a mão em concha em seu anel.

Os olhos de raposa apontaram diretamente para a frente e um pouco para a direita.

Brilharam para uma cela à frente.

41

— tefan! — Elena gritou e, ao fazer isso, sabia que parecia uma louca.

Não houve resposta.

Ela corria. Seguindo a luz.

— Stefan! Stefan!

Uma cela vazia.

Uma múmia amarelada.

Uma pirâmide de pó.

De algum modo, seu subconsciente desconfiava de alguma coisa. E o que quer que fosse a teria feito fugir para enfrentar Bloddeuwedd com as próprias mãos.

Em vez disso, quando chegou à cela certa, viu um jovem cansado, cuja expressão mostrava que desistira de toda esperança. Levantou um braço magro como um graveto, rejeitando-a inteiramente.

— Eles já me contaram a verdade. Vocês foram extraditados por ajudarem um prisioneiro. Não sou mais suscetível a sonhos.

— Stefan! — Ela caiu de joelhos. — Vamos ter de passar por isso toda vez?

— Sabe com que frequência eles recriaram você, *sua vaca*?

Elena ficou chocada. Mais do que chocada. Mas no instante seguinte o ódio desaparecera do rosto dele.

— Pelo menos posso olhar para você. Eu tinha... uma foto. Que eles tomaram de mim, é claro. Cortaram, bem devagar, obrigando-me a ver. Me obrigaram a cortar também. Se eu não cortasse, eles...

— Ah, *querido*! Stefan, meu amor! *Olhe para mim*. Ouça o barulho. Bloddeuwedd está destruindo tudo, porque eu roubei a outra metade da chave do ninho dela, Stefan, e eu não sou um sonho. Não está vendo? *Alguma vez* eles te mostraram isso? — Ela estendeu a mão com o anel de raposa duplo. — Agora... Agora... Onde eu o coloco?

— Você é quente. As grades são frias — disse Stefan, segurando sua mão e falando como se recitasse algo de um livro infantil.

— Aqui! — Elena gritou, triunfante. Ela não precisava tirar o anel. Stefan segurava sua outra mão, e esta união funcionou perfeitamente. Ela o colocou diretamente num pequeno buraco circular na parede. Depois, quando nada aconteceu, ela girou para a direita. Nada. Esquerda.

A grade da cela lentamente começou a se levantar.

Elena mal acreditava no que estava acontecendo, e por um instante achou que estava tendo uma alucinação. Depois, quando virou rapidamente para olhar o chão, viu que a grade já estava pelo menos 30 centímetros acima dele.

E ela olhou para Stefan, que estava de pé novamente.

Os dois se ajoelharam. Teriam se deitado e se retorcido como cobras, se fosse preciso, tal era a necessidade de se tocarem. Os suportes horizontais da grade não permitiam que ficassem de mãos dadas enquanto a grade se levantava.

Quando a grade estava acima da cabeça de Elena e ela já estava abraçada a Stefan — *ela segurava Stefan em seus braços!* —, alarmada ao sentir os ossos das mãos dele, mas *abraçando-o*, e ninguém podia lhe dizer que ele era uma alucinação ou um sonho; e se ela e Stefan tivessem de morrer juntos, morreriam juntos. Nada importava, contanto que nunca mais se separassem.

Ela cobriu de beijos aquele rosto ossudo e desconhecido. Era estranho, não havia nenhuma barba meio crescida e desordenada, mas os vampiros não tinham barba, a não ser que as tivessem quando se tornaram vampiros.

E então havia outras pessoas na cela. Boas pessoas. Gente rindo e chorando, ajudando-a a improvisar uma liteira com lençóis fedorentos e o catre de Stefan, e ninguém se atreveu a gritar quando os piolhos saltaram, porque todo mundo sabia que Elena teria se virado e rasgado suas gargantas como Sabber. Ou melhor, como Sabber, mas segundo a Srta. Courtland, *com sentimento*. Para Sabber seria mais um trabalho.

E de algum modo — as coisas ficaram estranhas — Elena olhava a face amada de Stefan e segurava sua liteira, e disparava — ele não pesava nada — por um corredor diferente do que aquele em que lutou, e abriu caminho, empurrando e se debatendo ao entrar. Ao que parecia, todo o contingente da Shi no Shi escolhera o outro corredor. Devia haver um lugar seguro para eles no final daquele lado.

E ao se perguntar como um rosto podia ser tão puro, lindo e perfeito, mesmo quando parecia quase uma caveira, Elena pensava, posso correr e me abaixar. E ela se curvou sobre Stefan e seu cabelo formou um escudo em volta deles, de modo que só havia os dois ali. Todo o mundo fora isolado e eles estavam sozinhos. Elena disse em seu ouvido:

— Por favor, precisamos que seja forte. Por favor... Por mim. Por favor... Por Bonnie. Por favor... Por Damon. Por f...

Ela teria continuado a citar todos os nomes, e provavelmente repetiria alguns, mas já era demais. Depois de sua longa privação, Stefan não tinha coragem de contrariá-la. Sua cabeça se ergueu de repente e Elena sentiu mais dor do que a de costume, porque ele estava no ângulo errado, e ela ficou *feliz* porque Stefan tinha perfurado uma veia e o sangue escorria para a boca dele num fluxo estável.

Eles tiveram de reduzir o ritmo, ou Elena teria tropeçado e tingido a face de Stefan de rubro, como a de um demônio, mas eles ainda corriam. Alguém os guiava.

E muito de repente, pararam. Elena, de olhos fechados, com a mente fixa na de Stefan, não teria olhado para cima, para ver o mundo. Mas no momento seguinte eles se moveram novamente e ela teve a sensação de que estava em outro lugar. Elena percebeu que estavam no saguão e ela precisava ter certeza do que todos sabiam.

Agora está a nossa esquerda, ela enviou a Damon. *Fica perto da frente do prédio. É uma porta com vários símbolos no alto.*

Acho que sei do que está falando, enviou Damon de volta secamente, incapaz de esconder duas coisas dela. Uma era que ele estava feliz, verdadeiramente feliz ao sentir a euforia de Elena, e saber que foi ele, na maior parte, que tinha provocado isso.

A outra era simples. Que se tivesse de escolher entre a sua vida e a vida do irmão, ele daria a própria vida. Por Elena, por seu próprio orgulho.

Por Stefan.

Elena não se apegou a essas coisas secretas que não tinha o direito de saber. Simplesmente as recebeu, deixando Stefan senti-las em toda sua genuína vibração, e se certificou de que não havia reação que informasse a Damon que Stefan sabia. Os anjos cantavam no paraíso por ela. As pétalas da rosa Black Magic eram espalhadas por seu corpo. Algumas pombas voaram e ela sentiu suas asas. Ela estava feliz.

Mas não estava segura.

Só percebeu isso ao entrar no saguão, mas eles tiveram muita sorte porque a Porta Dimensional ficava daquele lado. Bloddeuwedd destruíra todo o outro lado, que desmoronara num monte que não passava de madeira lascada. A rixa entre Elena e Bloddeuwedd pode ter começado como uma discussão entre uma anfitriã que pensava que sua convidada infringira as regras da casa e uma convidada que só queria fugir, mas depois tornara-se uma guerra mortal. E o modo como vampiros, lobisomens, demônios e outras criaturas da Dimensão das Trevas reagiram, mostrava que havia uma comoção. Os Guardiões estavam bem ocupados, tentando manter as pessoas fora do prédio. Cadáveres estavam espalhados pela rua.

Ah, meu Deus, as pessoas! As pobres pessoas!, pensou Elena, à medida que a cena chegava a seu campo de visão. Quanto aos Guardiões — que mantinham o lugar limpo e lutavam com Bloddeuwedd por ela —, que Deus os abençoe por isso, pensou Elena, imaginando um saguão de pé momentos antes de entrar correndo com Stefan. Mas eles estavam realmente sozinhos.

— Agora precisamos de sua chave de novo, Elena — era a voz de Damon, pouco acima dela.

Elena gentilmente tirou Stefan de seu pescoço.

— Só por um instante, meu amor. Só um segundo.

Olhando a porta, Elena ficou confusa por um tempo. Havia um buraco, mas nada aconteceu quando ela colocou o anel e o empurrou, apertou, ou girou para esquerda ou direita. Pelo canto do olho ela viu uma sombra escura no alto, que considerou irrelevante e que se aproximou gritando para ela, com as garras de aço estendidas.

Não havia teto. As garras de Bloddeuwedd o haviam arrancado completamente.

Elena sabia disso.

Porque de algum modo, de repente, Elena viu toda a situação, não só sua participação nela, mas como se fosse alguém fora de seu corpo, que sabia de muito mais coisas do que a pequena Elena Gilbert.

Os Guardiões estavam aqui para evitar danos colaterais.

Eles podiam impedir Bloddeuwedd, ou não.

Elena também sabia disso.

Todos os que fugiam pelo outro corredor fizeram o que uma presa normalmente faz. Dispararam para o fundo da toca. Havia uma enorme sala segura ali.

De algum modo, Elena sabia disso.

Mas agora, num borrão, Bloddeuwedd viu aqueles que estava perseguindo, os ladrões de ninho, aqueles que destruíram para sempre um de seus imensos olhos redondos e laranja que enxer-

gavam longe, e que cortaram seu outro olho tão fundo que se enchia de sangue.
Elena podia sentir isso.
Bloddeuwedd culpava-os pelo seu ferimento no bico. Os criminosos, os selvagens, aqueles que ela cortaria em pedaços aos pouquinhos, um membro de cada vez, passando de um a outro enquanto arrebanhava cinco ou seis nas garras, ou enquanto os observava, incapazes de fugir por faltar uma perna, retorcendo-se abaixo dela.
Elena podia sentir isso.
Acima dela.
Bem agora... Eles estavam diretamente abaixo de Bloddeuwedd.
Bloddeuwedd mergulhou.
— Sabber! Talon! — gritou Sage, mas Elena sabia que não haveria distração. Não haveria nada a não ser morte e destruição e, lentamente, os gritos ecoando da única parede do saguão.
Elena podia imaginar isso.
— Não vai abrir, droga — gritou Damon. Ele estava manipulando o pulso de Elena para mover a chave no buraco. Mas por mais que empurrasse ou puxasse, nada acontecia.
Bloddeuwedd estava quase em cima deles.
Ela acelerou, lançando imagens telepáticas diante de si.
Tendões se esticando, articulações rompendo-se, ossos se espatifando...
Elena sabia...
NÃÃÃÃOOOO!
Elena não aguentou mais de raiva.
De repente ela viu tudo o que precisava saber em uma única revelação. Mas era tarde demais para colocar Stefan porta adentro, então a primeira coisa que gritou foi "*Asas da Proteção!*"
Bloddeuwedd, a uns 2 metros de distância, bateu numa barreira impenetrável. Chocou-se com a velocidade de um carro de corrida e como se fosse um avião de médio porte.

O terror explodiu o bico primeiro nas asas de Elena. As asas eram verde-claras no alto, pontilhadas de esmeraldas faiscantes, e num tom de rosa que lembrava o amanhecer, coberto de cristais, na base. As asas envolveram seis humanos e dois animais — e eles não se atreveram a se mexer quando Bloddeuwedd caiu.

Bloddeuwedd se fez de morta.

Fechando os olhos, e tentando não pensar na donzela que tinha sido feita de flores (e que matara o marido!, disse Elena a si mesma desesperadamente), com os lábios secos e um líquido escorrendo pelo rosto, Elena se voltou novamente para a porta. Pôs o anel e ali verificou se estava na posição certa.

E disse:

— Fell's Church, Virginia, Estados Unidos, Terra. Perto do pensionato, por favor.

Já era mais de meia-noite. Matt dormia na cama de armar, enquanto a Sra. Flowers dormia no sofá, quando de repente foram despertados por um barulho.

— Mas o que foi isso? — A Sra. Flowers se levantou e olhou pela janela, que devia estar escura.

— Cuidado, Sra. Flowers — disse Matt automaticamente, mas não pôde deixar de acrescentar: — O que foi? — Como sempre, esperava o pior e se certificava de que o revólver com as balas abençoadas estivesse por perto.

— É... Luz — disse a Sra. Flowers, com a voz fraca. — Não sei o que dizer sobre isso. É luz.

Matt via a luz, lançando sombras no chão do bunker. Não ouviu trovão nenhum, não desde que acordou. Apressadamente, ele correu para se juntar à Sra. Flowers na janela.

— Você já...? — exclamou a Sra. Flowers, levantando as mãos e baixando-as de novo. — O que pode ser isso?

— Não sei, mas me lembro de todo mundo falando das linhas de força. Linhas de Poder no chão.

— Sim, mas essas correm pela superfície da Terra. Não sobem, assim, como... Como uma fonte! — disse a Sra. Flowers.

— Mas eu soube que sempre que três linhas de força se encontram... Acho que foi Damon quem disse isso... Elas podem formar um portal. Talvez para onde eles foram.

— Deus do céu — disse a Sra. Flowers. — Quer dizer que acha que uma daquelas coisas de Portal está *aqui*? Talvez sejam eles, voltando.

— Não pode ser. — O tempo que Matt passou com esta idosa o fez não só respeitá-la, mas também amá-la. — Mesmo assim, acho que não devemos sair.

— Matt, querido, você é de grande ajuda para mim — murmurou a Sra. Flowers.

Matt não entendia bem como. Toda a comida e água armazenadas que estavam usando era dela. Até a cama de armar era dela.

Se ele estivesse sozinho, podia ter ido ver essa... coisa extraordinária. Três pontos de luz brilhavam inclinados no chão, de modo que se encontravam pouco acima da altura de um ser humano. Luzes fortes. E se intensificavam a cada minuto.

Matt prendeu a respiração. Três linhas de força, hein? Meu Deus, devia ser uma invasão de monstros.

Ele não se atreveu a ter esperanças.

Elena não sabia se precisava dizer Estados Unidos ou Terra, nem mesmo se a porta *podia* levá-la a Fell's Church, ou se Damon teria lhe dado o nome de algum portal que estava fechado. Mas... certamente... com todas aquelas linhas de força...

A porta se abriu, revelando uma saleta como um elevador.

Sage perguntou em voz baixa:

— Vocês quatro podem carregá-lo e lutar ao mesmo tempo?

— E — depois de um segundo para entender o que isto significava — três gritos de protesto, em três vozes femininas.

— Não! Ah, por favor, não!, Ah, não nos *deixe*! — implorava Bonnie.

— Não vem para casa com a gente? — perguntou Meredith, franca e direta.

— Eu *ordeno* que você entre... E rápido! — disparou Elena.

— Que mulher mandona — resmungou Sage. — Bem parece que o Grande Pêndulo está balançando de novo. Eu sou apenas um homem. Obedeço.

— O quê? Quer dizer que você vem? — exclamou Bonnie.

— Quer dizer que vou, sim. — Gentilmente, Sage pegou o corpo esgotado de Stefan nos braços e entrou no cubículo. Diferentemente das que Elena usou antes, esta parecia funcionar como um elevador ativado por voz... Assim ela esperava. Afinal, Shinichi e Misao só precisavam de uma chave cada um. Aqui, eram várias pessoas querendo ir para o mesmo lugar ao mesmo tempo.

Assim ela esperava também.

Sage afastou aos chutes o antigo leito de Stefan. Alguma coisa caiu no chão.

— Oh... — Impotente, Stefan estendeu a mão para o objeto. — É meu diamante, Elena. Alguém pegue, por favor...

— Tem muito mais de onde ele veio — disse Meredith.

— É importante para ele — disse Damon, que já estava do lado de dentro. Em vez de se espremer mais no elevador, que podia desaparecer a qualquer segundo, que podia ir para Fell's Church antes que ele pudesse dar as costas, ele andou pelo saguão, olhou bem perto do chão e se ajoelhou. Depois, rapidamente, estendeu a mão, levantou-se e correu para o elevador.

— Quer segurar ou eu cuido disso?

— Segure você... Por mim. Cuide dele.

Qualquer um que conhecesse o histórico de Damon, especialmente com relação a Elena ou até a um antigo diamante que pertencera a Elena, teria dito que Stefan devia estar louco. Mas Stefan não era louco.

Ele fechou a mão na do irmão que segurava o diamante.

— E eu seguro sua mão — disse ele com um sorriso fraco.

— Não sei se alguém está interessado — disse Meredith —, mas só tem um botão dentro dessa engenhoca.

— Aperte! — gritaram Sage e Bonnie, mas Elena gritou mais alto:

— Não... *Espere!*

Ela viu alguma coisa. Do outro lado do saguão, os Guardiões eram incapazes de impedir que um único cidadão, aparentemente desarmado, entrasse na sala e atravessasse o saguão em um deslizar gracioso de passos largos. Devia ter mais de 1,80m de altura, usava um colete e calças inteiramente brancos, que combinavam com seu cabelo branco comprido, tinha orelhas alertas de raposa e uma longa cauda sedosa que ondulava atrás dele.

— Feche a porta! — berrou Sage.

— Ah, *meu Deus!* — murmurou Bonnie.

— Alguém pode me dizer que diabos está acontecendo? — rosnou Damon.

— Não se preocupe. É só um companheiro da prisão. Um companheiro silencioso. Ei, você saiu também! — Stefan sorria, e isso bastou para Elena. Então o intruso estendeu alguma coisa para ele que, bem, não podia ser o que parecia, mas agora que estava cada vez mais perto, *parecia* um buquê de flores.

— Isso *é* ou não um kitsune? — perguntou Meredith, como se o mundo tivesse enlouquecido em volta dela.

— Um prisioneiro... — disse Stefan.

— UM LADRÃO! — gritou Sage.

— Silêncio! — disse Elena. — Ele pode ouvir, mesmo que não possa falar.

Então o kitsune estava junto deles. Encarou Stefan, depois olhou rapidamente para os outros e estendeu o buquê, que estava bem embrulhado em plástico e tinha uns adesivos longos com inscrições mágicas.

— Isto é para Stefan — disse ele.

Todo mundo, inclusive Stefan, ofegou.

— Agora preciso lidar com alguns guardiões tediosos. — Ele suspirou. — E você deve apertar o botão para fazer a sala andar, linda — disse ele a Elena.

Elena, que por um momento ficou fascinada com o movimento de uma cauda peluda pelas calças sedosas, de repente ficou escarlate. Lembrava-se de algumas coisas. Algumas coisas que pareciam muito diferentes... Em um calabouço solitário... No escuro da noite artificial...

Ah, bom. Melhor se fingir de corajosa.

— Obrigada — disse ela, e apertou o botão. As portas começaram a se fechar. — Obrigada de novo! — acrescentou ela, curvando-se um pouco para o kitsune. — Meu nome é Elena.

— *Yoroshiku*. Eu sou...

A porta se fechou entre eles.

— Você enlouqueceu? — exclamou Sage. — Aceitando um buquê de uma raposa!

— Você é que parece conhecê-lo, *Monsieur* Sage — disse Meredith. — Qual é o nome dele?

— Eu *não* sei o nome dele! Só *sei* que ele roubou três quintos do Tesouro do Convento do Sena que eram meus! Tudo o que eu sei é que ele é um especialista em roubar nas cartas! Aaahhhh!

Este último não foi um grito de raiva, era um alerta, porque o elevador se movia lateralmente, descendo, quase parando, antes de voltar a seu movimento constante.

— Isso vai mesmo nos levar a Fell's Church? — perguntou Bonnie timidamente, e Damon a abraçou.

— Certamente vai nos levar a algum lugar — prometeu ele.

— Mas depois damos um jeito. Somos um belo grupo de sobreviventes.

— O que me lembra de uma coisa — disse Meredith. — Acho que Stefan está melhor. — Elena, que estivera ajudando a protegê-lo do movimento do elevador dimensional, olhou para Meredith rapidamente.

— Acha mesmo? Ou é só a luz? Acho que ele devia se alimentar — disse ela com ansiedade.

Stefan corou e Elena colocou os dedos nos lábios dele para impedir que tremessem. *Não, meu amor*, disse ela quase sem voz. *Cada uma dessas pessoas esteve disposta a dar a vida por você... Ou por mim... Por nós. Eu sou saudável. Ainda estou sangrando. Por favor, não desperdice isso.*

Stefan murmurou:

— Vou estancar o sangramento. — Mas quando ela se curvou para ele, como sabia que aconteceria, ele bebeu.

42

Nessa altura Matt e a Sra. Flowers não podiam mais ignorar as luzes ofuscantes. Tinham de sair dali.

Mas assim que Matt abriu a porta, houve... Bom, Matt não sabia que era. Algo explodiu no chão e subiu ao céu, e começou a se afastar deles, ficando cada vez menor, até tornar-se uma estrela e desaparecer.

Será que era um meteoro que atravessara a Terra? Mas isso não implicava tsunamis, terremotos, incêndios e talvez até a Terra rachando? Se um meteoro foi capaz de matar todos aqueles dinossauros...

A luz que ficara brilhando no alto desaparecia aos poucos.

— Ora, Deus nos abençoe — disse a Sra. Flowers com a voz baixa e trêmula. — Matt, querido, você está bem?

— Sim, senhora. Mas... — Matt não suportou a pressão. — Que *diabos* era aquilo?

E, para sua surpresa, a Sra. Flowers disse:

— Foi o que pensei também!

— Espere... Tem alguma coisa se mexendo! Volte!

— Matt, querido, cuidado com essa arma...

— Tem gente aqui! Ah, meu Deus! *É Elena.* — De repente Matt se sentou no chão. Agora só conseguia falar aos sussurros. — *Elena.* Ela está viva. *Ela está viva!*

Pelo que Matt podia ver, havia um grupo de pessoas subindo e ajudando umas as outras a subir por um buraco perfeitamente retangular, talvez de 1,5m de profundidade, na trilha de angélicas da Sra. Flowers.

Eles ouviram vozes.

— Tudo bem — dizia Elena, enquanto se curvava. — Agora segure minhas mãos.

Mas ela usava roupas estranhas! Uma tira escarlate que mostrava todo tipo de arranhões e cortes nas pernas. No alto — bom, os restos do vestido cobriam o que um biquíni cobriria. E ela estava com as joias mais reluzentes que Matt vira na vida.

Mais vozes, para o choque de Matt.

— Cuidado, sim? Vou levantá-lo para você...

— Posso subir sozinho. — Sem dúvida era *Stefan!*

— Viu só? — Elena estava feliz. — Ele disse que pode subir sozinho!

— *Oui*, mas quem sabe só um empurrãozinho...

— Não é hora para machismo, meu irmãozinho. — E *este*, pensou Matt, segurando o revólver, era Damon. Balas abençoadas...

— Não, eu quero... fazer isso sozinho... Tudo bem... Consegui. Pronto.

— Pronto! Viu? Ele está melhor a cada segundo! — entoou Elena.

— Cadê o diamante? Damon? — Stefan parecia ansioso.

— Está seguro comigo. Relaxe.

— Quero segurá-lo. Por favor.

— Mais do que a mim? — perguntou Elena. Stefan de repente apagou e no instante seguinte estava deitado nos braços de Elena, enquanto ela dizia, "Calma, calma".

Matt olhava aquilo tudo. Damon estava bem atrás deles, quase como se fosse seu lugar de direito.

— Vou cuidar do diamante — disse ele. — Você cuida da sua garota.

— Com licença... Desculpe, mas... Alguém pode, *por favor*, me ajudar a subir? — E essa era Bonnie! Bonnie, queixosa, mas não parecia estar com medo, nem infeliz. Bonnie rindo! — Pegamos todos os sacos com as esferas estelares?

— Pegamos todos que achamos naquela casa. — E esta era Meredith. Graça a Deus. Todas conseguiram. Mas apesar de sua alegria em ver os amigos, seus olhos eram mais uma vez atraídos a uma figura — aquela que parecia supervisionar as coisas — a de cabelos dourados.

— *Precisamos* das esferas estelares porque uma delas pode ser... — começava ela quando Bonnie exclamou:

— Ah, olha! Olha! A Sra. Flowers e Matt!

— Ora, Bonnie, eles não estariam esperando por nós — disse Meredith.

— Onde? Bonnie, onde? — perguntou Elena.

— Se forem Shinichi e Misao disfarçados, eu vou... Ei, Matt!

— Alguém, por favor, pode *me* dizer onde?

— Bem ali, Meredith!

— Ah! Sra. Flowers! Hmmm... Espero que não tenhamos acordado a senhora.

— Eu nunca tive um despertar mais feliz — dizia a Sra. Flowers solenemente. — Estou vendo o que vocês deram uma passada na Dimensão das Trevas. Vocês... não estão com roupas suficientes...

Um silêncio súbito. Meredith olhou para Bonnie. Bonnie olhou para Meredith.

— Sei que essas roupas e joias podem parecer meio demais... Matt enfim conseguiu falar.

— Joias? São *verdadeiras*?

— Ah, não são nada. E estamos todos sujos...

— Perdoem-me. Estamos fedendo... E a culpa é minha... — começou Stefan, mas Elena o interrompeu.

— Sra. Flowers, Matt, Stefan estava preso durante e esse tempo todo! Passou fome e foi torturado... Ah, meu Deus!

— Elena, shhh. Você me salvou.

— Nós o salvamos. Agora, nunca mais vou deixar você ir. Nunca, nunca.

— Calma, amor. Eu preciso mesmo de um banho e... — Stefan parou de repente. — Não tem grade de ferro! Nada que diminua meus Poderes! Eu posso... — Ele se afastou um pouco de Elena, que o segurou com uma das mãos. Houve um clarão suave e prateado, como uma lua cheia aparecendo e desaparecendo no meio deles.

— Vocês aí! — disse ele. — Quem não quiser os malditos parasitas, posso cuidar disso.

— Está falando comigo — disse Meredith. — Tenho medo de pulgas, e Damon nunca me deu nenhum remédio. Esse é meu amo!

Eles riram, Matt não entendeu a piada. Meredith estava usando... Bom, só podiam ser joias falsas — mas ainda *pareciam* valer uma fortuna.

Stefan pegou a mão de Meredith. Houve o mesmo clarão suave. E Meredith recuou.

— Obrigada.

— *Eu* é que agradeço, Meredith — Stefan respondeu em uma voz baixa. O vestido azul de Meredith pelo menos estava inteiro, observou Matt.

Bonnie — cujo vestido tinha sido cortado em tiras da cor das estrelas — levantava a mão.

— Eu também, por favor!

Stefan pegou sua mão e aconteceu tudo de novo.

— Obrigada, Stefan! Ooooh! Eu me sinto muito melhor! Odeio me coçar!

— Eu é que agradeço, Bonnie. Odeio lembrar que eu estava morrendo sozinho.

— Os outros vampiros, cuidem-se sozinhos! — disse Elena, como se tivesse uma prancheta e verificasse os itens. — E Stefan, por favor... — Ela estendeu as mãos para ele.

Ele se ajoelhou diante dela, beijou suas duas mãos, depois os envolveu na luz branca e suave.

— Mas eu ainda quero um banho... — disse Bonnie num tom suplicante, enquanto o novo vampiro, o alto e forte, e Damon lançavam um brilho de luar em volta deles mesmos.

A Sra. Flowers falou.

— A casa tem quatro banheiros: no quarto de Stefan, no meu nos dois quartos ao lado do de Stefan. Fiquem à vontade.

Vou providenciar uns sais de banho para vocês agora mesmo.
— E acrescentou, estendendo os braços para todo o bando maltrapilho, ensanguentado e sujo: — Sintam-se em casa, meus queridos.

Houve um coro de agradecimentos sinceros.

— Vou organizar um rodízio. Stefan precisa se alimentar. Se as meninas puderem ajudar... — acrescentou Elena rapidamente, olhando para Bonnie e Meredith. — Ele não precisa de muito, só um pouquinho a cada hora até amanhecer.

Elena ainda parecia ter vergonha de Matt. Ele também, mas avançou um passo, as mãos vazias estendidas para mostrar que era inofensivo.

— Só podem meninas? Porque eu também tenho sangue e sou saudável como um cavalo.

Stefan rapidamente olhou para ele.

— Não precisa ser só meninas. Mas você não precisa...

— Quero ajudar você.

— Tudo bem, então. Obrigado, Matt.

A resposta adequada parecia ser "Obrigado, Stefan", mas Matt não conseguiu pensar em nada até que não fosse, "Obrigado por cuidar de Elena".

Stefan sorriu.

— Agradeça a Damon por isso. Ele e os outros me ajudaram... E se ajudaram mutuamente.

— Também levamos cachorros para passear... Sage está aí como prova — disse Damon com ironia.

— Ah... O que me lembra de uma coisa. Eu devia usar o truque de desinsetização com meus dois amigos. Sabber! Talon! Eia! — Ele acrescentou um assovio que Matt jamais conseguiria imitar.

De qualquer forma, Matt estava vivendo num sonho. Um cachorro imenso, quase do tamanho de um pônei, e um falcão saíram da escuridão.

— Agora — disse o vampiro forte, e mais uma vez a luz suave brilhou.

E depois:

— Pronto. Se não se importa, prefiro dormir ao ar livre com meus amigos. Agradeço toda a sua gentileza, *Madame*, e meu nome é Sage. O falcão é Talon; o cão, Sabber.

— Reivindico o banheiro de Stefan para nós dois — disse Elena —, e o da Sra. Flowers para as meninas. Vocês, meninos, podem se virar sozinhos.

— Eu — disse a Sra. Flowers — vou preparar alguns sanduíches. — E se virou para entrar.

Foi quando Shinichi surgiu da terra.

Ou melhor, quando seu rosto surgiu. Era uma ilusão, mas uma ilusão apavorante e incrível. Shinichi parecia estar mesmo ali, como um gigante que sustentava o mundo nos ombros. A parte preta de seu cabelo misturava-se com a noite, mas as pontas escarlate formaram um halo flamejante em volta de seu rosto. Depois de sair de uma terra dominada por um sol vermelho gigantesco, noite e dia, eram conceitos estranhos.

Os olhos de Shinichi também eram vermelhos, como duas pequenas luas no céu, e focalizavam o grupo perto da casa da Sra. Flowers.

— Olá — disse ele. — O que foi, ficaram surpresos? Não deveriam. Eu não os deixaria voltar sem aparecer para cumprimentá-los. Afinal, já se passou muito tempo... Para alguns de vocês — disse o rosto gigantesco, sorrindo com malícia. — Além disso, é claro, para comemorar... Nós salvamos o pequeno Stefan e, meu Deus, até lutamos com uma galinha gigante para conseguir isso.

— Queria ver você enfrentar Bloddeuwedd sozinho, e pegar a chave secreta de ninho dela, tudo ao mesmo tempo — começou Bonnie, mas parou quando Meredith apertou seu braço.

Sage, enquanto isso, murmurava alguma coisa sobre o que sua própria "galinha gigante", Talon, faria, se Shinichi tivesse a coragem de aparecer pessoalmente.

Shinichi ignorou tudo isso.

— Ah, sim, e a ginástica mental por que tiveram de passar. Verdadeiramente formidável. Bem, nunca mais os tomarei por idiotas obtusos que jamais perguntam *por que* minha irmã lhes deu uma pista, e muito menos pistas que Forasteiros não podem entender. Quer dizer — ele olhou de viés — por que não engolir a chave, antes de mais nada, não é mesmo?

— Está blefando — disse Meredith sem rodeios. — Você nos subestimou, pura e simplesmente.

— Talvez — disse Shinichi. — Ou talvez fosse algo completamente diferente.

— Você perdeu — disse Damon. — Sei que isso pode ser novidade para você, mas é a verdade. Elena adquiriu um controle muito maior de seus Poderes.

— Mas será que funcionarão aqui? — Shinichi sorriu de um jeito sinistro. — Ou de repente desaparecerão na luz de um sol amarelo claro? Ou nas profundezas da verdadeira escuridão?

— Não deixe que ele a iluda, *madame* — gritou Sage. — Seus poderes vêm de um lugar em que ele não pode entrar!

— Ah, sim, o renegado. O filho rebelado do Rebelado. Qual será seu nome desta vez? Cage? Rage? O que será que essas crianças vão pensar quando souberem quem você *realmente* é?

— Não importa quem ele seja — gritou Bonnie. — Nós o conhecemos. Sabemos que ele é um vampiro, mas é gentil e generoso, e nos ajudou várias vezes. — Ela fechou os olhos, mas teve de se escorar quando a gargalhada tempestuosa de Shinichi fez tudo voar.

— Então, *"Madame"* — zombou Shinichi —, acha que conquistou "Sage". Mas será que conhece o que no xadrez chamamos de "gambito"? Não? Bem, tenho certeza de que sua amiga inteligente ficará feliz em lhe contar.

Houve uma pausa. Depois Meredith disse, sem expressar nada:

— Gambito é quando um jogador de xadrez sacrifica alguma coisa... por exemplo, um peão... deliberadamente... para conseguir outra coisa. Uma posição no tabuleiro que ele queira, por exemplo.

— Eu sabia que você poderia explicar. O que acha de nosso primeiro gambito?

Outro silêncio, depois Meredith falou:

— Imagino que queira dizer que nos devolveu Stefan para pegar algo melhor.

— Ah, se você tivesse cabelos dourados... Como sua amiga Elena tão generosamente exibiu.

Ninguém entendeu nada e todos olharam para Shinichi. Alguns para Elena.

Que prontamente explodiu.

— Você pegou as lembranças de Stefan?

— Ora, ora, nada tão drástico, meu bem. Mas uma bela jogadora que a cada partida revela um truque diferente... Ela sim ajudou muito.

Elena voltou o olhar para o rosto gigante com o mais completo desdém.

— Seu... *grosso*.

— Ah, estou ofendidíssimo. — Mas a verdade era que o rosto gigante de Shinichi parecia magoado —, furioso e perigoso. — Sabem quantos de vocês, amigos íntimos, escondem segredos? É claro que Meredith é a rainha dos segredos, escondendo os dela dos amigos por todos esses anos. Você acha que já arrancou tudo dela, mas o melhor ainda está por vir. E é claro que temos o segredo de Damon.

— Que se for contado aqui e agora provocará uma guerra imediata — disse Damon. — E sabe de uma coisa, é estranho, mas tenho a sensação de que você apareceu esta noite para negociar.

Desta vez a gargalhada de Shinichi era realmente um vendaval e Damon teve de saltar para trás de Meredith, evitando que ela fosse jogada no buraco feito pelo elevador.

— Muito nobre — falou Shinichi novamente num trovão, quebrando alguns vidros das janelas da Sra. Flowers. — Mas preciso mesmo ir. Deixo uma lista com as recompensas que vocês ainda têm de procurar antes que o grupinho possa se olhar nos olhos?

— Acho que já os temos. E você não é mais bem-vindo a esta casa — disse a Sra. Flowers friamente.

Mas a mente de Elena ainda trabalhava. Mesmo parada ali, sabendo que Stefan precisava dela, ela tentava entender o que havia por trás disso: o segundo gambito de Shinichi. Porque Elena tinha certeza de que este era o primeiro.

— Onde estão as fronhas? — perguntou ela numa voz incisiva que assustou todos.

— Eu estava com uma, mas a entreguei a Sabber. — Sage disse.

— Eu estava segurando uma, mas larguei quando alguém me puxou, deve estar no fundo do buraco. — disse Bonnie.

— Ainda estou com uma, mas não entendo de que adianta... — começou Damon.

— Damon! — Elena se virou para ele. — Confie em mim! Temos a sua e a de Sage em segurança... *e a de Bonnie no buraco?*

No momento em que ela disse *"confie em mim"*, Damon largou sua fronha por cima da de Sage e pulou no buraco, que ainda era tão brilhante das linhas de força que feria os olhos de um vampiro.

Mas Damon não reclamou.

— Peguei!... Não, espere! Uma raiz! Uma maldita raiz se enroscou numa das esferas! Alguém me passe uma faca, rápido!

Enquanto todos procuravam uma faca nos bolsos, Matt fez uma coisa que deixou Elena de boca aberta. Primeiro olhou para o buraco de 1,5m de profundidade enquanto apontava — um revólver, era isso? Sim... Ela reconheceu o gêmeo do revolver de Meredith. Depois, sem tentar descer calmamente, ele simplesmente saltou no buraco, como Damon fizera.

— VOCÊ NÃO VAI QUERER SABER... — rugiu Shinichi, mas ninguém prestava atenção nele.

O salto de Matt não terminou tão leve como o de Damon. Matt ofegou e soltou um palavrão abafado, mas não perdeu tempo; ainda de joelhos, passou a arma a Damon.

— Balas abençoadas... Atire!

Damon agiu muito rápido. Destravou a arma rapidamente e mirou na raiz, que agora disparava para a parede macia do buraco, com a ponta enrolada em uma esfera.

Elena ouviu dois disparos do revólver; três. Depois Damon avançou e pegou uma bola enrolada em ramos, mediana e clara como cristal onde sua verdadeira superfície podia ser vista.

— *Abaixe isto!* — Shinichi estava com muita raiva. Os dois pontos vermelhos dos olhos eram como chamas, como luas em brasa. Ele parecia querer que obedecessem pelo volume de seus gritos, — EU DISSE, NÃO ENCOSTE SUAS MÃOS HUMANAS IMUNDAS NISSO!

— Ah, meu Deus! — Bonnie ofegou.

— É de Misao... Só pode ser — disse Meredith simplesmente.

— Ele arriscou a dele; mas não com a dela. Damon, passe para mim, junto com o revólver. Aposto que não é à prova de balas.

— Ela se ajoelhou, estendendo a mão para o buraco.

Damon, com a sobrancelha erguida, obedeceu.

— Ah, meu Deus — gritou Bonnie, da beira do buraco. — Matt torceu o tornozelo... Só faltava essa.

— EU AVISEI — rugiu Shinichi. — VOCÊS VÃO SE ARREPENDER...

— Espere — disse Damon a Bonnie, sem dar a mínima para Shinichi. Sem fazer alarde, ele pegou Matt e voou para fora do buraco. Colocou o rapaz louro ao lado de Bonnie, que arregalou os olhos castanhos numa completa confusão.

Matt, porém, era um legítimo habitante da Virgínia. Depois de engolir em seco uma vez, soltou um "Obrigado, Damon".

— Tudo bem, Matt — disse Damon e, quando alguém ofegou:
— O que foi?

— Você acertou — exclamou Bonnie. — Lembrou do nom... Meredith! — ela se interrompeu, olhando a menina alta. — A grama!

Meredith, que estivera examinando a esfera estelar com uma expressão estranha, agora atirou o revólver para Damon e tentou com a mão livre rasgar a grama que se entrelaçava em seus pés e já subia pelo tornozelo. Mas ao fazer isso, a grama parecia subir ainda mais e pegar sua mão, prendendo-a juntos com os pés. E agora brotava, crescia, disparando corpo acima para a esfera que ela segurava no alto.

Ao mesmo tempo, apertava seu peito, expulsando o ar dos pulmões.

Tudo aconteceu tão rápido que foi só quando ela disse, ofegante, "Alguém pegue a esfera", que os outros correram para ajudá-la. Bonnie foi a primeira a chegar e tentou rasgar com as unhas a vegetação que apertava o peito de Meredith. Mas cada folha era como aço, e ela não conseguiu arrancar nenhuma. Nem Matt ou Elena. Enquanto isso, Sage tentava levantar o corpo de Meredith — para afastá-la da terra — mas não teve mais sucesso que os demais.

O rosto de Meredith, claramente visível na luz que ainda brilhava do buraco, empalidecia.

Damon tirou a esfera das mãos de Meredith pouco antes de a grama emaranhada subir por seu braço e alcançá-la. Ele andou de um lado para outro mais rápido do que o olho humano podia acompanhar, sem parar em um lugar por tempo suficiente para ser agarrado por qualquer planta.

Mas ainda assim a grama em volta de Meredith a apertava. Agora seu rosto estava ficando azul. Os olhos estavam arregalados, a boca aberta para uma respiração que não lhe vinha.

— Pare! — gritou Elena a Shinichi. — Vamos lhe dar a esfera! Solte-a!

— SOLTAR A *MENINA*? — berrou Shinichi, rindo. — TALVEZ SEJA MELHOR CUIDAR PRIMEIRO DE SEUS PRÓPRIOS INTERESSES ANTES DE ME PEDIR UM FAVOR.

Assustada, Elena olhou em volta — e viu que a grama tinha quase completamente envolvido um Stefan ajoelhado, fraco demais para se mover com a rapidez dos outros.

E ele não soltou um gemido sequer para chamar atenção para si.

— *Não!* — O grito desesperado de Elena tragou o riso de Shinichi. — Stefan! Não! — Mesmo sabendo que era inútil, ela se atirou nele e tentou arrancar a grama de seu peito magro.

Stefan simplesmente lhe abriu o mais fraco dos sorrisos e balançou a cabeça com tristeza.

Foi quando Damon parou. Estendeu a esfera para o semblante ameaçador de Shinichi.

— Pegue! — gritou ele. — Fique com a bola, desgraçado, mas solte os dois *agora*!

Desta vez o riso tempestuoso de Shinichi não parava. Uma espiral de grama cresceu de um ponto ao lado de Damon e um segundo depois tinha formado um punho imenso, verde e revolto, que quase alcançou a esfera.

Mas...

— Ainda não, meus queridos — disse a Sra. Flowers, ofegante. Ela e Matt saíram correndo do depósito do pensionato, Matt mancando muito, e os dois estendiam o que pareciam ser Post-Its.

Só o que Elena conseguiu ver foi que Damon voltava à velocidade feroz, afastando-se do punho, e Matt colava um pedaço de papel na grama que cobria Stefan, enquanto a Sra. Flowers fazia o mesmo na vegetação em Meredith.

Enquanto Elena olhava, incrédula, a grama pareceu derreter, morrendo em folhas cor de feno que caíam no chão.

No segundo seguinte ela abraçava Stefan.

— Vamos entrar, meus queridos — disse a Sra. Flowers. — É seguro no depósito... Quem puder ajude os feridos, é claro.

Meredith e Stefan respiravam com dificuldade.

Mas Shinichi tinha a última palavra.

— Não se preocupem — disse ele, estranhamente calmo, como se percebesse que tinha perdido... Por ora. — Vou recuperar a esfera muito em breve. Não sabem usar esse tipo de poder! E, além de tudo, vou lhes dizer o que estavam escondendo de seus supostos amigos. Só uns segredinhos, que tal?

— Vá para o inferno com seus segredos — gritou Bonnie.

— Cuidado com o linguajar! Que tal este: uma de vocês guardou um segredo a vida toda e ainda o esconde. Entre vocês há um assassino... E não estou falando de matar um vampiro nem nada parecido. E há a questão da verdadeira identidade de Sage... Boa sorte em suas pesquisas! Um de vocês já teve a memória apagada... E não me refiro a Damon nem Stefan. E que tal o segredo do beijo roubado? Ou da noite no hotel, de que parece que ninguém se lembra, a não ser Elena. Podem perguntar a ela uma hora dessas sobre suas teorias a respeito de Camelot. E também...

Foi quando um som alto como as gargalhadas gigantes de Shinichi o interrompeu. Rasgou a face do céu, deixando-a ridiculamente caída. Depois o rosto desapareceu.

— O que foi isso...?

— Quem está com a arma...?

— Que tipo de arma pode fazer uma coisa dessas?

— Uma arma com balas abençoadas — disse Damon friamente, com o revólver apontado para baixo.

— Quer dizer que *você* fez isso?

— Boa, Damon!

— Esqueçam Shinichi!

— Ele é um mentiroso, isso eu posso garantir.

— Eu acho — disse a Sra. Flowers — que agora podemos finalmente entrar.

— É, vamos tomar banho.

— Só uma última coisa. — A voz de Shinichi parecia vir de toda parte; do céu, da terra. — Vocês realmente vão adorar saber o que estou pensando. Se eu fosse vocês, começaria a negociar essa esfera AGORA! — Mas sua risada distante e o som feminino abafado atrás dele era quase como um choro, como se Misao não conseguisse evitar. — VOCÊS VÃO *ADORAR*! — insistiu Shinichi num rugido.

43

lena não conseguia descrever muito bem o que sentia. Não era decepção. Era... uma espécie de trégua. Pelo que parecia a maior parte de sua vida, ela procurara por Stefan.

Mas agora que o tinha de volta, seguro e limpo (ele tomou um longo banho, durante o qual ela esfregou gentilmente com todo tipo de escovas e pedras-pomes. Depois os dois ficaram abraçados embaixo do chuveiro). O cabelo de Stefan estava mais escuro, macio e sedoso — um pouco maior do que ele geralmente mantinha —, disso ela tinha certeza. Ele não teve energia suficiente para se preocupar com o cabelo. Elena entendia isso.

E agora... Não havia guardas nem kitsune por perto para espioná-los. Não havia nada que os afastassem. Eles brincaram no chuveiro, espirrando água um no outro, Elena tomando todo o cuidado para manter os pés no tapete antiderrapante, pronta para tentar sustentar o corpo magro de Stefan. Mas eles agora não podiam brincar.

A brincadeira com água durante o banho também foi muito útil — para esconder as lágrimas que não paravam de cair pelo rosto de Elena. Ela podia — ah, meu Deus — contar e sentir cada uma das costelas de Stefan. Ele estava só pele e ossos, seu lindo Stefan, mas os olhos verdes continuavam vivos, faiscando e dançando em seu rosto pálido.

Depois de vestirem os pijamas, eles simplesmente ficaram sentados na cama por um tempo, juntos, os dois respirando — Stefan estava tão acostumado a ficar perto de humanos e, recentemente, a tentar se acostumar a pequena quantidade de sangue que recebia — em sincronia, e os *dois* sentindo o corpo quente um do outro... Era quase insuportável. Depois, meio inseguro, Stefan tateou, procurando a mão de Elena, e a pegou, segurando-a em suas mãos, virando-a, maravilhado.

Elena engolia em seco sem parar, tentando falar qualquer coisa, sentindo que praticamente irradiava felicidade. Ah, isso era tudo o que eu queria, pensou ela, embora soubesse que em breve ia querer falar, e abraçar, e beijar, e alimentar Stefan. Mas se alguém perguntasse se ela teria se contentado apenas com isso, sentar-se juntos, comunicando-se só pelo toque e pelo amor, ela teria aceitado.

Antes que se desse conta, ela estava falando, palavras doces que vinham do fundo da alma.

— Pensei que dessa vez eu não fosse conseguir. Já venci tantas vezes, que desta vez algo ia me dar uma lição e você... Não conseguiria.

Stefan ainda estava maravilhado com a mão de Elena, dobrando meticulosamente para beijar cada dedo em separado.

— Você chama de "vencer" quase morrer para salvar minha vida inútil... E a ainda mais inútil vida de meu irmão?

— Isso é mais do que vencer — admitiu Elena. — Sempre que conseguimos ficar juntos, é uma vitória. Qualquer momento... Mesmo naquele calabouço.

Stefan estremeceu, mas Elena precisava concluir seu raciocínio.

— Mesmo lá, olhar em seus olhos, tocar sua mão, saber que você estava olhando para mim e me tocando... E que estava feliz... Bom, isso para mim já foi uma vitória.

Stefan olhou para ela. Na luz fraca, seus olhos pareciam escuros e misteriosos.

— E mais uma coisa — sussurrou ele. — Porque sou o que sou... e porque sua glória não é essa nuvem dourada e gloriosa como o seu cabelo, mas uma aura que é... inefável. Indescritível. Está além de qualquer palavra...

Elena pensou que eles iriam ficar sentados, simplesmente se olhando, bebendo nos olhos um do outro, mas isso não estava acontecendo. A expressão de Stefan mudara e Elena percebeu que ele estava perto da sede de sangue — e da morte.

Apressadamente, Elena tirou o cabelo molhado do pescoço, depois se recostou, sabendo que Stefan a pegaria.

E foi o que ele fez isso, mas antes pegou o rosto de Elena nas mãos para olhá-la.

— Sabe o quanto eu te amo? — perguntou ele.

Todo o seu rosto agora era uma máscara, enigmática e estranhamente emocionante.

— Acho que você sabe — sussurrou ele. — Por várias vezes, vi você disposta a fazer qualquer coisa, *qualquer coisa* para me salvar... Mas não acho que você saiba o quanto esse amor se intensificou, Elena.

Tremores deliciosos desceram pela espinha de Elena.

— Então é melhor me mostrar — sussurrou ela. — Ou posso não acreditar em você...

— Vou lhe mostrar que falo sério — sussurrou Stefan. Mas quando ele se curvou, foi para beijá-la delicadamente. Os sentimentos dentro de Elena, de que esta criatura faminta queria beijá-la em vez de partir para seu pescoço, foram tão intensos que ela não podia explicar em pensamentos ou palavras, apenas puxando a cabeça de Stefan para que sua boca pousasse em seu pescoço.

— Por favor — disse ela. — Ah, Stefan, *por favor*.

Então ela sentiu a fugaz dor do sacrifício, e Stefan estava bebendo seu sangue. A mente de Elena, que adejava como um passarinho em uma sala iluminada, agora avistava seu ninho e seu parceiro, e voava sem parar até alcançar o amado.

Depois disso não havia necessidade de palavras. Eles se comunicavam por pensamentos, tão puros e claros como gemas cintilantes, e Elena alegrou-se, porque a mente de Stefan lhe estava aberta, não havia nada obscuro, e não havia rochedos de segredos nem crianças acorrentadas e chorosas...

O quê!, ela ouviu a exclamação de Stefan. *Uma criança acorrentada? Um rochedo do tamanho de uma montanha? Quem teria isso em sua mente...?*

Stefan se interrompeu, sabendo a resposta, mesmo antes que o pensamento rápido de Elena lhe dissesse. Elena sentiu a onda verde-clara de sua compaixão, temperada pela raiva natural de um jovem que passou pelas profundezas do inferno, mas sem se deixar dominar pelo terrível veneno negro da rixa entre irmãos.

Quando terminou de contar tudo o que sabia sobre a mente de Damon, Elena disse: *E não sei que fazer! Fiz tudo o que pude. Dei a ele tudo o que podia. Mas não sei se fez alguma diferença.*

Ele chamou Matt de "Matt" em vez de Mutt, interrompeu Stefan.

Sim. Eu... Percebi. Sempre pedi isso a ele, mas nunca pareceu importar.

Mas: você conseguiu mudá-lo. Não é qualquer um que consegue fazer isso.

Elena o apertou num abraço, mas logo parou, preocupada que pudesse machucá-lo, e olhou para ele. Stefan sorriu e balançou a cabeça. Já parecia uma pessoa, em vez de um sobrevivente de guerra.

Devia continuar usando isso, disse Stefan mentalmente. *Sua influência sobre ele é a mais eficaz.*

E vou... Sem usar nenhuma Asa artificial, prometeu Elena. Depois ficou preocupada que Stefan pensasse que ela era convencida demais — ou estivesse ligada demais a Damon.

Mas apenas um olhar para Stefan bastou para lhe garantir que ela agia corretamente.

Eles se grudaram um no outro.

Não foi tão difícil quanto Elena imaginou — entregar Stefan a outros humanos para que ele se alimentasse. Stefan usava um pijama limpo, e a primeira coisa que disse aos três doadores foi, "Se ficarem assustados ou mudarem de ideia, basta falar. Posso curar completamente o pescoço de vocês, e não estou com tanta fome. E de qualquer forma, provavelmente vou sentir se vocês não estiverem gostando, e vou parar. E por fim... Obrigado... Obrigado a todos. Decidi quebrar meu juramento esta noite porque ainda há uma pequena chance de que, sem a ajuda de vocês, eu não acorde amanhã."

Bonnie ficou apavorada, indignada e furiosa.

— Quer dizer que não pôde dormir *todo esse tempo* porque tinha medo de... de...

— Eu dormia de vez em quando, mas felizmente... Graças a *Deus*... Sempre acordava. Havia ocasiões em que eu não me atrevia a me mexer para economizar energia, mas de algum modo Elena achava um jeito de ir até mim, e a cada vez que ia, ela me alimentava. — Ele lançou a Elena um olhar que fez seu coração saltar do peito e voar para a estratosfera.

Então ela montou um revezamento pra alimentar Stefan de hora em hora, e ela e os outros deixaram a primeira voluntária, Bonnie, sozinha, para que ficasse mais à vontade.

Aconteceu na manhã seguinte. Damon já havia saído para visitar Leigh, a sobrinha do antiquário, que pareceu muito feliz em vê-lo. E agora tinha voltado, e olhava com desdém os dorminhocos que se espalhavam por todo o pensionato.

Foi quando viu o buquê.

Era fortemente lacrado com proteções — amuletos para ajudar a atravessar o hiato dimensional. Havia algo poderoso ali.

Damon tombou a cabeça de lado.

Hmmm... O que será?

Querido Diário
Não sei o que dizer. Estamos em casa.
Na noite passada, tomamos um longo banho quando chegamos... E eu fiquei um pouco decepcionada, porque minha escova preferida para as costas, a de cabo compri-

do, não estava lá, e não havia esfera estelar com uma música onírica para Stefan... E a água estava MORNA! E Stefan saiu para ver se o aquecedor estava regulado e encontrou Damon, que tinha indo fazer a mesma coisa!

  Mas acordei algumas horas atrás e, durante alguns minutos, tive a visão mais linda do mundo... Um nascer do sol. Rosa claro e verde misterioso a leste, com a noite ainda escura a oeste. Depois um rosa mais escuro no céu, e as árvores foram envolvidas em nuvens de orvalho. Depois um brilho glorioso da beira do horizonte em rosa escuro, creme, e até um verde melão no céu. Por fim, uma linha de fogo e, em um segundo, todas as cores mudaram. A linha se tornou um arco, o céu a oeste era de um azul muito escuro, depois veio o sol, trazendo calor, luz e cor às árvores verdes, e o céu começou a ficar azul-celeste — celeste significa do paraíso, embora de algum modo eu sinta um tremor delicioso quando digo isso. O céu parecia uma joia, azul-celeste, azul cerúleo e o sol dourado começou a despejar energia, amor, luz e todas as coisas boas no mundo.

  Quem não ficaria feliz em ver isso enquanto é abraçada por Stefan?

  Nós temos tanta sorte de nascer nessa luz — há quem veja isso todo dia e nunca dê valor, mas somos abençoados. Podemos ter nascido almas sombrias, condenadas a morrer na escuridão carmim, sem jamais saber que em algum lugar por aqui há algo muito melhor.

44

Elena foi acordada por gritos. Já havia despertado antes para uma alegria inacreditável. Agora estava acordada de novo — mas certamente não era a voz de Damon. Gritando? Damon não gritava!

Vestiu um roupão e disparou porta afora, descendo a escada.

Vozes elevadas — confusão. Damon estava ajoelhado no chão. Seu rosto estava pálido e azulado, mas não havia uma planta na sala que pudesse estrangulá-lo.

Envenenado, foi o que Elena pensou e imediatamente seus olhos dispararam pela sala à procura de um copo caído, um prato no chão, qualquer sinal da ação de um veneno. Não havia nada.

Sage batia nas costas de Damon. Ah, meu Deus, como foi que ele se engasgou? Mas isso era idiotice. Os vampiros não respiravam, só para falar e invocar Poder.

Mas então, o que estava acontecendo?

— Você precisa respirar — gritava Sage no ouvido de Damon. — Respire, como se fosse falar, mas depois prenda o ar, como se fosse elevar seu Poder. Pense interiormente. Coloque os pulmões para funcionar!

As palavras só confundiram Elena.

— Pronto! — gritou Sage. — Está vendo?

— Mas só dura um instante. Depois eu preciso fazer tudo de novo.

— Pois sim, a questão é essa!

— Eu digo que estou morrendo e você ri de mim? — gritou um Damon desgrenhado. — Estou cego, surdo, meus sentidos estão descontrolados... E você ri!

Desgrenhado, pensou Elena, incomodada com alguma coisa.
— Bom. — Sage tentou não rir. — Talvez, *mon petit chou*, não devesse ter aberto uma coisa que não era para você, não é?
— Eu coloquei proteções em volta de mim antes de abrir. A casa estava segura.
— Mas você não estava... *Respire! Respire*, Damon!
— Parecia totalmente inofensivo... E confesse... Todos nós íamos... Abrir na noite passada... Mas estávamos cansados demais...!
— Mas fazer isso sozinho, abrir um presente de um kitsune... Foi tolice, não foi?
Um Damon sufocado rebateu:
— Não me venha com sermão. Ajude-me. Por que estou sufocando? Por que não consigo enxergar? Nem ouvir? Nem sentir o cheiro... de nada? Estou lhe dizendo que não sinto o cheiro de nada!
— Você está saudável e afiado como qualquer ser humano. Provavelmente pode derrotar qualquer vampiro, se lutar com um agora. Mas os sentidos humanos são muito poucos e muito embotados.
As palavras giravam na cabeça de Elena... Abrir coisas que não eram para você... Buquê de um kitsune... Humano...
Ah, meu Deus!
Ao que parecia, as mesmas palavras passavam pela mente de outra pessoa, porque de repente uma figura veio disparada da cozinha. Stefan.
— Você roubou meu buquê? Que o kitsune me deu?
— Eu tive muito cuidado...
— Sabe o que você fez? — Stefan sacudiu Damon.
— Ai. Isso dói! Quer quebrar meu pescoço?
— *Isso* dói? Damon, você está em um *mundo* de dor! Entendeu? Eu falei com aquele kitsune. Contei a ele toda a história de minha vida. Elena foi me visitar e ele a viu praticamente... Bom, deixa pra lá... Ele a viu chorar em cima de mim! Você... sabe... o... que... *fez*? — Era como se Stefan tivesse começado a subir numa série de degraus, e que cada um deles o levasse a um nível mais alto de fúria. E aqui, no topo...

— EU VOU TE MATAR! — gritou Stefan. — Você *tomou*... minha humanidade! Ele me deu... *E você a tomou de mim!*
— Você vai *me* matar? Eu é que vou matar *você*, seu... Seu *cretino*! Só tinha uma flor no meio. Uma rosa negra, a maior que já vi na vida. E tinha um cheiro... celestial...
— Sumiu! — contou Matt, pegando o buquê. Ele o levantou. Havia um buraco no meio do arranjo misto de flores.
Apesar do buraco, Stefan correu para ele e olhou bem o buquê, puxando grandes golfadas de ar. Continuou assim e, e a cada vez que vinha um raio faiscava entre as pontas dos dedos, ele os estalava.
— Desculpe, amigo — disse Matt. — Acho que acabou.
Elena agora entendia tudo. Aquele kitsune... Ele era um dos bondosos, como contavam as histórias de Meredith. Ou pelo menos bom o bastante para se solidarizar com Stefan. E assim, quando foi libertado, preparou um buquê capaz de transformar Stefan em humano — os kitsune podem fazer praticamente qualquer coisa com plantas, embora certamente esta fosse uma grande proeza, algo como achar o segredo da eterna juventude... Transformar vampiros em humanas. Então Stefan aguentou tudo sem reclamar e devia finalmente receber sua recompensa... E agora...
— Vou voltar — gritou Stefan. — Eu vou encontrá-lo!
Meredith falou em voz baixa.
— Com ou sem Elena?
Stefan parou. Olhou a escada e seus olhos encontraram os de Elena.
Elena...
Vamos juntos.
— Não — gritou Stefan. — Eu nunca a submeteria a isso. Então eu não vou, mas vou matar *você*! — Ele voltou a atacar o irmão.
— O que está feito, está feito. Além disso, eu é que vou matar você, seu desgraçado! Você roubou meu mundo! Eu sou um vampiro! Não sou um... — soltou um palavrão criativo — ... humano!
— Bom, agora é — disse Matt. Ele se segurava para não rir alto. — Então eu diria que é melhor se acostumar com isso.

Damon pulou em Stefan, que não se desviou. Num segundo eles estavam no chão, numa mistura de pancadas, chutes, socos e palavrões em italiano que davam a impressão de que havia pelo menos quatro vampiros lutando com cinco ou seis humanos.

Elena se sentou, desconsolada.

Damon... Um humano?

Como eles iriam lidar com isso?

Elena levantou a cabeça e viu que Bonnie tinha preparado uma bandeja com todo tipo de coisas que agradavam ao paladar humano, e que ela sem dúvida fizera para Damon antes de ele ter uma crise histérica.

— Bonnie — disse Elena em voz baixa — não dê a ele ainda. Ele vai jogar tudo em você. Mas talvez depois...

— Depois ele *não vai* jogar?

Elena estremeceu.

— Como é que Damon vai lidar com o fato de ser humano? — perguntou ela a si mesma em voz alta.

Bonnie olhou para os dois no chão.

— Eu diria que... esperneando e gritando o tempo todo.

Foi quando a Sra. Flowers veio da cozinha. Trazia uma pilha enorme de waffles, em vários pratos numa bandeja. Ela viu a bola que rolava, xingava e rosnava e reparou que eram Stefan e Damon.

— Ah, meu Deus — disse ela. — Saiu alguma coisa errada?

Elena olhou para Bonnie. Bonnie olhou para Meredith. Meredith olhou para Elena.

— Pode-se dizer... que sim. — Elena arfava.

E depois as três desistiram. Gargalhadas e mais gargalhadas irreprimíveis.

Você perdeu um aliado poderoso, disse uma voz na mente de Elena. *Sabia disso? Pode prever as consequências? Hoje, quando você acabou de voltar de um mundo de Shinichis?*

Vamos vencer, pensou Elena. *Temos de vencer.*

Este livro foi composto na tipografia
Minion Pro, em corpo 11/15, e impresso em
papel off-white no Sistema Digital Instant Duplex
da Divisão Gráfica da Distribuidora Record.